2025年度版

TAC税理士講座

税理士受験シリーズ

# 20

# 相続税法

# 財産評価問題集

# はじめに

相続税法に規定する相続税及び贈与税は、相続、遺贈又は贈与により財産を取得した者に対してその取得した財産の価額を課税標準として課する税である。そこで、「相続税及び贈与税は、評価に始まって、評価に終わる。」と言われるほどに、財産の評価が最重要テーマとなっている。

また、近年の本試験においても、この財産評価の重要性が再認識されて、問題文の半分以上が財産評価に関する資料で占められているという出題状況になっている。

本書においては、この財産評価に関する規定のうち、税理士試験において最重要とされているテーマを中心として収録している。

本書が税理士試験・相続税法合格の礎となることができれば幸いである。

ＴＡＣ税理士講座

# 本書の特長

## 1　相続税法の最重要項目を完全攻略

近年の税理士試験相続税法において、財産の評価が最重要テーマとなっています。本書においては、この財産評価に関する規定のうち、税理士試験において最重要とされているテーマを中心に収録しています。

## 2　最新の改正に対応

最新の税法・通達等の改正等に対応しています。

（令和６年７月現在の法令通達に準拠）

## 3　重要度を明示

問題ごとに、本試験の出題実績に応じた重要度を明示しています。重要度に応じたメリハリをつけた学習を行うことが可能です。

Aランク…税理士試験において出題頻度が高く、最も基本的なレベル

Bランク…税理士試験において実際に出題されている、または実際に出題されている項目の次に出題されると思われるレベル

Cランク…税理士試験において必ず得点すべき問題のレベルを超えているが、当該テーマについてより理解を深められる問題

## 4　本試験の出題の傾向と分析を掲載

本試験の出題傾向と分析を掲載しています。学習を進めるにあたって、参考にしてください。

（注）本書掲載の「出題の傾向と分析」は、「2024年度版　相続税法　過去問題集」に掲載されていたものをもとにしております。

# 本書の利用方法

## 1　反復練習が決め手

反復練習の回数が解答可能な項目数を決めますので、最低５回以上はすべての問題を解くようにしましょう。

また、苦手な問題については、確実に解けるようになるまで１月おきに解くようにしましょう。

## 2　重要度に応じた利用方法

収録問題のうち重要度Ａおよび重要度Ｂの問題は、必ずすべてできるようにしましょう。

なお、重要度Ｃの問題については、税理士試験において得点すべき問題のレベルを超えています（したがって、必ずできなければならないという問題ではありません）が、そのテーマに関してより理解を深められるように作成してありますので、時間が許せば解いておくとよいでしょう。

## 3　最終到達目標

最終的に重要度Ａおよび重要度Ｂの問題を１冊通して、15時間以下（１日または２日）で解答することができるようになれば、時間的にも、知識的にも合格レベルに達したと考えられます。

このレベルに達するまで、繰り返し解くようにしましょう。

## 4　チェック欄の利用方法

目次には問題ごとにチェック欄を設けてあります。実際に問題を解いた後に、日付、得点、解答時間などを記入することにより、計画的な学習、弱点の発見ができます。

# 目次

# 出題の傾向と分析

**財産評価について**

イ　過去の出題内容

| 内容＼回数 | 第59回 | 第60回 | 第61回 | 第62回 | 第63回 | 第64回 | 第65回 | 第66回 | 第67回 | 第68回 | 第69回 | 第70回 | 第71回 | 第72回 | 第73回 |
|---|---|---|---|---|---|---|---|---|---|---|---|---|---|---|---|
| 1　総則 | | | | | | | | | | | | | | | |
| 邦貨換算 | | ○ | ○ | | | | ○ | | | ○ | | | | | ○ |
| 2　宅地及び宅地の上に存する権利 | ○ | ○ | ○ | ○ | ○ | ○ | ○ | ○ | ○ | ○ | ○ | ○ | ○ | ○ | ○ |
| (1) 資料の与え方 | | | | | | | | | | | | | | | |
| ①　評価の必要なし | | | | | | | | | | | | | | | |
| ②　路線価方式又は倍率方式 | ○ | | ○ | ○ | ○ | ○ | ○ | ○ | ○ | ○ | ○ | ○ | ○ | ○ | ○ |
| ③　自用地の価額又は自用のものとしての時価が与えられている | | | | | | | | | | | | | | | |
| ④　与えられた価額から選択 | | | | | | | | | | | | | | | |
| (2) 出題された論点 | | | | | | | | | | | | | | | |
| ①　一画地の宅地 | | | | ○ | ○ | ○ | | | ○ | | | ○ | | ○ | ○ |
| ②　側方路線影響加算 | ○ | | | ○ | ○ | ○ | ○ | ○ | | ○ | ○ | ○ | ○ | ○ | ○ |
| ③　二方路線影響加算 | | ○ | | | | ○ | | ○ | | | | | ○ | ○ | |
| ④　間口が狭小な宅地等 | | | | | | | ○ | | | | | | | | |
| ⑤　奥行が長大な宅地等 | | | | | | | ○ | | | | ○ | | ○ | | |
| ⑥　がけ地等を有する宅地 | | | | | ○ | | ○ | | | | ○ | | | | |
| ⑦　不整形地 | | ○ | | ○ | ○ | | ○ | | | ○ | | ○ | | | ○ |
| ⑧　無道路地 | | | ○ | | | | | | | | | | | | |
| ⑨　容積率の異なる地域にわたる宅地 | | | ○ | | | | | | | | | | | | |
| ⑩　セットバックを必要とする宅地 | | | | | | | | ○ | | | ○ | | | | |
| ⑪　都市計画道路予定地の区域内にある宅地 | | | | | | | | | | ○ | | | | | |
| ⑫　区分地上権が設定されている宅地 | | | | | | | | | | | | | ○ | | |
| ⑬　私　道 | | | | | | | | | | | | | | ○ | |
| ⑭　広大地 | | | | | | | | | | 平成29年度の改正により廃止 | | | | | |
| ⑮　地積規模の大きな宅地 | 平成29年度の改正により新設 | | | | | | | | | | | | | ○ | ○ |
| ⑯　造成中の宅地 | | | | | | | | | | | ○ | | | | |
| ⑰　賃貸借 | | | | ○ | ○ | ○ | ○ | | ○ | | ○ | | ○ | ○ | |
| ⑱　相当の地代 | ○ | | | | | | | | | | | | | | |
| ⑲　土地の無償返還に関する届出書 | | | | | | ○ | ○ | ○ | | | ○ | ○ | | | ○ |
| ⑳　使用貸借 | | ○ | | | | | ○ | | | | ○ | | | ○ | |

| 内容 ＼ 回数 | 第59回 | 第60回 | 第61回 | 第62回 | 第63回 | 第64回 | 第65回 | 第66回 | 第67回 | 第68回 | 第69回 | 第70回 | 第71回 | 第72回 | 第73回 |
|---|---|---|---|---|---|---|---|---|---|---|---|---|---|---|---|
| ㉑ ビルの敷地 | | ○ | ○ | | ○ | | | | ○ | | | ○ | | | |
| ㉒ 共有財産 | | | | | | | | | | | ○ | | ○ | ○ | |
| ㉓ 分譲マンション | | | | | | | | | | | | | | | |
| ㉔ 定期借地権 | | | | | | | | | | | | | | | ○ |
| ㉕ 正面路線に2つの路線価がついている宅地 | | | | | | | | ○ | | | | | | | |
| ㉖ 区分所有財産 | | ○ | | | | | ○ | | | | | | | | |
| ㉗ 法施行地外に所在する宅地 | | ○ | | | | | | | | | | | | | |
| 3 農地及び農地の上に存する権利 | | | | ○ | ○ | | ○ | | ○ | | | | | | |
| 4 山林及び山林の上に存する権利 | | | | | | | | | | | | | | | |
| 5 家屋及び家屋の上に存する権利 | ○ | ○ | ○ | ○ | ○ | ○ | ○ | ○ | ○ | ○ | ○ | ○ | ○ | ○ | |
| (1) 資料の与え方 | | | | | | | | | | | | | | | |
| ① 倍率方式 | ○ | ○ | ○ | ○ | ○ | ○ | ○ | ○ | ○ | ○ | ○ | ○ | ○ | ○ | |
| ② 自用家屋の価額又は自用のものとしての時価が与えられている | | | | | | | | | | | | | | | |
| (2) 出題された論点 | | | | | | | | | | | | | | | |
| ① 構造上一体となっている設備 | | | | | | ○ | | | | | | | | | |
| ② 賃貸借 | | ○ | ○ | ○ | ○ | ○ | | | ○ | | ○ | ○ | ○ | | |
| ③ 使用貸借 | | | | | ○ | | | | | | ○ | | | | |
| ④ 共有財産 | | | | | | | | | | | | | | ○ | |
| ⑤ 区分所有財産 | | ○ | | | | | ○ | | | | | | | | |
| ⑥ ビル | | ○ | ○ | | ○ | | | | ○ | | | ○ | | | |
| ⑦ 賃貸割合 | | ○ | | | | | | | | | | | | | |
| ⑧ 配偶者居住権等 | 令和2年度の改正により新設 | | | | | | | | | | | | ○ | ○ | |
| 6 小規模宅地等の特例 | ○ | ○ | ○ | ○ | ○ | ○ | ○ | ○ | ○ | ○ | ○ | ○ | ○ | ○ | ○ |
| (1) 特例対象宅地等の数 | 3 | 2 | 3 | 2 | 3 | 3 | 2 | 3 | 5 | 2 | 3 | 4 | 4 | 2 | 2 |
| (2) 特例対象宅地等のパターン | | | | | | | | | | | | | | | |
| ① 被相続人の事業用 | ○ | ○ | ○ | ○ | ○ | | ○ | ○ | ○ | ○ | ○ | ○ | ○ | | ○ |
| ② 被相続人の居住用 | | ○ | ○ | ○ | ○ | ○ | ○ | ○ | ○ | ○ | ○ | ○ | ○ | ○ | |
| ③ 生計を一にする親族の事業用 | | | | | | | | | | | | | | | |
| ④ 生計を一にする親族の居住用 | | | | | | | | | | | | | | | |
| (3) 適用割合 | | | | | | | | | | | | | | | |
| ① 特定事業用宅地等 | ○ | | ○ | | | | | | | | | ○ | ○ | | |
| ② 特定居住用宅地等 | | ○ | ○ | ○ | ○ | ○ | ○ | ○ | ○ | ○ | ○ | ○ | ○ | ○ | |

| 内容　　　回数 | 第59回 | 第60回 | 第61回 | 第62回 | 第63回 | 第64回 | 第65回 | 第66回 | 第67回 | 第68回 | 第69回 | 第70回 | 第71回 | 第72回 | 第73回 |
|---|---|---|---|---|---|---|---|---|---|---|---|---|---|---|---|
| ③　特定同族会社事業用宅地等 | | | | | | ○ | ○ | ○ | | | ○ | | ○ | | |
| ④　貸付事業用宅地等 | ○ | ○ | ○ | ○ | ○ | ○ | | ○ | ○ | ○ | ○ | ○ | ○ | ○ | ○ |
| ⑤　非同居親族が取得した居住用宅地等 | | | | | | | | | | | | | | | |
| (4) 特殊な選択パターン | | | | | | | | | | | | | | | |
| ①　相続税額の加算を考慮 | | | | | | | | | | | | | | | |
| ②　配偶者に対する相続税額の軽減を考慮 | | | | | | | | | | | | | | | |
| (5) 個別論点 | | | | | | | | | | | | | | | |
| ①　生計を一にする者の範囲 | | | | | | | | | | | | | | | |
| ②　青空駐車場 | ○ | | | | | | | | | | | | | | |
| ③　寄宿舎の敷地 | | | | | | | | | | | | | | | |
| ④　法施行地外に所在する宅地 | | | | | | | | | | | | | | | |
| 7　特定計画山林の特例 | | | | | | | | | | | | | | | |
| 8　立木の評価 | | | | | | ○ | | | | | | | | | |
| (1) 相続人又は包括受遺者が取得 | | | | | | | | | | | | | | | |
| (2) 相続人及び包括受遺者以外の者が取得 | | | | | | ○ | | | | | | | | | |
| 9　上場株式 | ○ | ○ | | | | ○ | | | ○ | ○ | | ○ | ○ | | |
| (1) 原　則（(2) ～ (5) 以外） | | | | | | | | | | | | | | | |
| (2) 課税時期が新株式の割当の基準日の翌日以後である場合 | | | | | | | | | ○ | | | | ○ | | |
| (3) 課税時期が配当金交付の基準日の翌日以後である場合 | | | | | | ○ | | | | | | | | | |
| (4) 課税時期が新株権利落の日から新株式の割当の基準日までの間にある場合 | | | | | | | | | | | | | | | |
| (5) ２以上の金融商品取引所に上場されている場合 | ○ | ○ | | | | ○ | | | ○ | | | | | | |
| (6) 課税時期に最終価格がない場合 | | ○ | | | | | | | | | | | ○ | | |
| 10　取引相場のない株式 | ○ | ○ | ○ | ○ | ○ | ○ | ○ | ○ | ○ | ○ | ○ | ○ | ○ | ○ | ○ |
| (1) 原則的評価方式を適用する場合 | ○ | ○ | ○ | ○ | ○ | ○ | ○ | ○ | ○ | ○ | ○ | ○ | ○ | ○ | ○ |
| (2) 特例的評価方式を適用する場合 | | | | | | ○ | ○ | | | | | ○ | ○ | | ○ |
| (3) 土地保有特定会社の株式 | | | | | | | | | | | | | | | |
| (4) 株式等保有特定会社の株式 | | | | | | | | | | | | | | | |
| (5) 比準要素数１の会社の株式 | | | | | | | | | | | | | | | ○ |

| 内容 ＼ 回数 | 第59回 | 第60回 | 第61回 | 第62回 | 第63回 | 第64回 | 第65回 | 第66回 | 第67回 | 第68回 | 第69回 | 第70回 | 第71回 | 第72回 | 第73回 |
|---|---|---|---|---|---|---|---|---|---|---|---|---|---|---|---|
| (6) 1株当たりの類似業種比準価額 | ○ | | ○ | | ○ | ○ | ○ | ○ | ○ | ○ | ○ | | ○ | ○ | ○ |
| (7) 1株当たりの純資産価額 | ○ | ○ | | ○ | ○ | ○ | ○ | ○ | ○ | ○ | ○ | | ○ | ○ | ○ |
| (8) 配当還元価額 | | | | | | ○ | ○ | | | | | | ○ | | ○ |
| (9) 法人株主 | | ○ | | | | | | | | | | | | | |
| 11 出 資 | | | | | | | | | | | | | | | |
| 12 公社債 | | | | | | | | | | | | | | | |
| (1) 利付債 | | | | | | | | | | | ○ | | | | |
| (2) 割引債 | | | | | | | | | | | | | | | |
| (3) 転換社債 | | | | | | | | | | ○ | | ○ | | | |
| (4) 外国債 | | ○ | | | | | | | | | | | | | |
| 13 証券投資信託の受益証券 | | | | | | | | | | | ○ | | | | |
| 14 預貯金 | | | | | | ○ | ○ | ○ | ○ | | | | | | |
| (1) 定期預金 | | | | | | | | | ○ | | | | | | |
| (2) 定期預金（中間利払付） | | | | | | | | | | | | | | | |
| (3) 定額郵便貯金 | | | | | | | | | | | | | | | |
| (4) 普通預金 | | | | | | | | ○ | | | | | | | |
| (5) 外貨普通預金 | | | | | | | ○ | | | | | | | | |
| 15 貸付金債権等 | | | | | | | | | | | | ○ | | ○ | |
| (1) 中間利払いがあるもの | | | | | | | | ○ | | | | | | | |
| (2) 利息が全額後払いのもの | | | | | | | | | | | | | | | |
| 16 受取手形 | | | | | | | | | | | | | | | |
| 17 ゴルフ会員権 | | | | | | ○ | | | | | ○ | | | | |
| (1) 相場があるもの | | | | | | ○ | | | | | | | | | |
| (2) 相場がないもの | | | | | | | | | | ○ | ○ | | | | |
| (3) 株主であり、かつ、預託金等を支払わなければ会員となれないもの | | | | | | | | | | | ○ | | | | |
| (4) 預託金等を支払わなければ会員となれないもの | | | | | | | | | | | | | | | |
| (5) 単にプレーができるだけのもの | | | | | | | | | | ○ | | | | | |
| 18 定期金の評価 | | | | | | | | | | ○ | | | ○ | | |
| (1) 有期定期金 | | | | | | | | | | ○ | | | ○ | | |
| (2) 終身定期金 | | | | | | | | | | | | | | | |
| (3) 期間付終身定期金 | | | | | | | | | | | | | | | |

| 内容＼回数 | 第59回 | 第60回 | 第61回 | 第62回 | 第63回 | 第64回 | 第65回 | 第66回 | 第67回 | 第68回 | 第69回 | 第70回 | 第71回 | 第72回 | 第73回 |
|---|---|---|---|---|---|---|---|---|---|---|---|---|---|---|---|
| 19　生命保険契約に関する権利の評価 | | | | | | ○ | | ○ | | | | | ○ | ○ | |
| (1) 保険料の全額が一時払 | | | | | | | | | | | | | | | |
| (2) (1) 以外 | | | | | | ○ | | | | | | | | | |
| (3) 保険金の一部が支払われている場合 | | | | | | | | | | | | | | | |
| (4) 災害特約が付されている場合 | | | | | | | | | | | | | | | |
| (5) 保険金の支払方法を年金と一時金で選択できる場合 | | | | | | | | | | | | | | | |
| 20　信託受益権の評価 | | | | | | | | | | | | | | | |

ロ　過去の出題内容の傾向と分析

近年の税理士試験相続税法の計算問題で最も主要な論点を占めているのが、このテーマである。また、そのうちでも出題頻度が高いのが、次の４点である。

(イ)　宅地及び宅地の上に存する権利並びに家屋の評価（小規模宅地等の特例を含む。）

(ロ)　株式（上場株式、取引相場のない株式）の評価

(ハ)　公社債、受益証券等の有価証券の評価

(ニ)　預貯金の評価

そのうちでも最も注意すべき事項は、(イ)及び(ロ)の論点である。特に「取引相場のない株式」については、特殊論点の出題はひと回りした感はあるが、引き続き過去の出題論点についての対策をとっておく必要がある。

このテーマに関して対策を立てるとしても、実際には、いろいろなタイプの問題を豊富な量をこなすことが最善であるとしかいえないのである。したがって、「財産評価問題集」を何度も繰り返し解くということが最善の対策であるといえる。

# 第１章

# 宅地の自用地評価

| | 重要度 |
|---|---|
| 問題１　倍率方式 | A |
| 問題２　路線価方式　－整形地－ | A |
| 問題３　路線価方式　－特殊な整形地（その１）－ | A |
| 問題４　路線価方式　－特殊な整形地（その２）－ | A |
| 問題５　路線価方式　－不整形地（その１）－ | A |
| 問題６　路線価方式　－不整形地（その２）－ | A |
| 問題７　路線価方式　－不整形地（その３）－ | C |
| 問題８　倍率方式と路線価方式 | A |

参考資料　土地及び土地の上に存する権利の評価についての調整率表

## 問題 1　倍率方式

重要度　A

次の各設例の場合における宅地の相続税評価額を求めなさい。

＜設例１＞

倍率方式適用地域所在

| | |
|---|---|
| 地価公示法による公示価格 | 35,000千円 |
| 固定資産税評価額 | 20,000千円 |
| 固定資産税課税標準額 | 15,000千円 |
| 倍　率 | 1.5倍 |
| 地　積 | 300㎡ |

＜設例２＞

倍率方式適用地域所在

| | |
|---|---|
| 土地課税台帳に登録された基準年度の価格 | 12,000千円 |
| 固定資産税課税標準額 | 9,000千円 |
| 倍　率 | 1.2倍 |
| 地　積 | 150㎡ |

＜設例３＞

倍率方式適用地域所在

| | |
|---|---|
| 近隣の売買実例から推定した価額 | 50,000千円 |
| 固定資産税評価額 | 10,000千円 |
| 固定資産税課税標準額 | 5,000千円 |
| 倍　率 | 2.0倍 |
| 台帳地積 | 250㎡ |
| 実際の地積 | 255㎡ |

### 解　答

＜設例１＞

20,000千円×1.5＝30,000千円

＜設例２＞

12,000千円×1.2＝14,400千円

＜設例３＞

$10{,}000\text{千円}\times\frac{255\text{m}^2}{250\text{m}^2}\times 2.0=20{,}400\text{千円}$

**解答への道**

**《公式》　倍率方式**（評通21、21－２）

| 固定資産税評価額 × 倍率 |
|---|

**＜設例１＞**

倍率方式で用いる資料は、固定資産税評価額であり、固定資産税課税標準額ではない。

**＜設例２＞**

固定資産税評価額とは、地方税法の規定により土地課税台帳もしくは土地補充課税台帳又は家屋課税台帳もしくは家屋補充課税台帳に登録された基準年度の価格又は比準価格をいうことから、本問においては、土地課税台帳に登録された基準年度の価格に倍率を乗ずる。

**＜設例３＞**

土地及び土地の上に存する権利の評価上、地積は課税時期における実際の面積による（評通８）とされていることから、台帳に登録された地積と実際の地積が異なる場合の公式は、次のようになる。

$$\text{固定資産税評価額} \times \frac{\text{実際の地積}}{\text{台帳地積}} \times \text{倍率}$$

## 問題２　路線価方式　－整形地－

| 重要度 | A |
|---|---|

**次の各設例の場合における宅地の相続税評価額を求めなさい。**

**＜設例１＞**

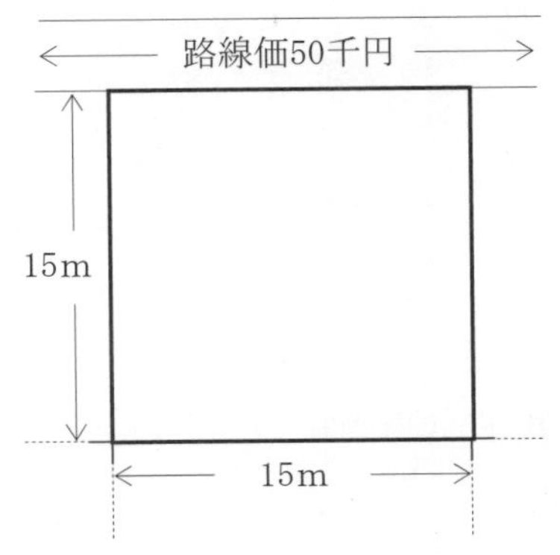


1　普通住宅地区所在

2　奥行価格補正率
15m………1.00

＜設例２＞

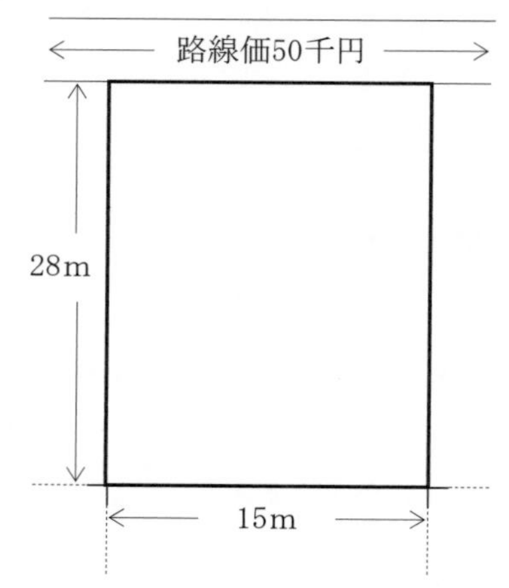


1　普通住宅地区所在

2　奥行価格補正率

15m………1.00

28m………0.95

＜設例３＞

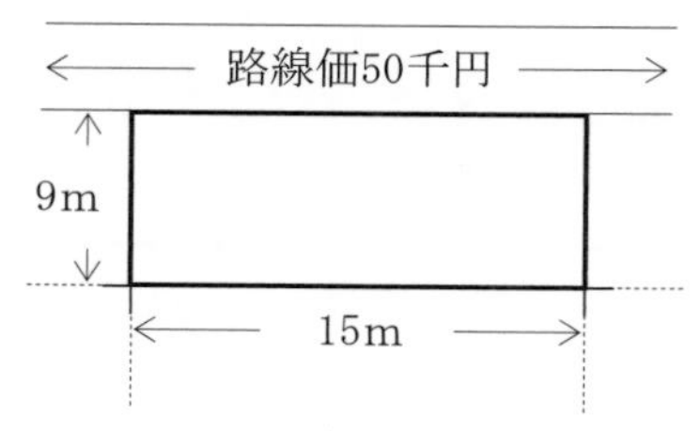


1　普通住宅地区所在

2　奥行価格補正率

9m………0.97

15m………1.00

＜設例４＞

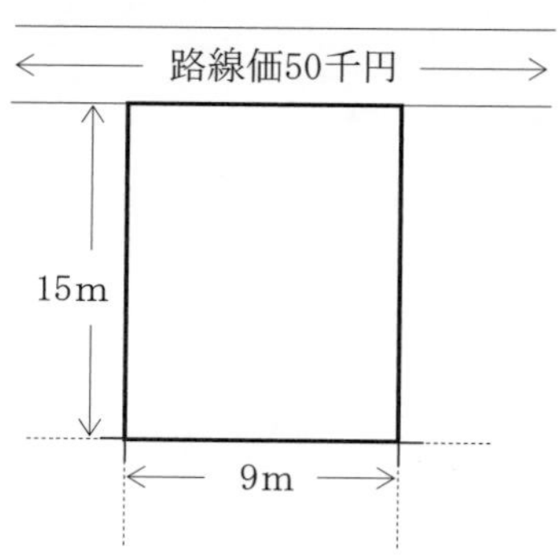


1　普通住宅地区所在

2　奥行価格補正率

9m………0.97

15m………1.00

＜設例５＞

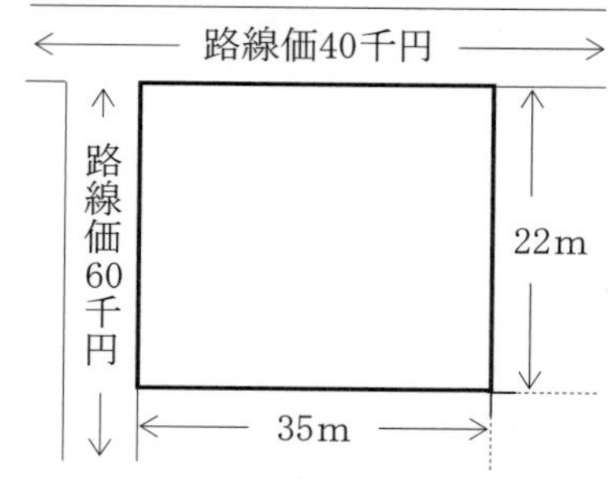


1　普通商業・併用住宅地区所在

2　奥行価格補正率

22m………1.00

35m………0.97

3　側方路線影響加算率

角　地……0.08

準角地……0.04

＜設例６＞

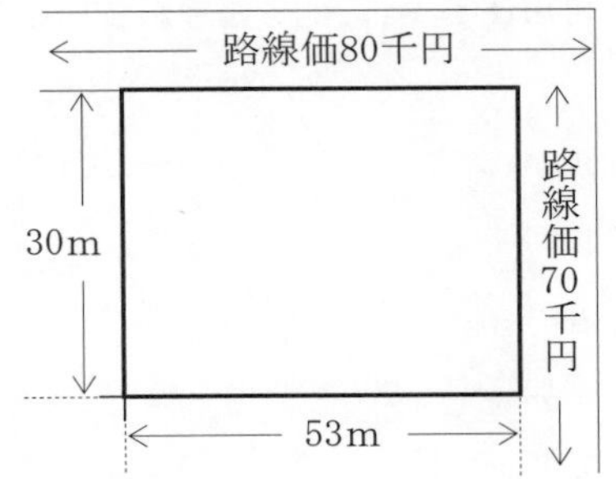


1　中小工場地区所在
2　奥行価格補正率
30m………1.00
53m………1.00
3　側方路線影響加算率
角　地……0.03
準角地……0.02

＜設例７＞

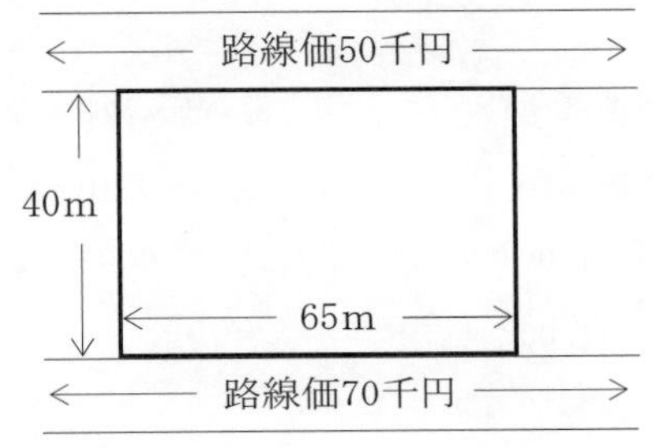


1　普通住宅地区所在
2　奥行価格補正率
40m………0.91
65m………0.85
3　二方路線影響加算率
………0.02

＜設例８＞

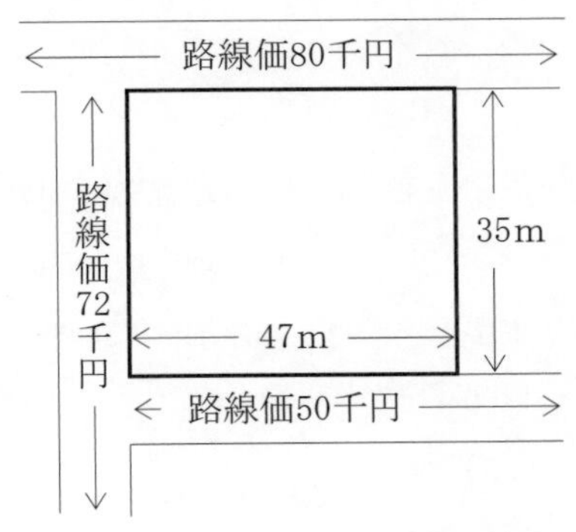


1　普通商業・併用住宅地区所在
2　奥行価格補正率
35m………0.97
47m………0.91
3　二方路線影響加算率
………0.05
4　側方路線影響加算率
角　地……0.08
準角地……0.04

＜設例９＞

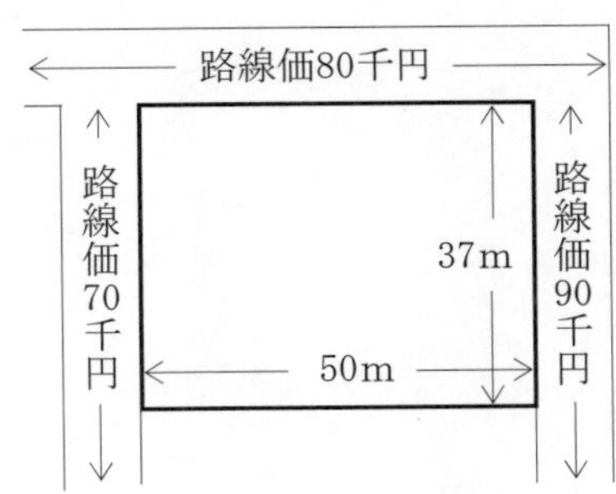


1　普通住宅地区所在
2　奥行価格補正率
37m………0.92
50m………0.89
3　二方路線影響加算率
………0.02
4　側方路線影響加算率
角　地……0.03
準角地……0.02

＜設例10＞

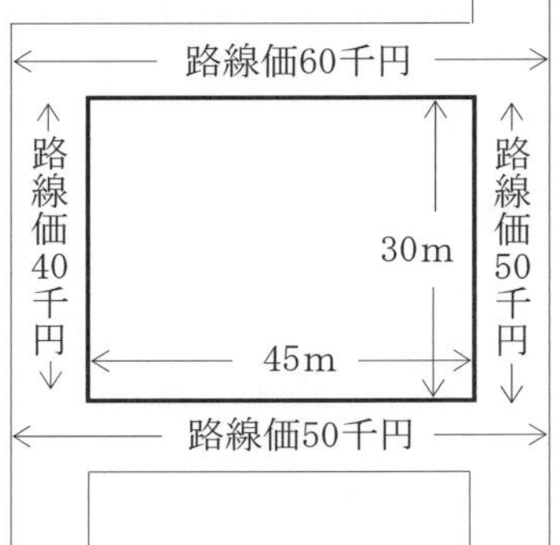


1　普通商業・併用住宅地区所在
2　奥行価格補正率
30m………1.00
45m………0.91
3　二方路線影響加算率
………0.05
4　側方路線影響加算率
角　地……0.08
準角地……0.04

＜設例11＞

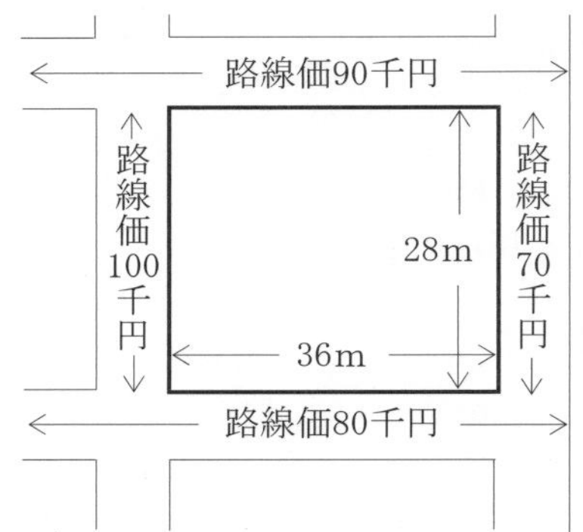


1　高度商業地区所在
2　奥行価格補正率
28m………1.00
36m………1.00
3　二方路線影響加算率
………0.07
4　側方路線影響加算率
角　地……0.10
準角地……0.05

＜設例12＞

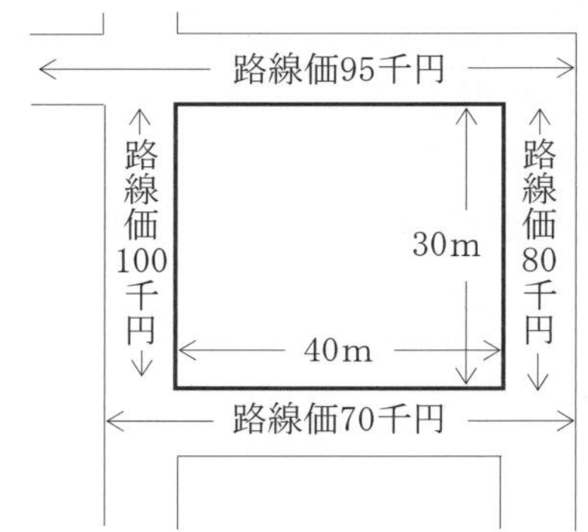


1　普通商業・併用住宅地区所在
2　奥行価格補正率
30m………1.00
40m………0.93
3　二方路線影響加算率
………0.05
4　側方路線影響加算率
角　地……0.08
準角地……0.04

## 解　答

＜設例１＞

50千円×1.00×15m×15m＝11,250千円

＜設例２＞

50千円×0.95×28m×15m＝19,950千円

＜設例３＞

50千円×0.97×９m×15m＝6,547.5千円

＜設例４＞

50千円×1.00×15m×９m＝6,750千円

＜設例５＞

(1) 60千円×0.97＝58.2千円

(2) 40千円×1.00×0.08＝3.2千円

(3) ((1)＋(2))×22m×35m＝47,278千円

＜設例６＞

(1) 80千円×1.00＝80千円

(2) 70千円×1.00×0.02＝1.4千円

(3) ((1)＋(2))×30m×53m＝129,426千円

＜設例７＞

(1) 70千円×0.91＝63.7千円

(2) 50千円×0.91×0.02＝0.91千円

(3) ((1)＋(2))×40m×65m＝167,986千円

＜設例８＞

(1) 80千円×0.97＝77.6千円

(2) 72千円×0.91×0.08＝5.241千円（円未満切捨）

(3) 50千円×0.97×0.05＝2.425千円

(4) ((1)＋(2)＋(3))×35m×47m＝140,262.57千円

＜設例９＞

(1) 90千円×0.89＝80.1千円

(2) 70千円×0.89×0.02＝1.246千円

(3) 80千円×0.92×0.02＝1.472千円

(4) ((1)＋(2)＋(3))×37m×50m＝153,213.3千円

＜設例10＞

(1) 60千円×1.00＝60千円

(2) 40千円×0.91×0.04＝1.456千円

(3) 50千円×0.91×0.08＝3.64千円

(4) 50千円×1.00×0.05＝2.5千円

(5) ((1)＋(2)＋(3)＋(4))×30m×45m＝91,254.6千円

<設例11>

(1) 100千円×1.00＝100千円

(2) 90千円×1.00×0.10＝９千円

(3) 80千円×1.00×0.10＝８千円

(4) 70千円×1.00×0.07＝4.9千円

(5) ((1)＋(2)＋(3)＋(4))×28m×36m＝122,875.2千円

<設例12>

(1) 95千円×1.00＝95千円

(2) 100千円×0.93×0.08＝7.44千円

(3) 80千円×0.93×0.04＝2.976千円

(4) 70千円×1.00×0.05＝3.5千円

(5) ((1)＋(2)＋(3)＋(4))×30m×40m＝130,699.2千円

## 解答への道

<設例１>

《公式》 **一方のみが路線に接する宅地**（評通15）

| 路線価×奥行価格補正率×地積 |
|---|

奥行距離は15mであるため奥行価格補正率は1.00となる。なお、路線価は、１㎡当たりの価額であることに留意する。

<設例５>

《公式》 **正面と側方に路線がある宅地**（評通16）

| (1) 正面路線価×奥行価格補正率<br>(2) 側方路線価×奥行価格補正率×側方路線影響加算率<br>(3) ((1)＋(2))×地積 |
|---|

正面路線とは、路線価×奥行価格補正率により計算した１㎡当たりの価額の高い方の路線をいう。したがって、60千円の路線が正面路線となる。

また、側方路線影響加算率は、角地か準角地かによって異なるが、準角地とは下図①のように一系統の路線の屈折部の内側に位置するものをいい、角地とは準角地以外のもの（下図②、③）をいうことから、本問では、角地としての側方路線影響加算率を用いることとなる。

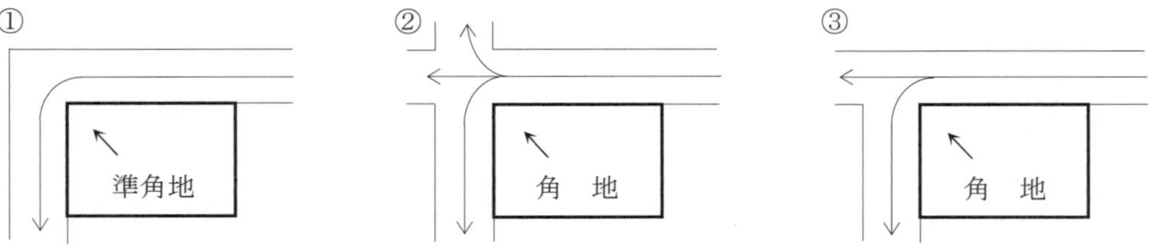


なお、公式(1)の奥行価格補正率は、35mの奥行に対するものであり、公式(2)の奥行価格補正率は、22mの奥行に対するものである。

＜設例６＞

一系統の路線の屈折部の内側に位置する宅地であるため、側方路線影響加算率は、準角地としてのものを用いる。

＜設例７＞

《公式》　**正面と裏面に路線がある宅地**（評通17）

(1)　正面路線価×奥行価格補正率

(2)　裏面路線価×奥行価格補正率×二方路線影響加算率

(3)　((1)＋(2))×地積

公式(1)及び(2)で用いる奥行価格補正率は、整形地の場合には同じ値となる。

＜設例８＞

《公式》　**三方に路線がある宅地**（評通18）

(1)　正面路線価×奥行価格補正率

(2)　側方路線価×奥行価格補正率×側方路線影響加算率

(3)　側方路線価 又は 裏面路線価 ×奥行価格補正率× 側方路線影響加算率 又は 二方路線影響加算率

(4)　((1)＋(2)＋(3))×地積

三方に路線がある宅地の評価に当たっては、まず正面路線を定め、その正面路線から他の二路線を見た場合に、側方路線に該当するのか、裏面路線に該当するのかを判定する。本問においては、80千円の路線が正面路線となるため、72千円の路線は側方路線、50千円の路線は裏面路線となる。

＜設例９＞

本問においては、路線価が90千円で奥行距離が50mのものの路線が正面路線となるため、70千円の路線が裏面路線、80千円の路線が側方路線となる。

＜設例10＞

《公式》　**四方に路線がある宅地**（評通18）

(1)　正面路線価×奥行価格補正率

(2)　裏面路線価×奥行価格補正率×二方路線影響加算率

(3)　一方の側方路線価×奥行価格補正率×側方路線影響加算率

(4)　他方の側方路線価×奥行価格補正率×側方路線影響加算率

(5)　((1)＋(2)＋(3)＋(4))×地積

四方に路線がある宅地も、三方に路線がある宅地と同様に、まず正面路線を定め、その正面路線から他の三路線を判定する。なお、側方路線影響加算率の角地又は準角地の判定に当たっては、常に正面路線との関係で考えなければならない。したがって、本問においては、路線価60千円の路線が正面路線となるため、路線価40千円の路線には準角地としての、路線価50千円の路線には角地としての側方路線影響加算率を用いる。

<設例11>

本問においては、正面路線は路線価が100千円の路線となり、側方路線影響加算率はともに角地としてのものを用いることになる。

<設例12>

本問においては、路線価が95千円の路線の方が、路線価が100千円の路線より奥行価格補正率を乗じた後の金額が高くなるため、路線価が95千円の路線が正面路線となる。

## 問題 3 路線価方式 －特殊な整形地（その１）－

| 重要度 | A |
|---|---|

次の各設例の場合における宅地の相続税評価額を求めなさい。

<設例１>

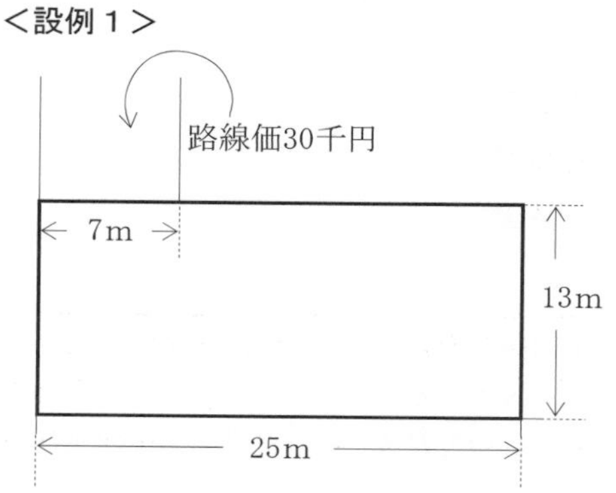


1　普通住宅地区所在

2　奥行価格補正率

13m……………………………1.00

3　間口狭小補正率

７m……………………………0.97

<設例２>

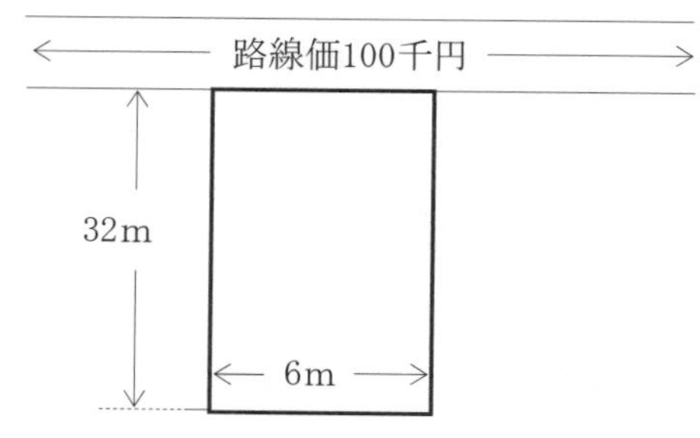


1　普通商業・併用住宅地区所在

2　奥行価格補正率

32m……………………………0.97

3　奥行長大補正率

$\frac{奥行距離}{間口距離}$が５以上６未満 ……0.96

＜設例３＞

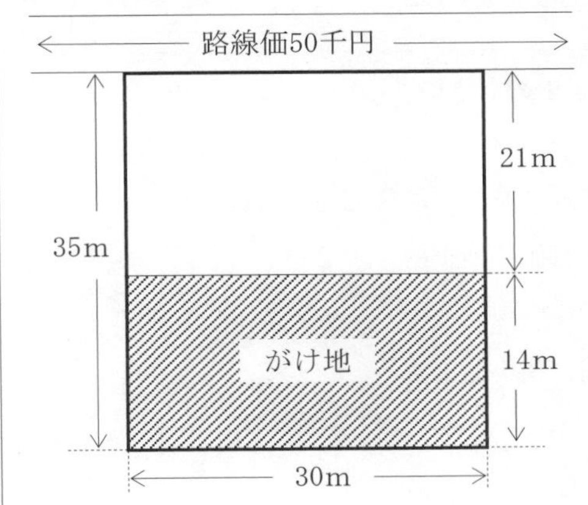


1　普通商業・併用住宅地区所在

2　奥行価格補正率

21m……………………………………1.00

35m……………………………………0.97

3　がけ地補正率 $\left(\dfrac{\text{がけ地地積}}{\text{総地積}}\right)$（西）

0.30以上………………………………0.86

0.40以上………………………………0.82

## 解　答

＜設例１＞

30千円×1.00×0.97×13m×25m＝9,457.5千円

＜設例２＞

100千円×0.97×0.96×32m×６m＝17,879.04千円

＜設例３＞

がけ地補正率　$\dfrac{14\text{m}\times30\text{m}}{35\text{m}\times30\text{m}}=0.40$　　∴　0.82

50千円×0.97×0.82×35m×30m＝41,758.5千円

## 解答への道

＜設例１＞

**《公式》　間口が狭小な宅地等 －間口が狭小な宅地－**（評通20－４(1)）

| 路線価×奥行価格補正率×間口狭小補正率×地積 |
|---|

＜設例２＞

**《公式》　間口が狭小な宅地等 －奥行が長大な宅地－**（評通20－４(2)）

| 路線価×奥行価格補正率×奥行長大補正率×地積 |
|---|

＜設例３＞

**《公式》　がけ地等**（評通20－５）

| 路線価×奥行価格補正率×がけ地補正率×地積 |
|---|

## 問題 4　路線価方式　－特殊な整形地（その2）－

| 重要度 | A |
|---|---|

次の各設例の場合における宅地の相続税評価額を求めなさい。

＜設例1＞

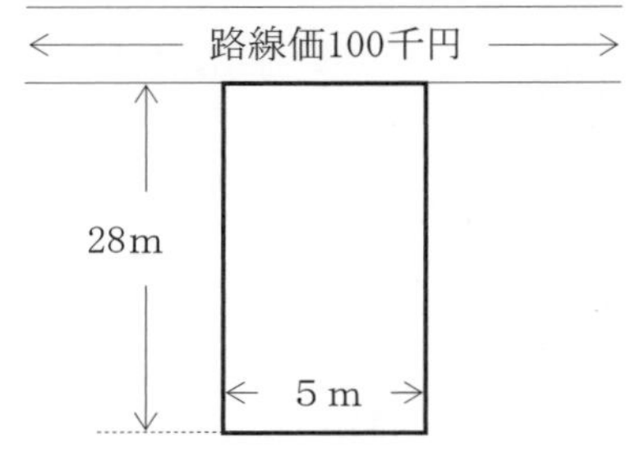


1　普通商業・併用住宅地区所在

2　奥行価格補正率

28m……………………………………1.00

3　間口狭小補正率

5m……………………………………0.97

4　奥行長大補正率

$\frac{\text{奥行距離}}{\text{間口距離}}$ が5以上6未満……0.96

＜設例2＞

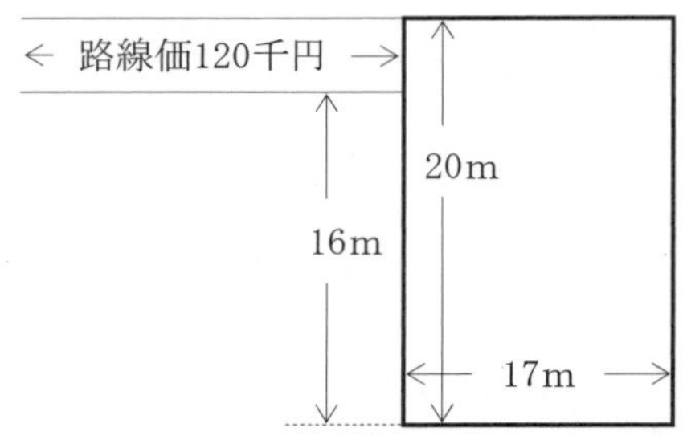


1　普通住宅地区所在

2　奥行価格補正率

17m……………………………………1.00

3　間口狭小補正率

4m……………………………………0.94

4　奥行長大補正率

$\frac{\text{奥行距離}}{\text{間口距離}}$ が4以上5未満……0.94

＜設例3＞

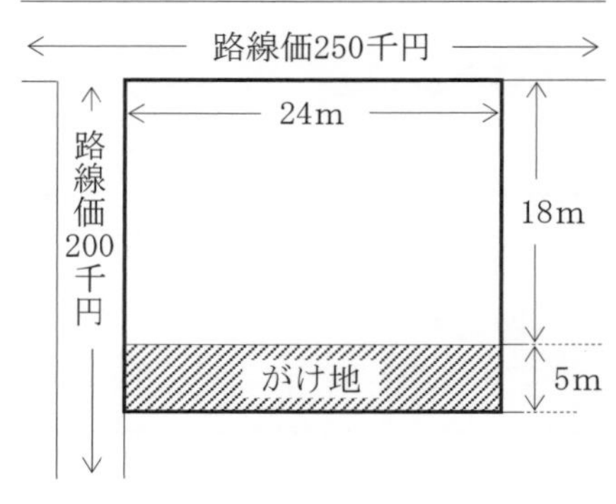


1　普通住宅地区所在

2　奥行価格補正率

18m……………………………………1.00

23m……………………………………1.00

24m……………………………………0.97

3　側方路線影響加算率……………0.03

4　がけ地補正率 $\left(\frac{\text{がけ地地積}}{\text{総地積}}\right)$（南）

0.20以上0.30未満………………0.92

＜設例４＞

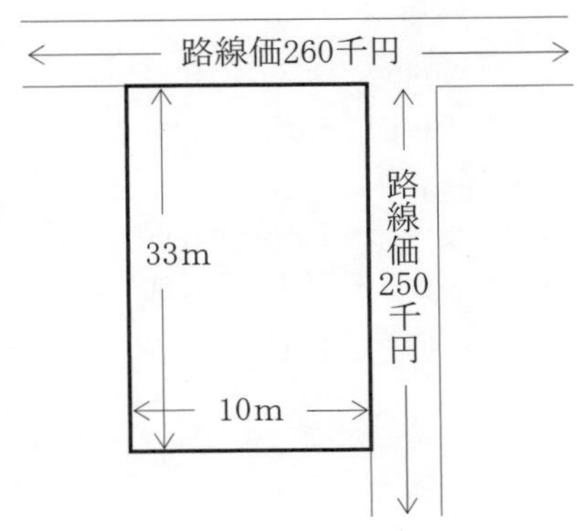


1　普通住宅地区所在

2　奥行価格補正率

10m……………………………………1.00

33m……………………………………0.93

3　側方路線影響加算率……………0.03

4　奥行長大補正率

$\frac{\text{奥行距離}}{\text{間口距離}}$ が３以上４未満 ……0.96

＜設例５＞

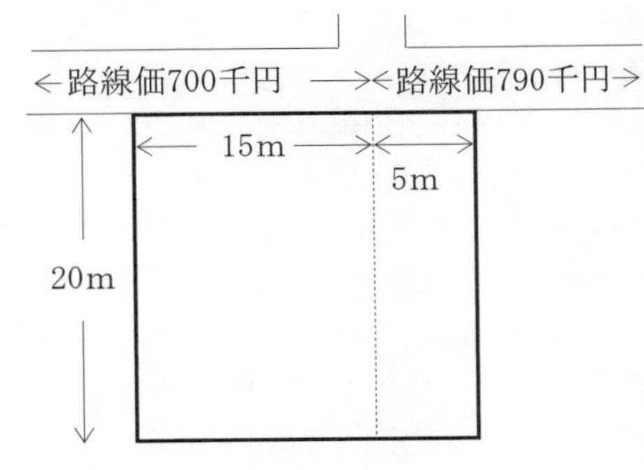


1　普通商業・併用住宅地区所在

2　奥行価格補正率

20m……………………………………1.00

3　間口狭小補正率

5m ……………………………………0.97

4　奥行長大補正率

$\frac{\text{奥行距離}}{\text{間口距離}}$ が４以上５未満 ……0.98

＜設例６＞

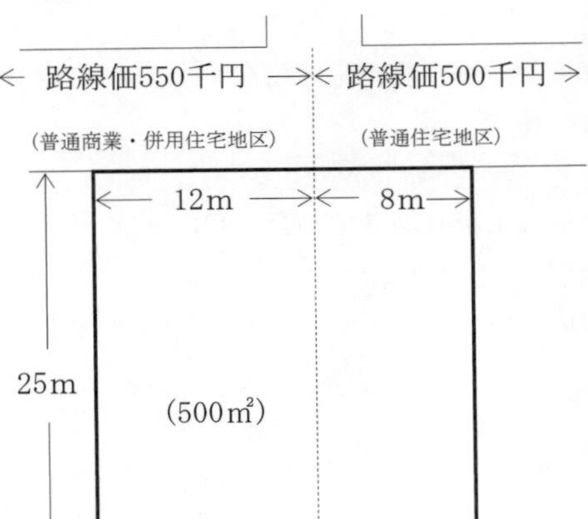


1　奥行価格補正率（普通住宅地区）

25m……………………………………0.97

2　奥行価格補正率（普通商業・併用住宅地区）

25m……………………………………1.00

3　奥行長大補正率（普通住宅地区）

$\frac{\text{奥行距離}}{\text{間口距離}}$ が３以上４未満 ……0.96

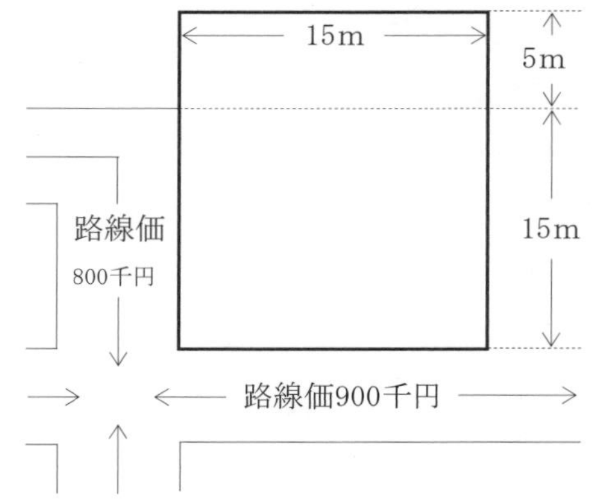


1　普通商業・併用住宅地区所在
2　奥行価格補正率
15m……………………………………1.00
20m……………………………………1.00
3　側方路線影響加算率……………0.08

## ＜設例８＞

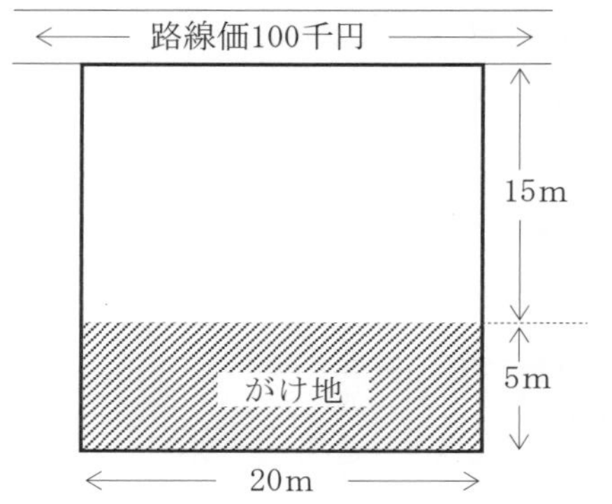


1　普通商業・併用住宅地区所在
2　奥行価格補正率
15m……………………………………1.00
20m……………………………………1.00
3　がけ地の方位　　南東
4　がけ地補正率（がけ地割合0.20以上）
東方位………………………………0.91
南方位………………………………0.92

## ＜設例９＞

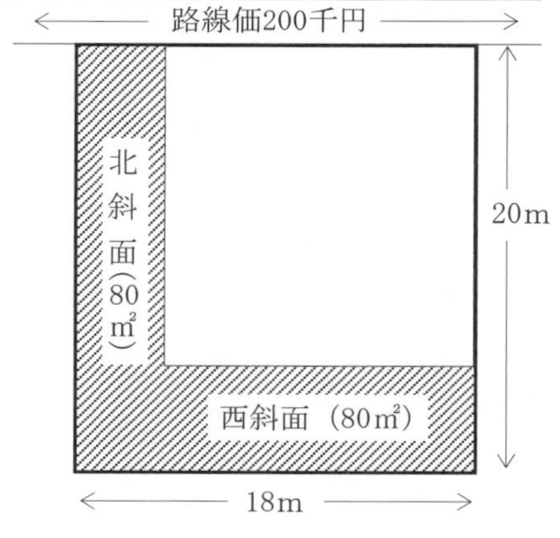


1　普通商業・併用住宅地区所在
2　奥行価格補正率
20m……………………………………1.00
3　がけ地補正率（がけ地割合0.40以上）
北方位………………………………0.78
西方位………………………………0.82

## 解　答

＜設例１＞

100千円×1.00×0.97×0.96×28m×５m＝13,036.8千円

＜設例２＞

120千円×1.00×0.94×0.94×20m×17m＝36,050.88千円

＜設例３＞

(250千円×1.00＋200千円×0.97×0.03)×0.92(円未満切捨)×23m×24m＝129,915.408千円

＜設例４＞

(250千円×1.00＋260千円×0.93×0.03)×33m×10m＝84,893.82千円

＜設例５＞

(1) $\frac{\text{700千円×15m＋790千円×５m}}{\text{15m＋５m}}$＝722.5千円

(2) 722.5千円×1.00×20m×20m＝289,000千円

＜設例６＞

(1) 加重平均による評価

① 所在地区の判定

25m×12m＞25m×8m ∴ 普通商業・併用住宅地区

② 評価額

530千円*×1.00×500㎡=265,000千円

* $\frac{\text{550千円×12m＋500千円×8m}}{\text{12m＋8m}}$＝530千円

(2) 区分による評価

① 550千円×1.00×25m×12m＝165,000千円

② 500千円×0.97×25m×8m＝97,000千円

③ ①＋②＝262,000千円

(3) (1)②＞(2)③ ∴ 262,000千円

＜設例７＞

(900千円×1.00＋800千円×1.00×0.08×$\frac{\text{15m}}{\text{5m＋15m}}$)×15m×20m＝284,400千円

＜設例８＞

100千円×1.00×0.91*×20m×(15m＋５m)＝36,400千円

* $\frac{\text{0.91（東方位）＋0.92（南方位）}}{2}$＝0.91（小数点第二位未満切捨）

＜設例９＞

200千円×1.00×0.80*×20m×18m＝57,600千円

＊　$\frac{0.78\times80m^2+0.82\times80m^2}{80m^2+80m^2}=0.80$

## 解答への道

＜設例１＞

《公式》　間口が狭小で奥行が長大である宅地

| 路線価×奥行価格補正率×間口狭小補正率×奥行長大補正率（円未満切捨）×地積 |
|---|

＜設例２＞

上記設例１と同様に、間口狭小補正率だけではなく、奥行長大補正率も併せて乗ずる。

＜設例３＞

《公式》　正面と側方に路線があるがけ地

| (1)　正面路線価×奥行価格補正率<br>(2)　側方路線価×奥行価格補正率×側方路線影響加算率（円未満切捨）<br>(3)　((1)＋(2))×がけ地補正率（円未満切捨）×地積 |
|---|

＜設例４＞

奥行が長大である宅地に該当するかどうかは、正面路線の間口距離と奥行距離との関係で判定する。正面路線は、路線価に奥行価格補正率を乗じた後の金額の高い方となるため、路線価が250千円の路線が正面路線となる。したがって、奥行が長大な宅地に該当しない。

＜設例５＞

一の路線に２以上の路線価が付されている場合には、それぞれの路線価に接する距離により加重平均して正面路線価を計算し、その路線価を基に画地調整を行う。

なお、路線価が異なる部分ごとに合理的に分けることができる場合には、異なる部分に分けて評価して差支えない。ただし、この場合には異なる部分ごとに係る間口狭小補正率及び奥行長大補正率は適用しない。

＜設例６＞

宅地が２以上の地区にまたがる場合には、原則として、その宅地の面積の大きい地区に所在するものとして評価をする。

この場合において、設例５と同様に途中で路線価が変更されている場合は、その路線価が変わる地点までの間口距離に応じて、各々を加重平均してその路線の路線価とする。

また、本問のように、宅地を地区ごとに分割した結果が整形地に該当する場合等、合理的な方法により評価することができる場合には、各部分を一画地の宅地として評価した価額の合計額を評価額とすることもできる。

＜設例７＞

本問のように側方路線の影響を受けるのが部分的である場合には、その側方路線に直接面している部分に対応する金額を調整計算することとなる。なお、評価する宅地が正面路線に部分的に接する場合には、正面路線について接する距離による調整は行わない。

＜設例８＞

がけ地補正率表に定められた方位の中間を向いているがけ地は、それぞれの方位のがけ地補正率を平均して求める。なお、「南南東」のような場合には「南」のみの方位によることも差し支えない。

＜設例９＞

２方向以上にがけ地を有する宅地のがけ地補正率は、各方位別のがけ地補正率をそれぞれのがけ地の地積で加重平均して求める。



## 問題５　路線価方式　－不整形地（その１）－

| 重要度 | A |
|---|---|

次の各設例の場合における宅地の相続税評価額を求めなさい。

＜設例１＞

不整形地を区分して評価する方法によること。

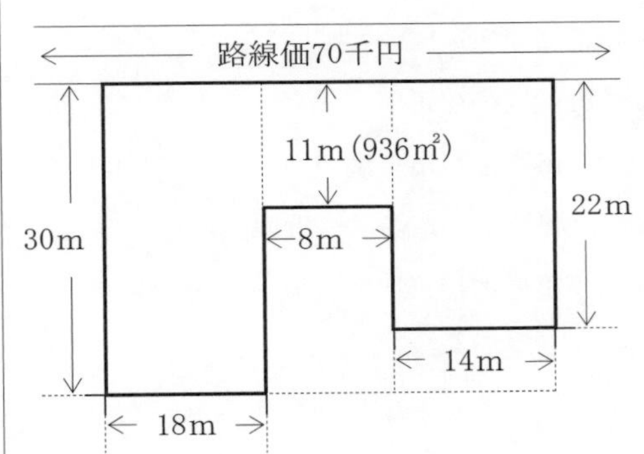


1　普通商業・併用住宅地区所在

2　奥行価格補正率

11m……………………………………0.99

12m以上32m未満………………1.00

40m……………………………………0.93

3　不整形地補正率…………………0.98

＜設例２＞

計算上の奥行距離を基として評価する方法によること。

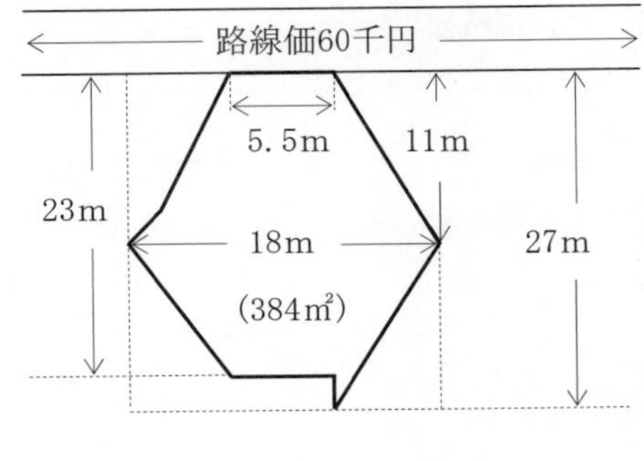


1　普通商業・併用住宅地区所在

2　奥行価格補正率

10m以上12m未満………………0.99

12m以上32m未満………………1.00

68m以上72m未満………………0.84

3　間口狭小補正率

４m以上６m未満………………0.97

4　奥行長大補正率

４以上５未満………………………0.98

5　不整形地補正率表の不整形地補正率

…………………0.97

＜設例３＞

近似整形地を用いて評価する方法によること。

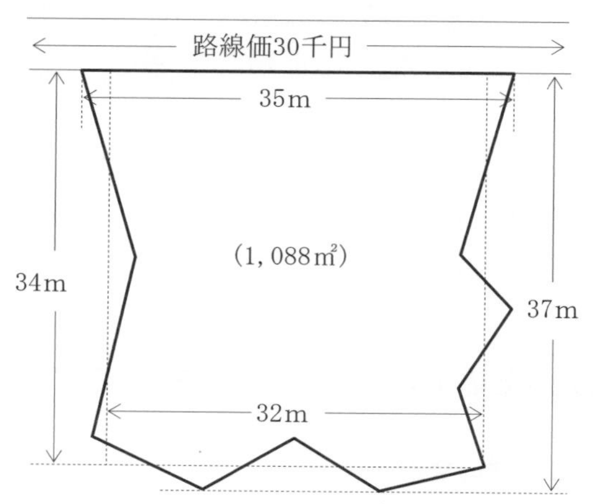


1　普通住宅地区所在

2　奥行価格補正率

28m以上32m未満………………0.95

32m以上36m未満………………0.93

36m以上40m未満………………0.92

3　点線で示したのは、近似整形地である。

4　不整形地補正率…………………0.99

＜設例４＞

近似整形地を用いて評価する方法によること。

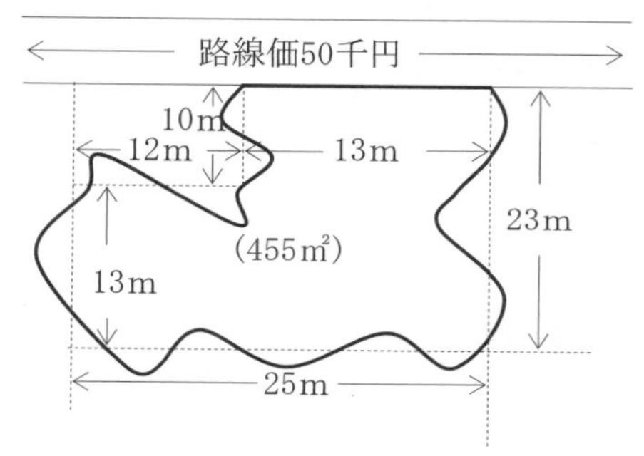


1　普通住宅地区所在

2　奥行価格補正率

10m以上24m未満………………1.00

3　点線で示したのは、近似整形地である。

4　不整形地補正率…………………0.90

＜設例５＞

計算上の奥行距離を基として評価する方法によること。

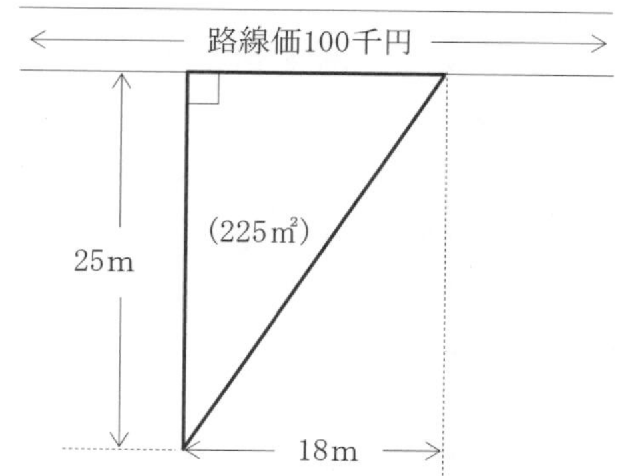


1　普通住宅地区所在

2　奥行価格補正率

12.5m……………………………1.00

25m………………………………0.97

3　不整形地補正率…………………0.79

<設例６>

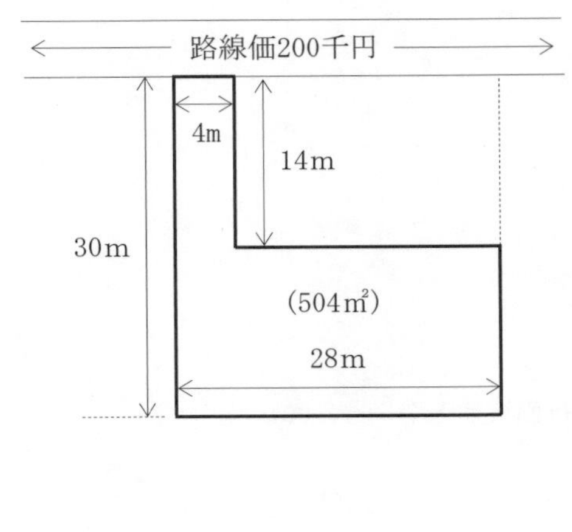


1　普通住宅地区所在

2　奥行価格補正率

10m以上24m未満……………1.00

28m以上32m未満……………0.95

100m以上 ……………………0.80

3　間口狭小補正率

４m以上６m未満……………0.94

4　奥行長大補正率

$\frac{奥行距離}{間口距離}$ が６以上 …………0.90

5　不整形地補正率表の不整形地補正率

……………………0.88

## 解　答

<設例１>

(1)①　70千円×1.00×30m×18m＝37,800千円

　②　70千円×0.99×11m×８m＝6,098.4千円

　③　70千円×1.00×22m×14m＝21,560千円

(2)　①＋②＋③＝65,458.4千円

(3)　$\frac{65,458.4千円}{936㎡}$＝69.934千円（円未満切捨）

(4)　69.934千円×0.98(円未満切捨)×936㎡＝64,148.76千円

<設例２>

$\frac{384㎡}{5.5m}$ ＝69.81…m＞27m　　27mに対応する奥行価格補正率　　1.00

60千円×1.00×0.94*×384㎡＝21,657.6千円

＊　不整形地としての補正

(1)　0.97(不整形地)×0.97(間口狭小)＝0.94（小数点第２位未満切捨）

(2)　0.98(奥行長大)×0.97(間口狭小)＝0.95（小数点第２位未満切捨）

(3)　(1)＜(2)　　∴　0.94

<設例３>

30千円×0.93×0.99×1,088㎡＝30,051.648千円

＜設例４＞

(1) 50千円×1.00×23m×25m＝28,750千円

(2) 50千円×1.00×10m×12m＝6,000千円

(3) (1)－(2)＝22,750千円

(4) $\frac{22,750千円}{455㎡}$＝50千円

(5) 50千円×0.90×455㎡＝20,475千円

＜設例５＞

$\frac{225㎡}{18m}$＝12.5m＜25m　　12.5mに対応する奥行価格補正率　　1.00

100千円×1.00×0.79×225㎡＝17,775千円

＜設例６＞

(1) 計算上の奥行距離を基として評価する方法

$\frac{504㎡}{4m}$＝126m＞30m　　30mに対応する奥行価格補正率　　0.95

200千円×0.95×0.82*×504㎡＝78,523.2千円

＊　不整形地としての補正

① 0.88(不整形地)×0.94(間口狭小)＝0.82（小数点第２位未満切捨）

② 0.90※(奥行長大)×0.94(間口狭小)＝0.84（小数点第２位未満切捨）

③ ①＜②　　∴ 0.82

※ $\frac{30m}{4m}$＝7.5　　∴ 0.90

(2) 近似整形地を用いて評価する方法

① 200千円×0.95×30m×28m＝159,600千円

② 200千円×1.00×14m×(28m－４m)＝67,200千円

③ ①－②＝92,400千円

④ $\frac{92,400千円}{504㎡}$＝183.333千円（円未満切捨）

⑤ 183.333千円×0.82*(円未満切捨)×504㎡＝75,767.832千円

(3) (1)＞(2)　　∴ 75,767.832千円

## 解答への道

＜設例１＞

**《公式》　不整形地　－不整形地を区分して求めた整形地を基として評価する方法－**

（評通20(1)）

(1)　不整形地を整形地に区分してそれぞれの評価額を求め、それを合計した額

(2)　$\frac{(1)}{\text{地　積}}$＝１㎡当たりの価額（円未満切捨）

(3)　１㎡当たりの価額×不整形地補正率(円未満切捨)×地積

本問においては、図の不整形地を、点線を境として30ｍ×18ｍ、11ｍ×８ｍ、22ｍ×14ｍの３つの整形地に区分する。そして、それぞれの長方形の整形地の評価額を合計し、その価額を不整形地の地積で除して１㎡当たりの価額を求め、最後に不整形地補正率を乗じてこの宅地の評価額とする。なお、各区分整形地の評価に当たっては、不整形地としての取扱い（奥行長大補正等）は行わない。

＜設例２＞

**《公式》　不整形地　－不整形地の地積を間口距離で除して算出した計算上の奥行距離を基として求めた整形地を基として評価する方法－**（評通20(2)）

路線価×奥行価格補正率*×不整形地補正率(円未満切捨)×地積

＊　$\frac{\text{地　積}}{\text{間口距離}}$　で求めた奥行距離と想定整形地の奥行距離のいずれか短い距離に対応する補正率

地積384㎡を間口距離5.5ｍで除して求めた69.81…ｍと、想定整形地の奥行距離27ｍを比較して、短い27ｍを奥行距離として用いる。なお、想定整形地とは、評価対象となる宅地の画地全域を囲む、正面路線に接する正方形又は長方形の土地をいう。

また、本問のような間口が狭小で奥行が長大な不整形地については、次の①と②のいずれか低い方の率を不整形地補正率として計算することになる。

①　不整形地補正率表の不整形地補正率×間口狭小補正率（小数点第２位未満切捨）

②　奥行長大補正率×間口狭小補正率（小数点第２位未満切捨）

＜設例３＞

**《公式》　不整形地　－近似整形地を求め、その評価額を基として計算する方法　その１－**

（評通20(3)）

近似整形地の１㎡当たりの価額×不整形地補正率(円未満切捨)×地積

近似整形地とは、近似整形地からはみ出す不整形地の部分の地積と近似整形地に含まれる不整形地以外の部分の地積がおおむね等しく、かつ、その合計地積ができるだけ小さくなるように求めた土地をいう。

<設例４>

《公式》　不整形地　－近似整形地を求め、その評価額を基として評価する方法　その２－

（評通20(4)）

本問のような形の近似整形地については、次の方式により評価する。

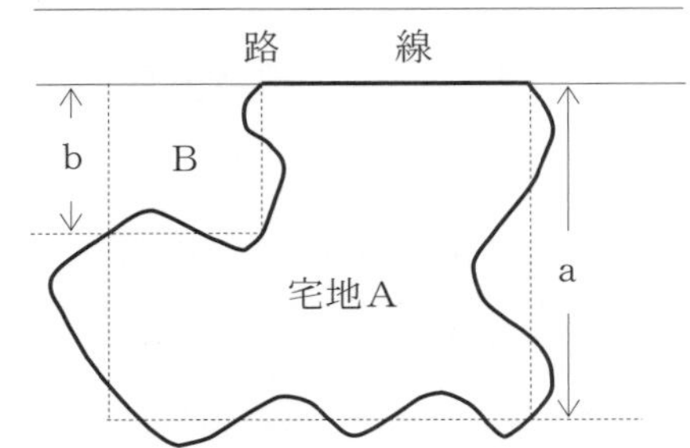


| (1)　路線価×ａの奥行価格補正率×地積（Ａ＋Ｂ）<br>(2)　路線価×ｂの奥行価格補正率×地積（Ｂ）<br>(3)　$\dfrac{((1)-(2))}{\text{地　積}}$ ＝１㎡当たりの価額（円未満切捨）<br>(4)　(3)×不整形地補正率（円未満切捨）×地積 |
|---|

<設例５>

三角地についての奥行価格補正率は、地積を間口距離で除して得た計算上の奥行距離を基礎として算出する。

<設例６>

本問のような不整形地については、計算上の奥行距離を基として評価する方法（設例２を参照）と近似整形地を用いて評価する方法（設例４を参照）の２つの方法が考えられるため、有利選択を行う。

なお、不整形地補正率の求め方は設例２と同様となる。

## 問題 6　路線価方式　－不整形地（その2）－

| 重要度 | A |
|---|---|

次の各設例の場合における宅地の相続税評価額を求めなさい。

＜設例１＞

計算上の奥行距離を基として評価する方法によること。

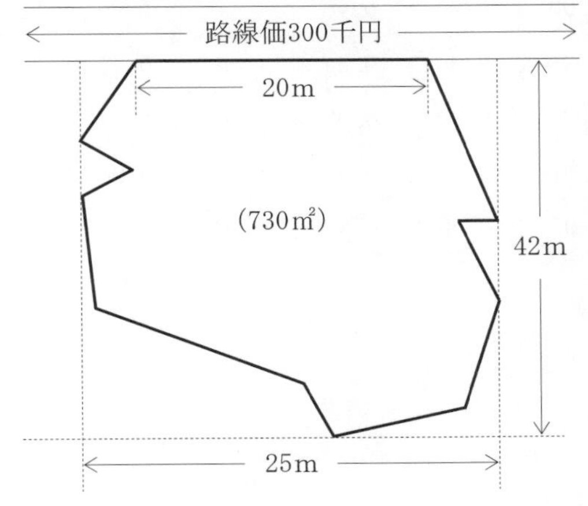


1　普通商業・併用住宅地区所在

2　奥行価格補正率

32m以上36m未満……………0.97

36m以上40m未満……………0.95

40m以上44m未満……………0.93

実際の地形

想定整形地

＜設例２＞

近似整形地を基として評価する方法によること。

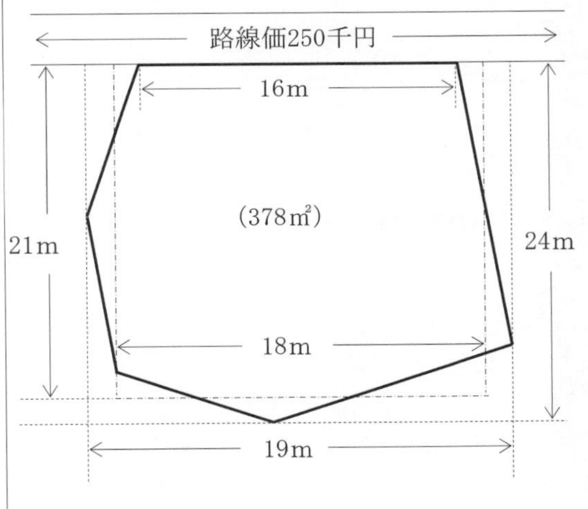


1　普通住宅地区所在

2　奥行価格補正率

10m以上24m未満……………1.00

24m以上28m未満……………0.97

実際の地形

想定整形地

近似整形地

＜参　考＞

1　地積区分表

| 地区区分＼地積区分 | A | B | C |
|---|---|---|---|
| 普通商業・併用住宅地区 | 650㎡未満 | 650㎡以上1,000㎡未満 | 1,000㎡以上 |
| 普通住宅地区 | 500㎡未満 | 500㎡以上　750㎡未満 | 750㎡以上 |

2　不整形地補正率表

| 地区区分／地積区分／かげ地割合 | 普通商業・併用住宅地区 | | | 普通住宅地区 | | |
|---|---|---|---|---|---|---|
| | A | B | C | A | B | C |
| 10%以上 | 0.99 | 0.99 | 1.00 | 0.98 | 0.99 | 0.99 |
| 15%以上 | 0.98 | 0.99 | 0.99 | 0.96 | 0.98 | 0.99 |
| 20%以上 | 0.97 | 0.98 | 0.99 | 0.94 | 0.97 | 0.98 |
| 25%以上 | 0.96 | 0.98 | 0.99 | 0.92 | 0.95 | 0.97 |
| 30%以上 | 0.94 | 0.97 | 0.98 | 0.90 | 0.93 | 0.96 |
| 35%以上 | 0.92 | 0.95 | 0.98 | 0.88 | 0.91 | 0.94 |

## 解　答

**＜設例１＞**

(1)　不整形地補正率

①　普通商業・併用住宅地区、650㎡≦730㎡＜1,000㎡　　∴　B

②　$\frac{1,050㎡-730㎡}{42m\times25m(=1,050㎡)}$＝0.304761…≧30%

③　①、②より　0.97

(2)　評　価

300千円×0.95*×0.97×730㎡＝201,808.5千円

＊　$\frac{730㎡}{20m}$＝36.5m＜42m　36.5mに対応する奥行価格補正率　　∴　0.95

**＜設例２＞**

(1)　不整形地補正率

①　普通住宅地区、378㎡＜500㎡　　∴　A

②　$\frac{456㎡-378㎡}{19m\times24m(=456㎡)}$＝0.171052…≧15%

③　①、②より　0.96

(2)　評　価

250千円×1.00×0.96×378㎡＝90,720千円

## 解答への道

**《不整形地補正率の求め方》**

① 評価する不整形地の所在する地区及び地積を「地積区分表（P. 35）」に当てはめ、「A」「B」「C」のいずれの「地積区分」に該当するかを判定する。

② 評価する不整形地の「想定整形地」の地積を算出し、下記の算式により「かげ地割合」を求める。

＜算　式＞

$$\text{かげ地割合} = \frac{\text{想定整形地の地積} - \text{評価する不整形地の地積}}{\text{想定整形地の地積}}$$

※ 想定整形地の取り方

想定整形地は、評価対象となる宅地の画地全域を囲む、正面路線に接する正方形又は長方形の土地をいう。

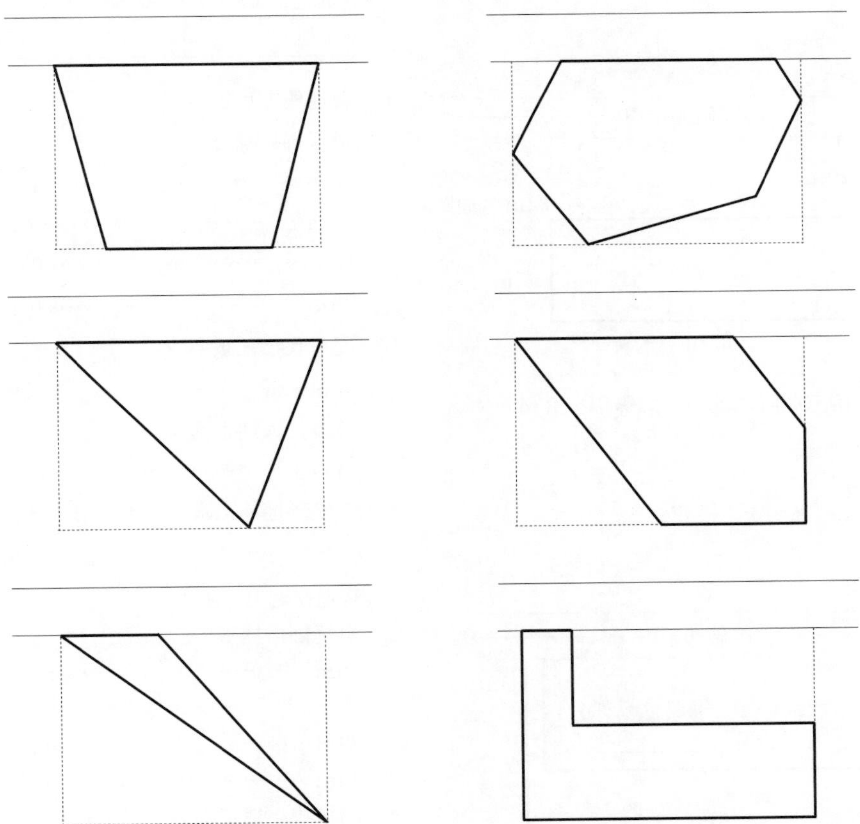

③ ①で判定した「地積区分」と②で求めた「かげ地割合」を「不整形地補正率表（P. 35）」に当てはめ、「不整形地補正率」を求める。

## 問題 7　路線価方式　－不整形地（その3）－

重要度　C

次の設例の場合における宅地の相続税評価額を求めなさい。

＜設例１＞

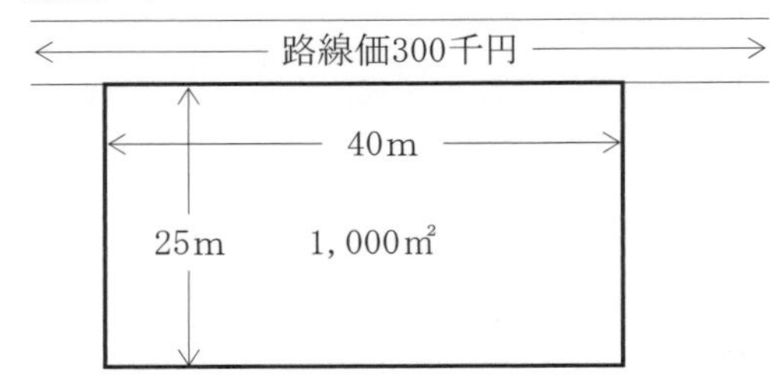


1　普通住宅地区所在

2　奥行価格補正率

25m……………………………0.97

3　地積規模の大きな宅地の評価における
Ⓑ及びⒸ

| 地区区分／記号／地積㎡ | 普通商業・併用住宅地区<br>普通住宅地区 | |
|---|---|---|
| | Ⓑ | Ⓒ |
| 500以上 1,000未満 | 0.95 | 25 |
| 1,000以上 3,000未満 | 0.90 | 75 |
| 3,000以上 5,000未満 | 0.85 | 225 |
| 5,000以上 | 0.80 | 475 |

＜設例２＞

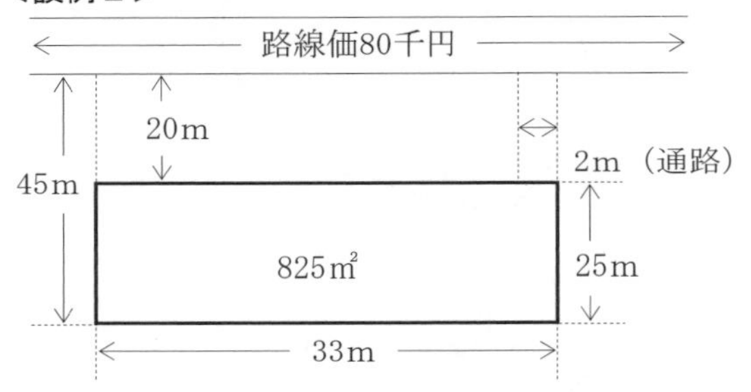


（注）接道制限に基づく路線幅を２ｍとする。

1　普通住宅地区所在

2　奥行価格補正率

20m……………………………1.00

25m……………………………0.97

33m……………………………0.93

45m……………………………0.90

3　間口狭小補正率

4ｍ未満………………………0.90

4　奥行長大補正率

6以上…………………………0.90

5　不整形地補正率表の不整形地補正率

……………………………0.92

＜設例３＞

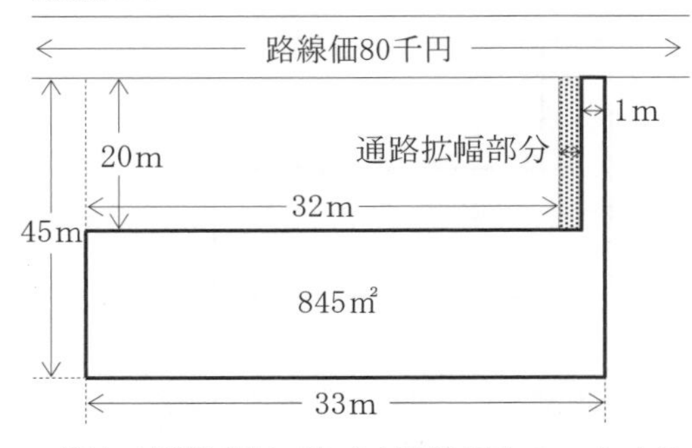


（注）接道制限に基づく路線幅を２ｍとする。

1　普通住宅地区所在

2　奥行価格補正率

20m……………………………1.00

25m……………………………0.97

33m……………………………0.93

45m……………………………0.90

3　間口狭小補正率

4ｍ未満………………………0.90

4　奥行長大補正率

6以上…………………………0.90

5　不整形地補正率表の不整形地補正率

……………………………0.92

<設例4>

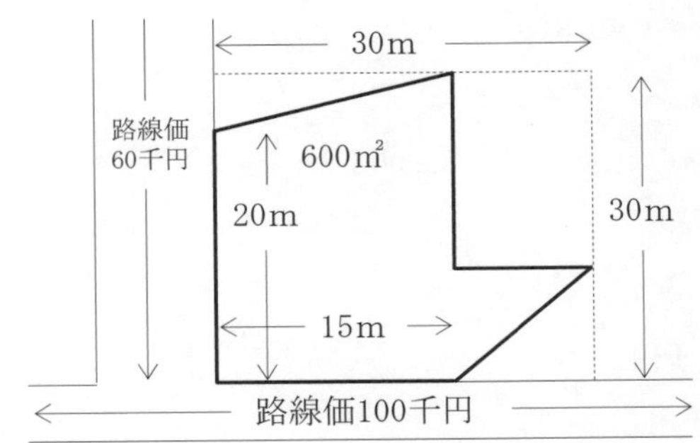


1　普通住宅地区所在
2　奥行価格補正率
15m……………………………1.00
20m……………………………1.00
30m……………………………0.95
40m……………………………0.91
3　側方路線影響加算率…………0.03
4　不整形地補正率………………0.93

<設例5>

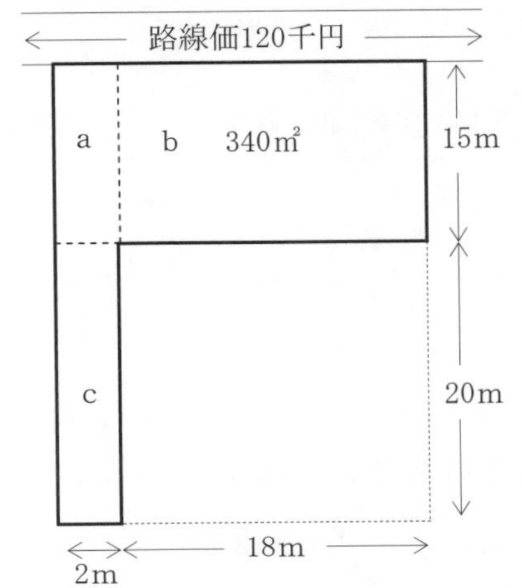


1　普通住宅地区所在
2　奥行価格補正率
15m　…………………………1.00
17m　…………………………1.00
35m　…………………………0.93
170m　………………………0.80
3　間口狭小補正率（4m未満）
…………………………0.90
4　奥行長大補正率（8以上）
…………………………0.90
5　不整形地補正率
…………………………0.79

## 解　答

<設例1>

300千円×0.97×0.78※×1,000㎡＝226,980千円

※　規模格差補正率

$$\frac{1{,}000㎡\times 0.90^{*}+75^{*}}{1{,}000㎡}\times 0.8=0.78$$

＊　普通住宅地区、1,000㎡≦1,000㎡＜3,000㎡　∴　Ⓑ0.90　Ⓒ75

<設例2>

(1) ①　80千円×0.90×45m×33m＝106,920千円

②　80千円×1.00×20m×33m＝52,800千円

③　①－②＝54,120千円

④　③×0.81＊＝43,837.2千円

＊　不整形地としての補正

イ　0.92(不整形地)×0.90(間口狭小)＝0.82（小数点第２位未満切捨）

ロ　0.90(奥行長大)×0.90(間口狭小)＝0.81

ハ　イ＞ロ　　∴　0.81

(2) 80千円×２m×20m＝3,200千円＜(1)④×0.4　　∴　3,200千円

(3) (1)－(2)＝40,637.2千円

＜設例３＞

(1) ①　80千円×0.90×45m×33m＝106,920千円

②　80千円×1.00×20m×32m＝51,200千円

③　①－②＝55,720千円

④　③×0.81*＝45,133.2千円

＊不整形地としての補正

イ　0.92(不整形地)×0.90(間口狭小)＝0.82（小数点第２位未満切捨）

ロ　0.90(奥行長大)×0.90(間口狭小)＝0.81

ハ　イ＞ロ　∴　0.81

(2) 80千円×１m×20m＝1,600千円＜(1)④×0.4　　∴　1,600千円

(3) (1)－(2)＝43,533.2千円

＜設例４＞

$(100千円\times 0.95^{*1}+60千円\times 0.95^{*2}\times 0.03\times\frac{20m}{30m})\times 0.93$(円未満切捨)$\times 600m^2$＝53,646千円

＊1　$\frac{600m^2}{15m}$＝40m＞30m　30mに対応する奥行価格補正率　　∴　0.95

＊2　$\frac{600m^2}{20m}$＝30m＝30m　30mに対応する奥行価格補正率　　∴　0.95

＜設例５＞

(1) 120千円×1.00×15m×20m＝36,000千円(ａ＋ｂ)

(2) ①　120千円×0.93×35m×２m＝7,812千円(ａ＋ｃ)

②　120千円×1.00×15m×２m＝3,600千円(ａ)

③　(①－②)×0.90×0.90＝3,411.72千円(ｃ)

(3) (1)＋(2)③＝39,411.72千円(ａ＋ｂ＋ｃ)

## 解答への道

**＜設例１＞ 地積規模の大きな宅地**（評通20－２）

地積規模の大きな宅地とは、三大都市圏においては500㎡以上の地積の宅地、それ以外の地域においては1,000㎡以上の地積の宅地をいう。ただし、市街化調整区域に所在する宅地、工業専用地域に所在する宅地又は容積率が10分の40（東京都の特別区においては10分の30）以上の地域に所在する宅地に該当するものを除く。

(1) 路線価方式適用地域

路線価×各種補正率×規模格差補正率×地積

※１ 規模格差補正率の前に用いる各種補正率は、奥行価格補正率・間口狭小補正率・奥行長大補正率・不整形地補正率である。

なお、２路線以上に接する宅地等である場合には側方路線影響加算率・二方路線影響加算率も規模格差補正率の前に用いる。

※２イ 規模格差補正率

$$\frac{Ⓐ \times Ⓑ + Ⓒ}{\text{地積規模の大きな宅地の地積}(Ⓐ)} \times 0.8$$（小数点以下第２位未満切捨）

ロ Ⓑ及びⒸは次の表に応ずる率とする。

(ｲ) 三大都市圏に所在する宅地

| 地積㎡ ＼ 地区区分・記号 | 普通商業・併用住宅地区<br>普通住宅地区 | |
|---|---|---|
| | Ⓑ | Ⓒ |
| 500以上 1,000未満 | 0.95 | 25 |
| 1,000以上 3,000未満 | 0.90 | 75 |
| 3,000以上 5,000未満 | 0.85 | 225 |
| 5,000以上 | 0.80 | 475 |

(ﾛ) 三大都市圏以外の地域に所在する宅地

| 地積㎡ ＼ 地区区分・記号 | 普通商業・併用住宅地区<br>普通住宅地区 | |
|---|---|---|
| | Ⓑ | Ⓒ |
| 1,000以上 3,000未満 | 0.90 | 100 |
| 3,000以上 5,000未満 | 0.85 | 250 |
| 5,000以上 | 0.80 | 500 |

(2) 倍率方式適用地域

① 固定資産税評価額×倍率

② 評価対象である宅地が標準的な間口距離及び奥行距離を有する宅地であるとした場合の１㎡当たりの価額を路線価とし、かつ、普通住宅地区に所在するものとして上記(1)により評価した価額

③ ①と②のうち小さい方

**＜設例２＞　無道路地**（評通20－３）

(1) ①　実際に利用している路線と無道路地とにはさまれた宅地と、その無道路地とを併せた宅地の想定整形地としての評価額

②　実際に利用している路線と無道路地とにはさまれた宅地の整形地（かげ地部分）の評価額

③　①－②

④　③の金額 × 不整形地補正率*（円未満切捨）

*イ　不整形地補正率表の不整形地補正率×間口狭小補正率（小数点以下２位未満切捨）

ロ　奥行長大補正率×間口狭小補正率（小数点以下２位未満切捨）

ハ　イ、ロいずれか低い率

(2) 路線価 × 通路開設部分の面積（(1)④の0.4を限度とする）

(3) (1)－(2)

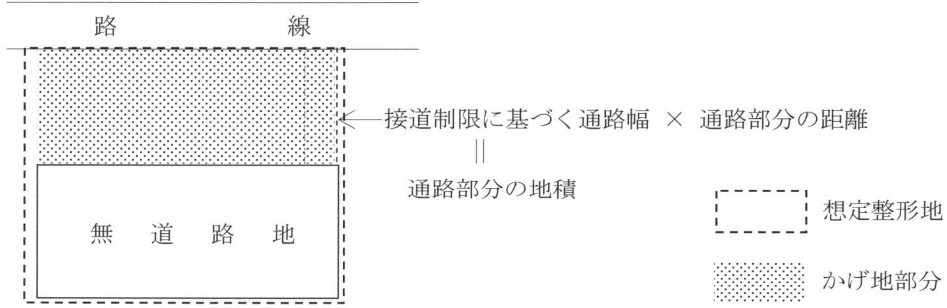


**＜設例３＞　接道義務を満たさない宅地**（評通20－３）

(1) ①　接道義務を満たさない宅地と、その前面宅地とを併せた宅地の想定整形地としての評価額

②　前面宅地の整形地（かげ地部分）の評価額

③　①－②

④　③の金額 × 不整形地補正率*（円未満切捨）

*イ　不整形地補正率表の不整形地補正率×間口狭小補正率（小数点以下２位未満切捨）

ロ　奥行長大補正率×間口狭小補正率（小数点以下２位未満切捨）

ハ　イ、ロいずれか低い率

(2) 路線価 × 通路拡幅部分の面積（(1)④の0.4を限度とする）

(3) (1)－(2)

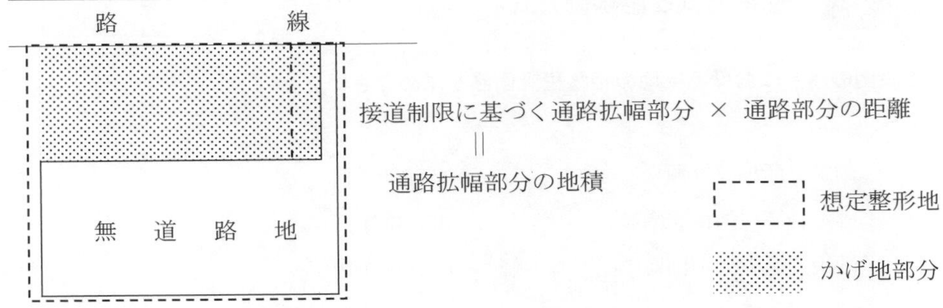


＜設例５＞

本問のように帯状部分を有する土地について、形式的に不整形地補正を行うと、かげ地合が過大となり、帯状部分以外の部分（15m×20m）を単独で評価した価額より低い評価額となり、不合理であるため、不整形地としての補正は行わない。

## 問題 8　倍率方式と路線価方式

重要度 A

次の各設例の場合における宅地の相続税評価額を求めなさい。

＜設例１＞

| | | |
|---|---|---|
| 宅　地 | 固定資産税評価額 | 40,000千円 |
| | 固定資産税課税標準額 | 30,000千円 |
| | 国土交通省公示価格に基づく地価 | 90,000千円 |
| | 倍　率 | ２倍 |

＜設例２＞

| | | |
|---|---|---|
| 宅　地 | 地価公示法による公示価格 | 120,000千円 |
| | 路線価方式による評価額 | 80,000千円 |
| | 固定資産税評価額 | 40,000千円 |

### 解　答

＜設例１＞

40,000千円×２＝80,000千円

＜設例２＞

80,000千円

### 解答への道

設例１及び２は、いずれも過去の本試験に出題された宅地の評価のパターンであるが、次のような点に留意することがポイントとなる。

(1) 宅地の評価方式は、倍率方式と路線価方式の２方式しかないが、これらは納税者の選択ではなく、その宅地の存する場所により、予め定められている。

(2) 倍率方式を適用するには、固定資産税評価額と倍率の２つの資料が必ず必要である。

設例１においては、固定資産税評価額と倍率の両方の資料が与えられていることから、倍率方式により評価することとなる。しかし、設例２においては、倍率が与えられていないことから倍率方式を用いることができないため、もう一つの評価方法である路線価方式による評価額をもって相続税評価額とする。

# 参　考　資　料

土地及び土地の上に存する権利の評価についての調整率表

1　奥行価格補正率表

| 地区区分<br>奥行距離(m) | ビル街地区 | 高度商業地区 | 繁華街地区 | 普通商業・併用住宅地区 | 普通住宅地区 | 中小工場地区 | 大工場地区 |
|---|---|---|---|---|---|---|---|
| 4未満 | 0.80 | 0.90 | 0.90 | 0.90 | 0.90 | 0.85 | 0.85 |
| 4以上6未満 | | 0.92 | 0.92 | 0.92 | 0.92 | 0.90 | 0.90 |
| 6 〃 8 〃 | 0.84 | 0.94 | 0.95 | 0.95 | 0.95 | 0.93 | 0.93 |
| 8 〃 10 〃 | 0.88 | 0.96 | 0.97 | 0.97 | 0.97 | 0.95 | 0.95 |
| 10 〃 12 〃 | 0.90 | 0.98 | 0.99 | 0.99 | 1.00 | 0.96 | 0.96 |
| 12 〃 14 〃 | 0.91 | 0.99 | 1.00 | 1.00 | | 0.97 | 0.97 |
| 14 〃 16 〃 | 0.92 | 1.00 | | | | 0.98 | 0.98 |
| 16 〃 20 〃 | 0.93 | | | | | 0.99 | 0.99 |
| 20 〃 24 〃 | 0.94 | | | | | 1.00 | 1.00 |
| 24 〃 28 〃 | 0.95 | | | | 0.97 | | |
| 28 〃 32 〃 | 0.96 | | 0.98 | | 0.95 | | |
| 32 〃 36 〃 | 0.97 | | 0.96 | 0.97 | 0.93 | | |
| 36 〃 40 〃 | 0.98 | | 0.94 | 0.95 | 0.92 | | |
| 40 〃 44 〃 | 0.99 | | 0.92 | 0.93 | 0.91 | | |
| 44 〃 48 〃 | 1.00 | | 0.90 | 0.91 | 0.90 | | |
| 48 〃 52 〃 | | 0.99 | 0.88 | 0.89 | 0.89 | | |
| 52 〃 56 〃 | | 0.98 | 0.87 | 0.88 | 0.88 | | |
| 56 〃 60 〃 | | 0.97 | 0.86 | 0.87 | 0.87 | | |
| 60 〃 64 〃 | | 0.96 | 0.85 | 0.86 | 0.86 | 0.99 | |
| 64 〃 68 〃 | | 0.95 | 0.84 | 0.85 | 0.85 | 0.98 | |
| 68 〃 72 〃 | | 0.94 | 0.83 | 0.84 | 0.84 | 0.97 | |
| 72 〃 76 〃 | | 0.93 | 0.82 | 0.83 | 0.83 | 0.96 | |
| 76 〃 80 〃 | | 0.92 | 0.81 | 0.82 | | | |
| 80 〃 84 〃 | | 0.90 | 0.80 | 0.81 | 0.82 | 0.93 | |
| 84 〃 88 〃 | | 0.88 | | 0.80 | | | |
| 88 〃 92 〃 | | 0.86 | | | 0.81 | 0.90 | |
| 92 〃 96 〃 | 0.99 | 0.84 | | | | | |
| 96 〃 100 〃 | 0.97 | 0.82 | | | | | |
| 100 〃 | 0.95 | 0.80 | | | 0.80 | | |

2　側方路線影響加算率表

| 地区区分 | 加算率 | |
|---|---|---|
| | 角地の場合 | 準角地の場合 |
| ビル街地区 | 0.07 | 0.03 |
| 高度商業地区<br>繁華街地区 | 0.10 | 0.05 |
| 普通商業・併用住宅地区 | 0.08 | 0.04 |
| 普通住宅地区<br>中小工場地区 | 0.03 | 0.02 |
| 大工場地区 | 0.02 | 0.01 |

（注）準角地とは、次図のように一系統の路線の屈折部の内側に位置するものをいう。

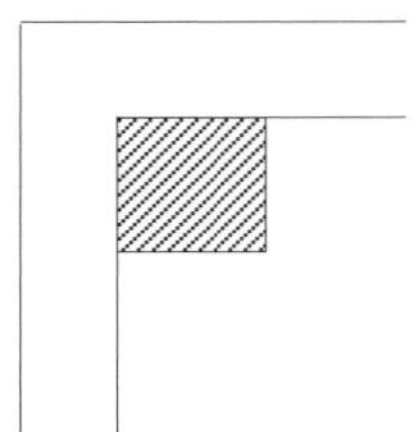

3　二方路線影響加算率表

| 地区区分 | 加算率 |
|---|---|
| ビル街地区 | 0.03 |
| 高度商業地区<br>繁華街地区 | 0.07 |
| 普通商業・併用住宅地区 | 0.05 |
| 普通住宅地区<br>中小工場地区<br>大工場地区 | 0.02 |

## 4　不整形地補正率表等

### (1) 地積区分表

| 地区区分＼地積区分 | A | B | C |
| --- | --- | --- | --- |
| 高度商業地区 | 1,000㎡未満 | 1,000㎡以上<br>1,500㎡未満 | 1,500㎡以上 |
| 繁華街地区 | 450㎡未満 | 450㎡以上<br>700㎡未満 | 700㎡以上 |
| 普通商業・併用住宅地区 | 650㎡未満 | 650㎡以上<br>1,000㎡未満 | 1,000㎡以上 |
| 普通住宅地区 | 500㎡未満 | 500㎡以上<br>750㎡未満 | 750㎡以上 |
| 中小工場地区 | 3,500㎡未満 | 3,500㎡以上<br>5,000㎡未満 | 5,000㎡以上 |

### (2) 不整形地補正率表

| かげ地割合＼地区区分 | 高度商業地区、繁華街地区、普通商業・併用住宅地区、中小工場地区 | | | 普通住宅地区 | | |
| --- | --- | --- | --- | --- | --- | --- |
| 地積区分 | A | B | C | A | B | C |
| 10%以上 | 0.99 | 0.99 | 1.00 | 0.98 | 0.99 | 0.99 |
| 15% 〃 | 0.98 | 0.99 | 0.99 | 0.96 | 0.98 | 0.99 |
| 20% 〃 | 0.97 | 0.98 | 0.99 | 0.94 | 0.97 | 0.98 |
| 25% 〃 | 0.96 | 0.98 | 0.99 | 0.92 | 0.95 | 0.97 |
| 30% 〃 | 0.94 | 0.97 | 0.98 | 0.90 | 0.93 | 0.96 |
| 35% 〃 | 0.92 | 0.95 | 0.98 | 0.88 | 0.91 | 0.94 |
| 40% 〃 | 0.90 | 0.93 | 0.97 | 0.85 | 0.88 | 0.92 |
| 45% 〃 | 0.87 | 0.91 | 0.95 | 0.82 | 0.85 | 0.90 |
| 50% 〃 | 0.84 | 0.89 | 0.93 | 0.79 | 0.82 | 0.87 |
| 55% 〃 | 0.80 | 0.87 | 0.90 | 0.75 | 0.78 | 0.83 |
| 60% 〃 | 0.76 | 0.84 | 0.86 | 0.70 | 0.73 | 0.78 |
| 65% 〃 | 0.70 | 0.75 | 0.80 | 0.60 | 0.65 | 0.70 |

5　間口狭小補正率表

| 地区区分 / 間口距離(m) | ビル街地区 | 高度商業地区 | 繁華街地区 | 普通商業・併用住宅地区 | 普通住宅地区 | 中小工場地区 | 大工場地区 |
|---|---|---|---|---|---|---|---|
| 4未満 | — | 0.85 | 0.90 | 0.90 | 0.90 | 0.80 | 0.80 |
| 4以上6未満 | — | 0.94 | 1.00 | 0.97 | 0.94 | 0.85 | 0.85 |
| 6 〃 8 〃 | — | 0.97 | | 1.00 | 0.97 | 0.90 | 0.90 |
| 8 〃 10 〃 | 0.95 | 1.00 | | | 1.00 | 0.95 | 0.95 |
| 10 〃 16 〃 | 0.97 | | | | | 1.00 | 0.97 |
| 16 〃 22 〃 | 0.98 | | | | | | 0.98 |
| 22 〃 28 〃 | 0.99 | | | | | | 0.99 |
| 28 〃 | 1.00 | | | | | | 1.00 |

6　奥行長大補正率表

| 地区区分 / 奥行距離/間口距離 | ビル街地区 | 高度商業地区 繁華街地区 普通商業・併用住宅地区 | 普通住宅地区 | 中小工場地区 | 大工場地区 |
|---|---|---|---|---|---|
| 2以上3未満 | 1.00 | 1.00 | 0.98 | 1.00 | 1.00 |
| 3 〃 4 〃 | | 0.99 | 0.96 | 0.99 | |
| 4 〃 5 〃 | | 0.98 | 0.94 | 0.98 | |
| 5 〃 6 〃 | | 0.96 | 0.92 | 0.96 | |
| 6 〃 7 〃 | | 0.94 | 0.90 | 0.94 | |
| 7 〃 8 〃 | | 0.92 | | 0.92 | |
| 8 〃 | | 0.90 | | 0.90 | |

7　がけ地補正率表

| がけ地の方位 / がけ地地積 ／ 総地積 | 南 | 東 | 西 | 北 |
|---|---|---|---|---|
| 0.10以上 | 0.96 | 0.95 | 0.94 | 0.93 |
| 0.20 〃 | 0.92 | 0.91 | 0.90 | 0.88 |
| 0.30 〃 | 0.88 | 0.87 | 0.86 | 0.83 |
| 0.40 〃 | 0.85 | 0.84 | 0.82 | 0.78 |
| 0.50 〃 | 0.82 | 0.81 | 0.78 | 0.73 |
| 0.60 〃 | 0.79 | 0.77 | 0.74 | 0.68 |
| 0.70 〃 | 0.76 | 0.74 | 0.70 | 0.63 |
| 0.80 〃 | 0.73 | 0.70 | 0.66 | 0.58 |
| 0.90 〃 | 0.70 | 0.65 | 0.60 | 0.53 |

(注) がけ地の方位については次により判定する。

1　がけ地の方位は、斜面の向きによる。

2　2方位以上のがけ地がある場合は、次の算式により計算した割合をがけ地補正率とする。

$$\frac{\left(\text{総地積に対するがけ地部分の全地積の割合に応ずるA方位のがけ地補正率} \times \text{A方位のがけ地の地積} + \text{総地積に対するがけ地部分の全地積の割合に応ずるB方位のがけ地補正率} \times \text{B方位のがけ地の地積} + \cdots\cdots\right)}{\text{がけ地部分の全地積}}$$

3　この表に定められた方位に該当しない「東南斜面」などについては、がけ地の方位の東と南に応ずるがけ地補正率を平均して求めることとして差し支えない。

8　規模格差補正率

(算式)

$$\text{規模格差補正率} = \frac{Ⓐ \times Ⓑ + Ⓒ}{\text{地積規模の大きな宅地の地積（Ⓐ）}} \times 0.8$$

上の算式中の「Ⓑ」及び「Ⓒ」は、地積規模の大きな宅地が所在する地域に応じ、それぞれ次に掲げる表のとおりとする。

イ　三大都市圏に所在する宅地

| 地区区分 | 普通商業・併用住宅地区、普通住宅地区 | 普通商業・併用住宅地区、普通住宅地区 |
|---|---|---|
| 記号<br>地積 | Ⓑ | Ⓒ |
| 500㎡以上　1,000㎡未満 | 0.95 | 25 |
| 1,000㎡以上　3,000㎡未満 | 0.90 | 75 |
| 3,000㎡以上　5,000㎡未満 | 0.85 | 225 |
| 5,000㎡以上 | 0.80 | 475 |

ロ　三大都市圏以外の地域に所在する宅地

| 地区区分 | 普通商業・併用住宅地区、普通住宅地区 | 普通商業・併用住宅地区、普通住宅地区 |
|---|---|---|
| 記号<br>地積 | Ⓑ | Ⓒ |
| 1,000㎡以上　3,000㎡未満 | 0.90 | 100 |
| 3,000㎡以上　5,000㎡未満 | 0.85 | 250 |
| 5,000㎡以上 | 0.80 | 500 |

(注)

1　上記算式により計算した規模格差補正率は、小数点以下第２位未満を切り捨てる。

2　「三大都市圏」とは、次の地域をいう。

イ　首都圏整備法（昭和31年法律第83号）第２条（(定義)）第３項に規定する既成市街地又は同条第４項に規定する近郊整備地帯

ロ　近畿圏整備法（昭和38年法律第129号）第２条（(定義)）第３項に規定する既成都市区域又は同条第４項に規定する近郊整備区域

ハ　中部圏開発整備法（昭和41年法律第102号）第２条（(定義)）第３項に規定する都市整備区域

# 第２章

# 貸宅地、貸家建付地及び宅地の上に存する権利等

| | 重要度 |
|---|---|
| 問題１　貸宅地及び貸家建付地 | A |
| 問題２　借地権及び貸家建付借地権 | A |
| 問題３　転貸借地権及び転借権等 | B |
| 問題４　定期借地権等　－その１－ | B |
| 問題５　定期借地権等　－その２－ | C |
| 問題６　その他の宅地の評価 | B |

## 問題 1　貸宅地及び貸家建付地

重要度　A

次の各設例の場合において、被相続人甲の死亡により相続税の課税価格に算入すべき宅地の価額を求めなさい。なお、措法69条の４（小規模宅地等の特例）については、考慮する必要はない。

＜設例１＞

被相続人甲は自己所有の次の宅地に借地権を設定し、賃貸借契約により乙に貸し付けていた。

自用地としての価額　　70,000千円

借地権割合　　60%

＜設例２＞

被相続人甲は自己所有の次の宅地の上に家屋を建て、その家屋を賃貸借契約により丙に貸し付けていた。

自用地としての価額　　60,000千円

借地権割合　　60%

借家権割合　　30%

＜設例３＞

被相続人甲は自己所有の次の宅地の上に賃貸用共同住宅（６室）を建て、賃貸借契約により全室第三者に貸し付けていた。

自用地としての価額　　100,000千円

借地権割合　　70%

借家権割合　　30%

各独立部分の床面積の合計　　180㎡

＜設例４＞

被相続人甲は自己所有の次の宅地の上に賃貸用共同住宅（10室）を建築し、課税時期の６カ月前に完成したが、10室中５室は空室となっており、一時的な空室とは認められない。

自用地としての価額　　120,000千円

借地権割合　　70%

借家権割合　　30%

各独立部分の床面積の合計　　280㎡

賃貸している５室の各独立部分の床面積の合計　　130㎡

## 解　答

＜設例１＞

70,000千円×（１－60％）＝28,000千円（貸宅地）

＜設例２＞

60,000千円×（１－60％×30％）＝49,200千円（貸家建付地）

＜設例３＞

100,000千円×$\left(1-70\%\times30\%\times\frac{180\mathrm{m^2}}{180\mathrm{m^2}}\right)$＝79,000千円（貸家建付地）

＜設例４＞

120,000千円×$\left(1-70\%\times30\%\times\frac{130\mathrm{m^2}}{280\mathrm{m^2}}\right)$＝108,300千円（貸家建付地）

## 解答への道

＜設例１＞

**《公式》　貸宅地**（評通25(1)）

| 自用地としての価額×（１－借地権割合） |
|---|

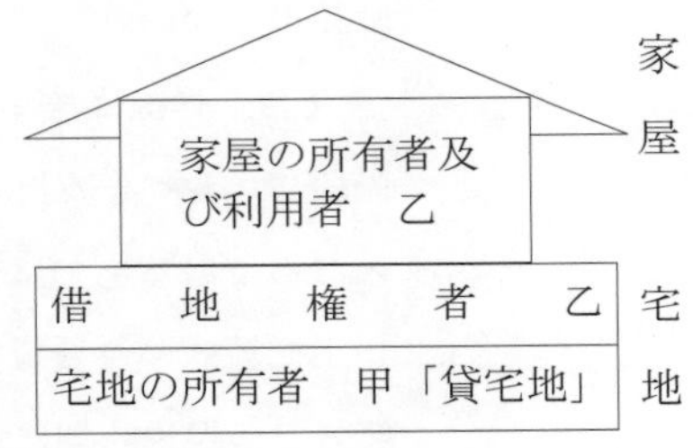


※　貸宅地

貸宅地とは、地上権又は借地権の目的となっている宅地をいう。

乙（借地権者）がこの宅地を使用していることにより、宅地所有者である甲のこの宅地に対する使用収益権は著しく減退することとなるため自用地としての価額から借地権の価額（自用地としての価額×借地権割合）を控除して評価することとしている。

なお、国税局長が貸宅地割合を定めている地域に存する貸宅地については、（自用地としての価額×貸宅地割合）によって評価する。

＜設例２、３、４＞

**《公式》　貸家建付地**（評通26）

| 自用地としての価額×（１－借地権割合<br>×借家権割合×賃貸割合） |
|---|

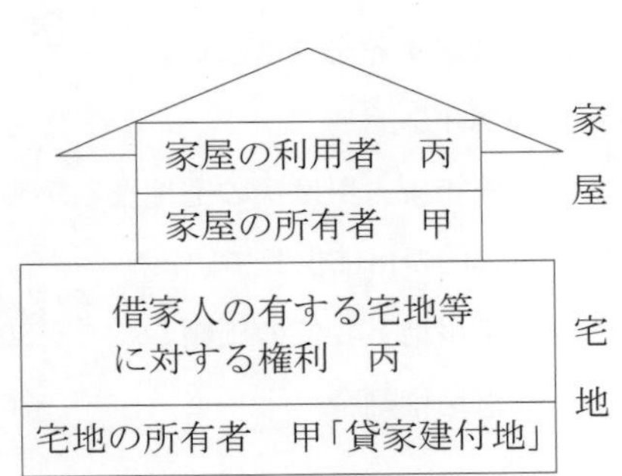


※１　貸家建付地

貸家建付地とは、貸家の敷地の用に供されている宅地をいう。

甲がその宅地上の甲所有の家屋を賃貸していることから、借家人丙はその家屋の敷地となっている宅地を間接的に使用していることとなる。その借家人の有する宅地に対する権利（自用地としての価額×借地権割合×借家権割合×賃借割合）を自用地としての価額から控除して評価することとしている。

なお、甲所有の家屋は「貸家（評通93）」として評価する。

「賃貸割合」は、その貸家に係る各独立部分（構造上区分された数個の部分の各部分をいう。以下同じ。）がある場合に、その各独立部分の賃貸の状況に基づいて、次の算式により計算した割合による。

$$\frac{\text{Aのうち課税時期において賃貸されている各独立部分の床面積の合計}}{\text{当該家屋の各独立部分の床面積の合計（A）}}$$

（注１）上記算式の「各独立部分」とは、建物の構成部分である隔壁、扉、階層（天井及び床）等によって他の部分と完全に遮断されている部分で、独立した出入口を有するなど独立して賃貸その他の用に供することができるものをいう。したがって、例えば、ふすま、障子又はベニヤ板等の堅固でないものによって仕切られている部分及び階層で区分されていても、独立した出入口を有しない部分は「各独立部分」には該当しない。

なお、外部に接する出入口を有しない部分であっても、共同で使用すべき廊下、階段、エレベーター等の共用部分のみを通って外部と出入りすることができる構造となっているものは、上記の「独立した出入口を有するもの」に該当する。

（注２）上記算式の「賃貸されている各独立部分」には、継続的に賃貸されていた各独立部分で、課税時期において、一時的に賃貸されていなかったと認められるものを含むこととして差し支えない。

## 問題２　借地権及び貸家建付借地権

| 重要度 | A |
|---|---|

**次の各設例の場合において、被相続人甲の死亡により相続税の課税価格に算入すべき宅地の上に存する権利の価額を求めなさい。なお、措法69条の４（小規模宅地等の特例）については、考慮する必要はない。**

**＜設例１＞**

被相続人甲は次の宅地を乙から借地権を設定して賃借し、その借地の上に家屋を建て自己の居住の用に供していた。

自用地としての価額　　80,000千円

借地権割合　　70％

<設例２>

被相続人甲は次の宅地を乙から借地権を設定して賃借し、その借地の上に家屋を建てその家屋を賃貸借契約により丙に貸し付けていた。

| | |
|---|---|
| 自用地としての価額 | 100,000千円 |
| 借地権割合 | 60% |
| 借家権割合 | 30% |

<設例３>

被相続人甲は次の宅地を乙から借地権を設定して賃借し、その借地の上にアパート（各独立部分の床面積の合計200㎡であり、課税時期において空室はない。）を建てそのアパートを賃貸借契約により他に貸し付けていた。なお、この地域において適用される借地権割合は70%、借家権割合は30%である。

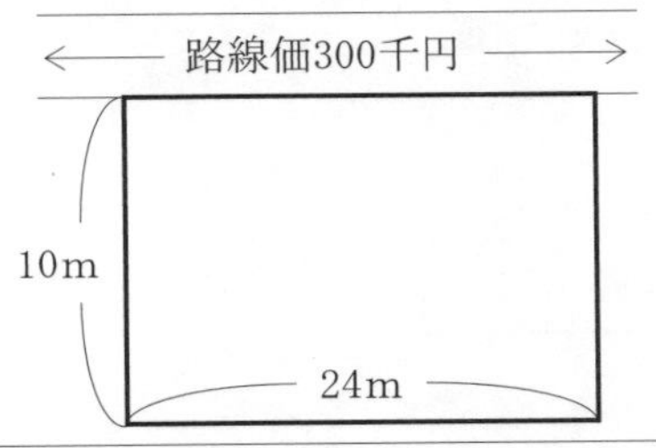


1　普通商業・併用住宅地区所在

2　奥行価格補正率

10m………0.99

24m………1.00

## 解　答

<設例１>

80,000千円×70%＝56,000千円（借地権）

<設例２>

100,000千円×60%×(1−30%)＝42,000千円（貸家建付借地権）

<設例３>

$$300\text{千円}\times 0.99\times 10\text{m}\times 24\text{m}\times 70\%\times\left(1-30\%\times\frac{200\text{㎡}}{200\text{㎡}}\right)=34,927.2\text{千円（貸家建付借地権）}$$

第２章　貸宅地、貸家建付地及び宅地の上に存する権利等

## 解答への道

**＜設例１＞**

**《公式》　借地権**（評通27）

| 自用地としての価額×借地権割合 |
|---|

※　借地権

借地権とは、借地借家法に規定する建物の所有を目的とする地上権又は土地の賃借権をいう。

家屋　家屋の所有者及び利用者　甲
宅地　借地権者　甲「借地権」
宅地の所有者　乙

甲は宅地の所有者ではないが、借地権を有しているため甲の財産として評価する。

なお、乙の宅地に関する評価は「貸宅地」となる。

また、甲所有の家屋は「自用家屋（評通89）」として評価する。

**＜設例２＞**

**《公式》　貸家建付借地権**（評通28）

| 自用地としての価額×借地権割合×（１－借家権割合×賃貸割合） |
|---|

※　貸家建付借地権

貸家建付借地権とは、貸家の敷地の用に供されている借地権をいう。

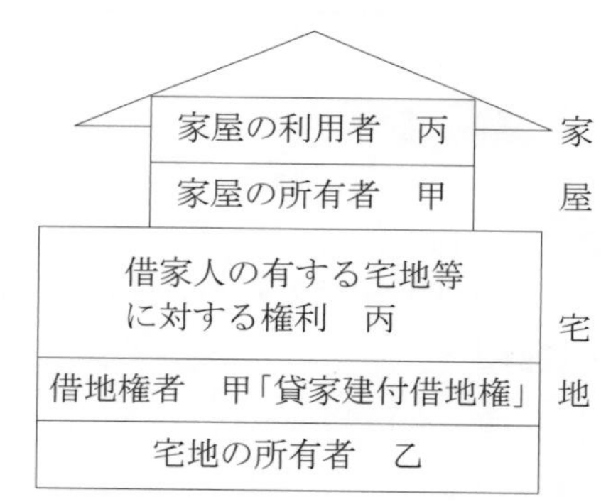


甲は借地権を有しているが、借家人丙が宅地に関して間接的に権利を有するため、その部分（自用地としての価額×借地権割合×借家権割合×賃貸割合）を借地権の価額から控除して評価しなければならない。

なお、甲所有の家屋は「貸家（評通93）」として評価する。

**＜設例３＞**

各独立部分があるため、賃貸割合を考慮しなければならない。

## 問題 3　転貸借地権及び転借権等

重要度 B

次の各設例の場合において、被相続人甲の死亡により相続税の課税価格に算入すべき宅地の上に存する権利の価額を求めなさい。なお、措法69条の4（小規模宅地等の特例）については、考慮する必要はない。

＜設例１＞

被相続人甲は次の宅地を乙から借地権を設定して賃借し、その借地を自己の用に供することなく丙に賃貸していた。

| | |
|---|---|
| 自用地としての価額 | 60,000千円 |
| 借地権割合 | 60% |

＜設例２＞

被相続人甲は次の宅地を丁から転借権を設定して賃借し、その借地の上に家屋を建て自己の居住の用に供していた。なお、この借地は丁が戊から借地権を設定し賃借していたものである。

| | |
|---|---|
| 自用地としての価額 | 90,000千円 |
| 借地権割合 | 60% |
| 借家権割合 | 30% |

＜設例３＞

設例２の場合において被相続人甲が建てたその家屋を、賃貸借契約により乙に貸し付けていた場合。

＜設例４＞

被相続人甲は乙が所有している次の宅地の上の乙所有の家屋を賃借していた。なお、この地域では借家人の有する権利は権利金等の名称をもって取引される慣行がある。

| | |
|---|---|
| 自用地としての価額 | 70,000千円 |
| 借地権割合 | 70% |
| 借家権割合 | 30% |

＜設例５＞

被相続人甲は次の宅地を乙から借地権を設定して賃借し、その借地の上に家屋を建て自己の居住の用に供していた。なお、この地域では、権利金等をもって借地権を取引する慣行がない。

| | |
|---|---|
| 自用地としての価額 | 50,000千円 |

## 解　答

＜設例１＞

60,000千円×60％×（１－60％）＝14,400千円（転貸借地権）

＜設例２＞

90,000千円×60％×60％＝32,400千円（転借権）

＜設例３＞

90,000千円×60％×60％×（１－30％）＝22,680千円（貸家建付転借権）

＜設例４＞

70,000千円×70％×30％＝14,700千円（借家人の有する宅地等に対する権利）

＜設例５＞

0（借地権）

## 解答への道

＜設例１＞

《公式》　**転貸借地権**（評通29）

| 自用地としての価額×借地権割合×（１－借地権割合） |
|---|

※　転貸借地権

転貸借地権とは、転貸されている借地権をいう。

甲自身がその宅地の借主であり、かつ貸主でもある。権利関係が複雑な場合には、段階をおって考えていくのがよい。まず、乙から賃借しているのであるから借地権（自用地としての価額×借地権割合）を有する。次に丙に対して転貸しているため貸宅地と同様に考えると甲の所有する権利は、借地権のうち（１－借地権割合）部分だけということとなる。

この場合の乙の評価は「貸宅地（評通25）」、丙の評価は「転借権（評通30）」となる。

＜設例２、３＞

《公式》　**転借権**（評通30）

(1) 自用の場合

自用地としての価額×借地権割合×借地権割合

(2) 貸家の目的に供されている転借権
（貸家建付転借権）

自用地としての価額×借地権割合×借地権割合
×（１－借家権割合×賃貸割合）

転借権は第２次借地権とも呼ばれる。この公式についても設例１と同様に、段階をおって考えていけばよい。

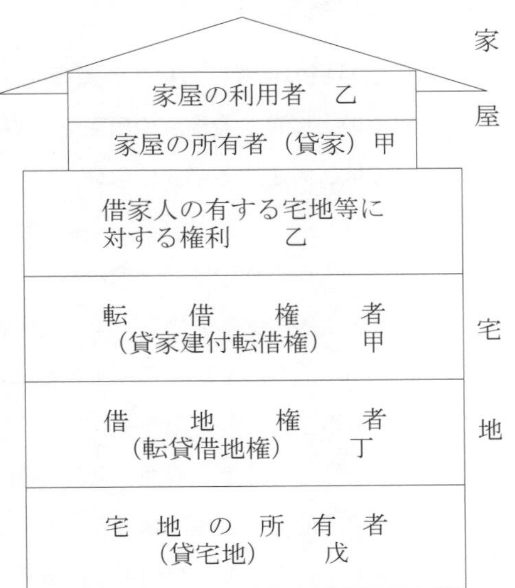


＜設例４＞

《公式》　**借家人の有する宅地等に対する権利**（評通31）

(1) 家屋の所有者がその敷地の所有者又は借地権者である場合

自用地としての価額×借地権割合×借家権割合×賃借割合

(2) 家屋の所有者がその敷地に係る借地権の転借権者である場合

自用地としての価額×借地権割合×借地権割合×借家権割合×賃借割合

※　借家人の有する権利が権利金等の名称をもって取引される慣行のない地域にあるものについては、評価しない。

本問においては、借家人の有する権利が権利金等の名称をもって取引される慣行のある地域に所在するため、その権利を評価する。

なお、この場合の乙の評価は「貸家建付地（評通26）」となる。

＜設例５＞

《公式》　**借地権の評価**（評通27）

借地権の設定に際しその設定の対価として通常権利金その他の一時金を支払うなど借地権の取引慣行があると認められる地域以外の地域にある借地権、貸家建付借地権、転貸借地権、転借権及び借家人の有する宅地等に対する権利の価額は評価しない。

本問においては、取引慣行がある地域ではないため、この借地権の価額は評価しない。

ただし、貸主乙に関してはその宅地の所有権が借地権相当分だけ制限されていることには変わりがないため、貸宅地の評価をするに当たっては、借地権割合が20%であるものとして評価する。（評通25(1)）

## 問題4　定期借地権等　－その１－

重要度　B

次の各設例の場合において、被相続人甲の死亡により相続税の課税価格に算入すべき宅地及び宅地の上に存する権利の価額を求めなさい。なお、措法69条の４（小規模宅地等の特例）については、考慮する必要はない。

＜設例１＞

被相続人甲は次の宅地を乙から一般定期借地権を設定（50年）して賃借し、その借地を自己の居住の用に供している。なお、評価に関する資料は次のとおりであり、この契約の残存期間は45年、この宅地の所在する地域における借地権割合は60％である。

(1) 自用地としての価額　10,000千円
(2) 定期借地権設定時の権利金等の額　6,030千円
(3) 定期借地権設定時におけるこの宅地の通常の取引価額　15,000千円
(4) 基準年利率による複利年金現価率　50年……41.566　45年……38.073

＜設例２＞

被相続人甲は次の宅地を乙に対して一般定期借地権を設定（50年）して賃貸し、乙はその借地を自己の居住の用に供している。なお、評価に関する資料は次のとおりであり、この契約の残存期間は40年、この宅地の所在する地域における借地権割合は70％である。

(1) 自用地としての価額　150,000千円
(2) 残存期間が15年を超える場合の法定減額割合　100分の20
(3) 借地権割合が70％である地域の底地割合　55％
(4) 基準年利率による複利年金現価率　50年……41.566　40年……34.447

＜設例３＞

被相続人甲は乙から一般定期借地権を設定（50年）して賃借し、その借地を自己の居住の用に供している。なお、評価に関する資料は次のとおりであり、この契約の残存期間は45年、この宅地の所在する地域における借地権割合は70％である。

(1) 設定時におけるこの宅地の通常の取引価額　100,000千円
(2) 設定時において借地人に帰属する経済的利益の総額　15,000千円
(3) 課税時期におけるこの宅地の自用地としての価額　120,000千円
(4) 基準年利率による複利年金現価率　50年……41.566　45年……38.073

＜設例４＞

被相続人甲は乙に対して事業用定期借地権等を設定（15年）して賃貸した。なお、評価に関する資料は次のとおりであり、この契約の残存期間は６年である。

(1) 設定時におけるこの宅地の通常の取引価額　150,000千円
(2) 権利金の額（契約終了時に返還が不要とされるもの）　45,000千円
(3) 課税時期におけるこの宅地の自用地としての価額　160,000千円
(4) 基準年利率による複利年金現価率　15年……14.137　６年……5.990
(5) 残存期間が５年を超え10年以下の場合の法定減額割合　100分の10

※　保証金の額及び差額地代の額はないものとする。

## 解　答

＜設例１＞

定期借地権　$10,000\text{千円}\times\dfrac{6,030\text{千円}}{15,000\text{千円}}\times\dfrac{38.073}{41.566}=3,682,179\text{円}$（円未満切捨）

＜設例２＞

貸宅地　$150,000\text{千円}-150,000\text{千円}\times(1-55\%)\times\dfrac{34.447}{41.566}=94,060,710\text{円}$（円未満切捨）

＜設例３＞

定期借地権　$120,000\text{千円}\times\dfrac{15,000\text{千円}}{100,000\text{千円}}\times\dfrac{38.073}{41.566}=16,487,369\text{円}$（円未満切捨）

＜設例４＞

貸宅地　(1) $160,000\text{千円}-160,000\text{千円}\times\dfrac{45,000\text{千円}}{150,000\text{千円}}\times\dfrac{5.990}{14.137}$（円未満切捨）

$=139,661,881\text{円}$

(2) $160,000\text{千円}\times\left(1-\dfrac{10}{100}\right)=144,000\text{千円}$

(3) (1)＜(2)　　∴　139,661,881円

## 解答への道

1　概　要

定期借地権等は、通常の賃貸借契約による借地権と比較して法定更新の制度等に関する規定の適用はなく、契約期間の到来により確定的に権利関係が終了するのが大きな違いである。つまり、簡単に言えば、契約期間が終了すれば借地権が必ず地主に返ってくるということになる。

では、この定期借地権等の財産的価値を考えると、「借地権の価値は、一般的に借地借家法に基づき宅地を使用収益することにより借地人に帰属する経済的利益を貨幣額で表示したもの」と定義されていることから、課税時期において借地人に帰属する経済的利益とその存続期間を基にして成り立つ経済的利益の現在価値によるべきものとされる。

2　定期借地権等の種類

(1) 一般定期借地権

借地期間が50年以上と長期であり、借地の目的についての制限はない。

(2) 事業用定期借地権等

借地期間が10年以上50年未満であり、事業用建物を建てる目的に限定されている。

(3) 建物譲渡特約付借地権

借地の目的に制限はなく、30年以上の借地契約が満了する時点で、建物は地主が時価で買い取ることになっている。

3　評価方法

**《公式》　定期借地権等**（評通27－2）

(1) 原　則

| 課税時期において借地権者に帰属する経済的利益及びその存続期間を基として評定した価額 |
|---|

(2) 課税上弊害がない場合

課税時期における自用地としての価額 × 設定時における定期借地権等割合[＊1] × 定期借地権等の逓減率[＊2]

（円未満切捨）

＊1　$\dfrac{\text{定期借地権等設定時に借地権者に帰属する経済的利益の総額}^{＊3}}{\text{定期借地権等設定時におけるその宅地の通常の取引価額}}$

＊2　$\dfrac{\text{課税時期における定期借地権等の残存期間年数に応ずる基準年利率による複利年金現価率}}{\text{定期借地権等の設定期間年数に応ずる基準年利率による複利年金現価率}}$

＊3　①権利金 ＋ ②保証金の経済的利益 ＋ ③差額地代の現在価値

**《公式》　定期借地権等の目的となっている宅地**（評通25(2)、個通）

(1) 事業用定期借地権等、建物譲渡特約付借地権、一般定期借地権で普通借地権割合が90％及び80％並びに権利金等を支払う慣行のない地域に所在する宅地の場合

> ①　自用地としての価額 － 定期借地権等の価額
>
> ②　自用地としての価額 ×（1 － 残存期間に応じる割合*）
>
> ③　①、②のいずれか少ない金額
>
> *　残存期間に応ずる割合
>
> | | |
> |---|---|
> | 残存期間が５年以下のもの | 100分の５ |
> | 残存期間が５年を超え10年以下のもの | 100分の10 |
> | 残存期間が10年を超え15年以下のもの | 100分の15 |
> | 残存期間が15年を超えるもの | 100分の20 |

(2) 一般定期借地権で普通借地権割合が70％から30％の地域に所在する宅地の場合

> 自用地としての価額 －自用地としての価額 ×（1 － 底地割合*1）× 逓減率*2 *3
>
> *1　底地割合
>
> | | |
> |---|---|
> | 借地権割合 | 70％ ⇨ 55％ |
> | 借地権割合 | 60％ ⇨ 60％ |
> | 借地権割合 | 50％ ⇨ 65％ |
> | 借地権割合 | 40％ ⇨ 70％ |
> | 借地権割合 | 30％ ⇨ 75％ |
>
> *2　逓減率
>
> $$\frac{\text{残存期間年数に応ずる基準年利率による複利年金現価率}}{\text{設定期間年数に応ずる基準年利率による複利年金現価率}}$$
>
> *3　最終値円未満切捨

## 問 題 5　定期借地権等 －その２－

重要度 C

次の各設例の場合において、被相続人甲の死亡により相続税の課税価格に算入すべき宅地及び宅地の上に存する権利の価額を求めなさい。なお、措法69条の４（小規模宅地等の特例）については、考慮する必要はない。

＜設例１＞

被相続人甲は乙に対して事業用定期借地権等を設定（10年）して賃貸した。なお、評価に関する資料は次のとおりであり、この契約の残存期間は７年である。

(1) 設定時におけるこの宅地の通常の取引価額　80,000千円

(2) 保証金の額（約定利率：年0.2%、契約終了時に返還が必要とされるもの）　8,000千円

(3) 課税時期におけるこの宅地の自用地としての価額　100,000千円

(4) 基準年利率による複利年金現価率　10年……9.600　７年……6.795

(5) 基準年利率による複利現価率　10年……0.928　７年……0.949

(6) 残存期間が５年を超え10年以下の場合の法定減額割合　100分の10

※ 権利金の額及び差額地代の額はないものとし、保証金の額に係る約定利率は基準年利率未満であるものとする。

＜設例２＞

被相続人甲は乙から一般定期借地権を設定（50年）して賃借し、その借地の上に家屋を建てて自己の居住の用に供している。なお、評価に関する資料は、次のとおりであり、この契約の残存期間は44年である。

(1) 設定時におけるこの宅地の通常の取引価額　125,000千円

(2) 権利金の額（契約終了時に返還が不要とされるもの）　10,000千円

(3) 保証金（契約終了時に返還が必要とされるもの）の授受に伴う経済的利益の額　6,500千円

(4) 差額地代の現在価値相当額　3,500千円

(5) 課税時期におけるこの宅地の自用地としての価額　150,000千円

(6) 基準年利率による複利年金現価率　50年……41.566　44年……37.359

## 解 答

＜設例１＞

貸宅地　(1)① 8,000千円×0.928＝7,424千円

② 8,000千円×0.2%×9.600＝153.6千円

③ 8,000千円－①－②＝422.4千円

④ $100,000\text{千円}-100,000\text{千円}\times\frac{422.4\text{千円}}{80,000\text{千円}}\times\frac{6.795}{9.600}$

$=99,626.275\text{千円}$

(2) $100,000\text{千円}\times\left(1-\frac{10}{100}\right)=90,000\text{千円}$

(3) (1)＞(2)　　∴　90,000千円

**＜設例２＞**

借地権　$150,000\text{千円}\times\frac{20,000\text{千円}^{*}}{125,000\text{千円}}\times\frac{37.359}{41.566}=21,570,899\text{円}$（円未満切捨）

＊　10,000千円＋6,500千円＋3,500千円＝20,000千円

## 解答への道

「定期借地権等設定時に借地権者に帰属する経済的利益の総額」は、次に掲げる金額の合計額である。（評通27－３）

(1) 権利金等（契約終了時に返還不要とされるもの）の授受がある場合

> 課税時期において支払われるべき金額又は供与すべき財産の価額に相当する金額

(2) 保証金等（契約終了時に返還必要とされるもの）の授受がある場合でその保証金につき基準年利率未満の利率による利息の支払いがあるとき又は無利息のとき

> 保証金等の額に相当する金額－（保証金等の額に相当する金額×設定期間年数に応じる基準年利率による複利現価率）－（保証金等の額に相当する金額×約定利率×設定期間年数に応じる基準年利率による複利年金現価率）

(3) 実質的に贈与を受けたとされる差額地代がある場合

> 差額地代の額 × 定期借地権等の設定期間年数に応じる基準年利率による複利年金現価率

（注１）実質的に贈与を受けたと認められる差額地代の額がある場合に該当するかどうかは、個々の取引において取引の事情、取引当事者間の関係等を総合勘案して判定する。

（注２）「差額地代の額」とは、同種同等の他の定期借地権等における地代の額とその定期借地権等の設定契約において定められた地代の額（上記(1)又は(2)に掲げる金額がある場合には、その金額に定期借地権等の設定期間年数に応ずる基準年利率による年賦償還率を乗じて得た額を地代の前払いに相当する金額として毎年の地代の額に加算した後の額）との差額をいう。

## 問　題　6　その他の宅地の評価

| 重要度 | B |
|---|---|

**次の各設例の場合における宅地の相続税評価額を求めなさい。**

**＜設例１＞**

宅地に隣接し、その宅地の側方路線、裏面路線となっている私道の用に供されている宅地

| 私道の所在 | 自用地としての価額 | 用　　　途 |
|---|---|---|
| 側方路線の部分 | 5,600千円 | 宅地の上に存する建物関係者の通行用 |
| 裏面路線の部分 | 8,000千円 | 不特定多数の者の通行用 |

**＜設例２＞**

Ａ宅地180㎡、Ｂ宅地180㎡及び私道部分80㎡の共有持分２分の１

なお、私道には路線価が付されていないため、納税義務者の申出により、特定路線価90千円が付されている。また、この私道は特定の者の通行の用に供されている。

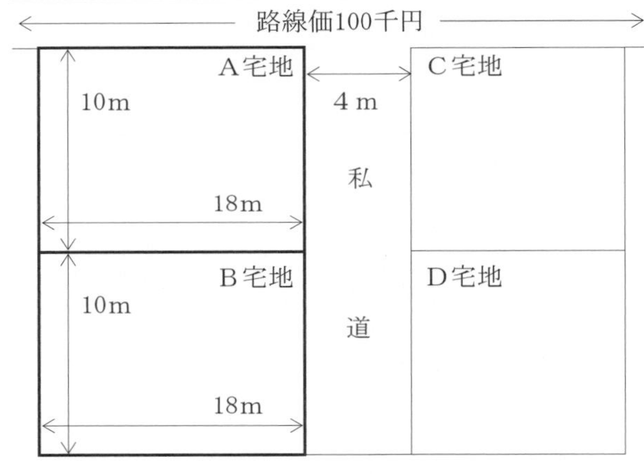


1　普通住宅地区所在

2　奥行価格補正率

10m以上24m未満……1.00

3　間口狭小補正率

４ｍ以上６ｍ未満……0.94

4　奥行長大補正率

５以上６未満…………0.92

5　側方路線影響加算率…0.03

**＜設例３＞**

Ｃ宅地　180㎡（私道部分20㎡を含む。）

この私道部分は、不特定多数の者の通行の用に供されているいわゆる通り抜け道路となっている。

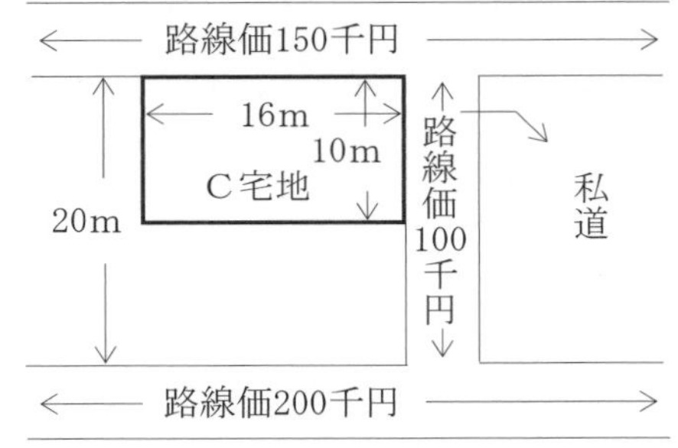


1　普通住宅地区所在

2　奥行価格補正率

10m以上24m未満…………1.00

3　側方路線影響加算率

角　地…………………………0.03

準角地…………………………0.02

4　二方路線影響加算率………0.02

＜設例４＞

被相続人所有のＤ宅地

このＤ宅地（400㎡）は、がけ地を有し、かつ、相続開始時において土砂災害特別警戒区域に指定されている。

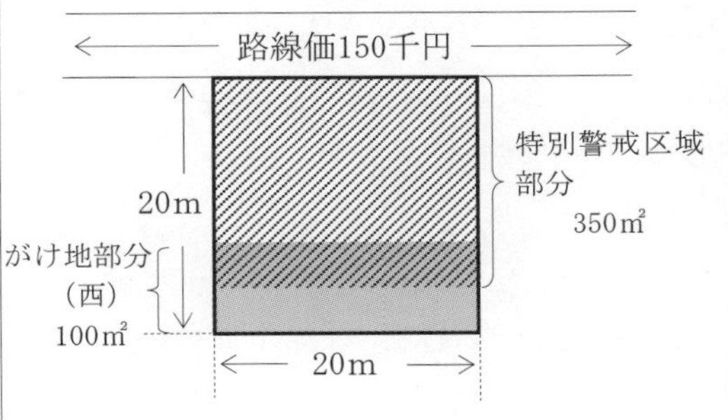


1　普通住宅地所在

2　奥行価格補正率

10m以上24m未満………1.00

3　特別警戒区域補正率

$\dfrac{\text{特別警戒区域の地積}}{\text{総地積}}$　0.70以上……0.70

4　がけ地補正率（西）

$\dfrac{\text{がけ地の地積}}{\text{総地積}}$　0.20以上　∴　0.90

＜設例５＞

被相続人所有のＥ宅地

このＥ宅地は、相続開始前において土地区画整理事業の施行に伴う仮換地の指定によりＦ宅地に仮換地されていた。なお、相続開始時においてまだ換地はなされていないが、Ｆ宅地について使用又は収益を開始することが可能な状態にある。

なお、相続開始の時における各宅地の評価額等は、次のとおりである。

Ｅ宅地の時価　48,000千円
Ｆ宅地の時価　50,000千円

＜設例６＞

被相続人所有のＧ宅地

このＧ宅地は、相続開始前において土地区画整理事業の施行に伴う仮換地の指定によりＨ地に仮換地されていた。このＨ地は、課税時期現在（令和７年８月10日）において造成工事を行っており、造成工事が完了するのは令和８年12月の予定である。

なお、相続開始の時における各宅地の評価額等は、次のとおりである。

Ｇ宅地の時価　60,000千円
Ｈ地の時価　45,000千円
Ｈ地について造成工事が完了したものとした場合における時価　65,000千円

＜設例７＞

被相続人所有のＩ宅地

このＩ宅地は、相続開始前において土地区画整理事業の施行に伴う仮換地の指定によりＪ地に仮換地されていた。このＪ地は土地区画整理法の規定により、使用又は収益を開始する日を別に定めることとされているため、Ｊ地について使用又は収益を開始することができず、造成工事は行われていない。

なお、相続開始の時における各宅地の評価額等は、次のとおりである。

Ｉ宅地の時価　　82,000千円
Ｊ地の時価　　60,000千円
Ｊ地について造成工事が完了したものとした場合における時価　　85,000千円

＜設例８＞

被相続人所有のＫ宅地

この宅地は、被相続人甲が居住の用に供していたものである。なお、この宅地は建築基準法第42条第２項に規定する道路に面しており、将来、建物の建替え時等に道路敷きとして提供しなければならない部分を有している。

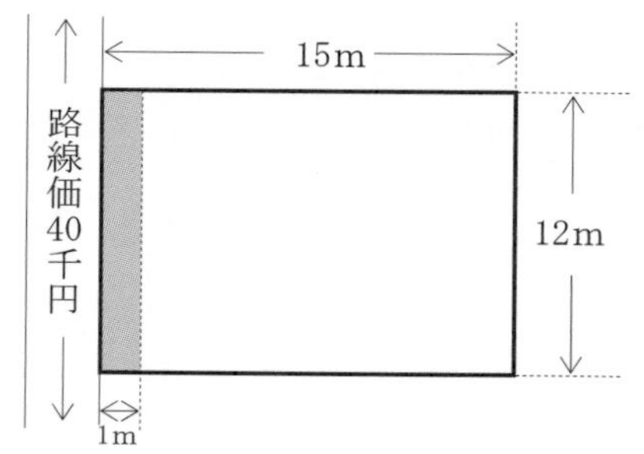


1　普通住宅地区所在

2　奥行価格補正率

10m以上24m未満………1.00

将来、建物の建替え時等に道路敷きとして提供しなければならない部分

＜設例９＞

この宅地は、被相続人甲の小売業の用に供されていたものである。なお、この宅地は都市計画道路予定地の区域内（都市計画法第４条第６項に規定する都市計画施設のうちの道路の予定地の区域内をいう。）となる部分を有するものであり、その利用に制限を受けている。

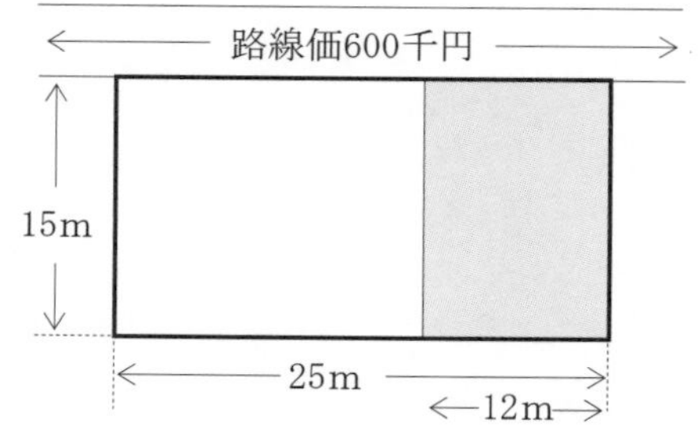


都市計画道路予定地部分

1　普通住宅地区所在

2　奥行価格補正率

10m以上24m未満………1.00

3　都市計画道路予定地の区域内となる部分を有する宅地の価額を求める場合の補正率　0.94

<設例10>

造成中の宅地

(1) 造成工事着手直前の地目　市街地山林

(2) 造成工事着手直前の固定資産税評価額　3,000千円　倍率　12倍

(3) 課税時期の市街地山林として評価した場合の固定資産税評価額 3,500千円　倍率　12倍

(4) 課税時期までに造成費として投下した額　8,000千円

(5) 課税時期までに造成費として投下した額を課税時期の価額に引き直した額　10,000千円

(6) 造成完了までの造成予定金額の合計額　17,000千円

(7) 造成完了時の予想時価　95,000千円

<設例11>

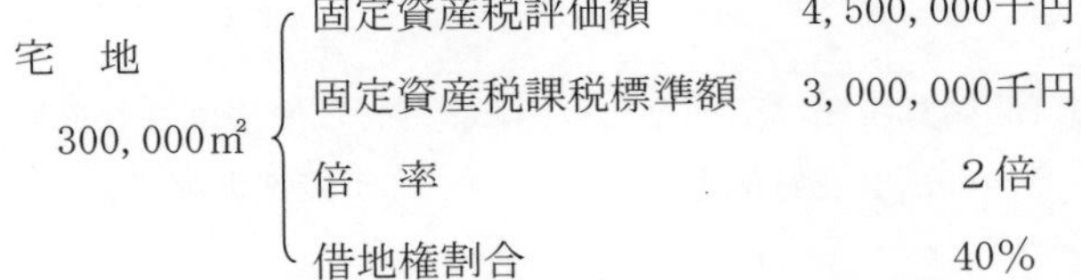

| 宅地 300,000㎡ | | |
|---|---|---|
| | 固定資産税評価額 | 4,500,000千円 |
| | 固定資産税課税標準額 | 3,000,000千円 |
| | 倍率 | 2倍 |
| | 借地権割合 | 40% |

この宅地は、被相続人甲がＬ株式会社に賃貸借契約により貸し付けていたものであり、Ｌ株式会社は工場及びその附属設備の敷地として利用している。

<設例12>

この宅地は、被相続人甲がＭ株式会社に賃貸借契約により貸し付けていたものであり、Ｍ株式会社は工場及びその附属設備の敷地として利用している。

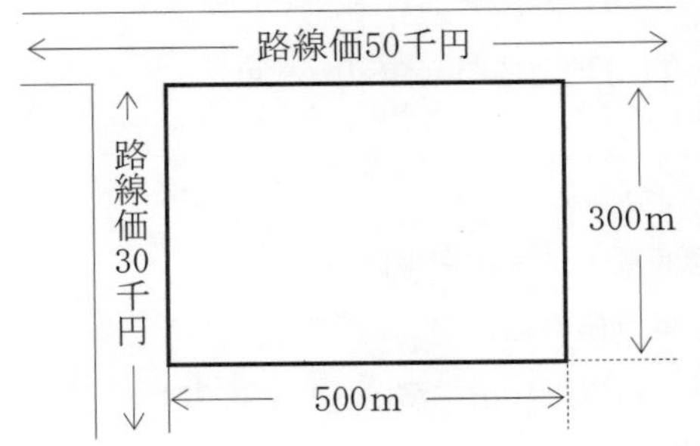


1　大工場地区所在

2　奥行価格補正率……………1.00

3　側方路線影響加算率………0.02

4　借地権割合…………………50%

**<設例13>**

この宅地は、地上権の設定をして第三者に貸し付けているものであり、その契約の残存期間は21年である。

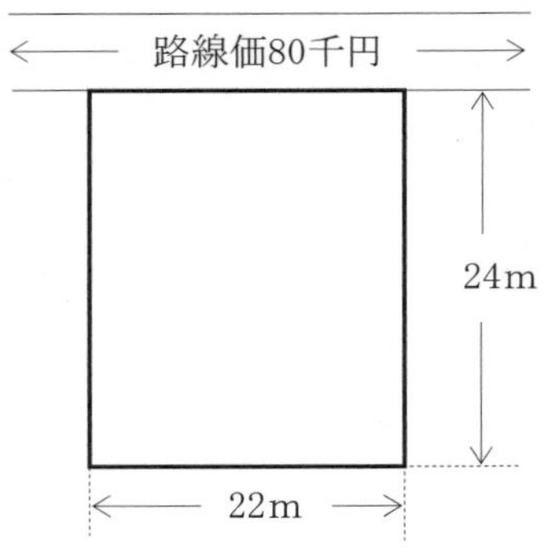


1　普通住宅地区所在

2　奥行価格補正率

10m以上24m未満…………1.00

24m以上28m未満…………0.97

3　借地権割合…………………60%

4　残存期間に応じた法定評価割合……$\frac{30}{100}$

**<設例14>**

この宅地は、被相続人甲の相続開始日現在は空地となっており、特に使用はされていないが、宅地の一部に地下鉄のトンネルの所有を目的とする区分地上権が設定されている。

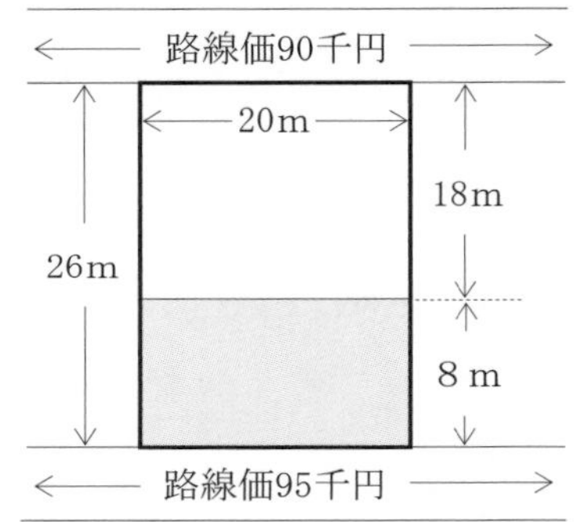


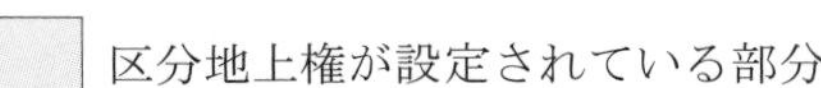
区分地上権が設定されている部分

1　普通住宅地区所在

2　奥行価格補正率

8m……………………………0.97

26m……………………………0.97

3　二方路線影響加算率……0.02

4　区分地上権の割合………30%

**<設例15>**

この宅地は、空地となっており、特に使用されていない。

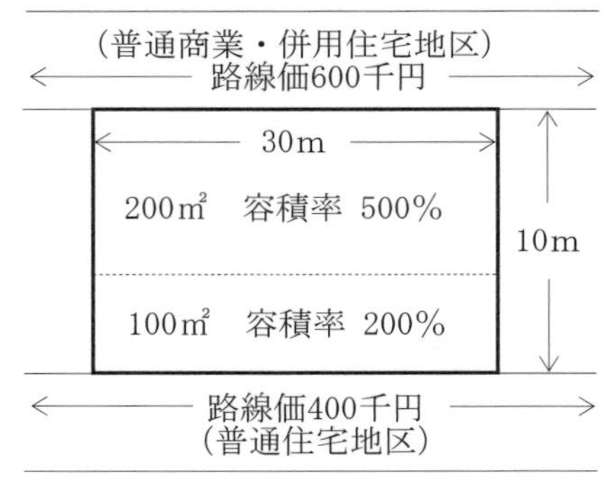


<普通商業・併用住宅地区>

1　奥行価格補正率

8m以上10m未満…………0.97

10m以上12m未満…………0.99

2　二方路線影響加算率………0.05

3　容積率が価額に及ぼす影響度……0.5

<普通住宅地区>

1　奥行価格補正率

8m以上10m未満…………0.97

10m以上24m未満…………1.00

2　二方路線影響加算率………0.02

3　容積率が価額に及ぼす影響度……0.1

## 解　答

＜設例１＞

側方路線の部分　　$5,600千円\times\frac{30}{100}=1,680千円$

裏面路線の部分　　評価しない。（評価額０）

＜設例２＞

Ａ宅地　100千円×1.00×180㎡＝18,000千円

Ｂ宅地　90千円×1.00×180㎡＝16,200千円

私道　(1) $100千円\times1.00\times0.94\times\overset{*}{0.92}\times\frac{30}{100}\times80㎡=2,075.52千円$

＊ $\frac{10m+10m}{4m}=5$　　∴　0.92

(2) $90千円\times\frac{30}{100}\times80㎡=2,160千円$

(3) (1)＜(2)　　∴　2,075.52千円

(4) $2,075.52千円\times\frac{1}{2}=1,037.76千円$

＜設例３＞

(150千円×1.00＋100千円×1.00×0.03)×10m×16m＝24,480千円

不特定多数の者の通行の用に供されている私道は評価しない。

＜設例４＞

$150千円\times1.00\times\overset{*}{0.63}\times400㎡=37,800千円$

＊ ①　がけ地補正率

$\frac{100㎡}{400㎡}=0.25$　　∴　西　0.90

②　特別警戒区域補正率

$\frac{350㎡}{400㎡}=0.875$　　∴　0.70

③　0.90×0.70＝0.63≧0.50　　∴　0.63

＜設例５＞

50,000千円

＜設例６＞

$65,000千円\times\frac{95}{100}=61,750千円$

＜設例７＞

82,000千円

＜設例８＞

(1) 40千円×1.00×15m×12m＝7,200千円

(2) $7{,}200千円-7{,}200千円\times\frac{1\,\mathrm{m}\times12\mathrm{m}}{15\mathrm{m}\times12\mathrm{m}}\times0.7=6{,}864千円$

＜設例９＞

(1) 600千円×1.00×15m×25m＝225,000千円

(2) 225,000千円×0.94＝211,500千円

＜設例10＞

$3{,}500千円\times12+10{,}000千円\times\frac{80}{100}=50{,}000千円$

＜設例11＞

$4{,}500{,}000千円\times2\times\frac{95}{100}\times(1-40\%)=5{,}130{,}000千円$

＜設例12＞

50千円×300m×500m×（１－50％）＝3,750,000千円

＜設例13＞

(1) 80千円×0.97×24m×22m＝40,972.8千円

(2) $(1)-(1)\times\frac{30}{100}=28{,}680.96千円$

＜設例14＞

(1) (95千円×0.97＋90千円×0.97×0.02)×20m×26m＝48,825.92千円

(2)① $48{,}825.92千円\times\frac{20\mathrm{m}\times8\,\mathrm{m}}{20\mathrm{m}\times26\mathrm{m}}\times30\%=4{,}507.008千円$

② 95千円×0.97×20m×８m×30％＝4,423.2千円

③ ①＞② ∴ 4,507.008千円

(3) (1)－(2)＝44,318.912千円

＜設例15＞

(1) 600千円×0.99＋400千円×0.99×0.05＝613.8千円

(2)① $\left(1-\frac{500\%\times200\mathrm{m}^2+200\%\times100\mathrm{m}^2}{500\%\times300\mathrm{m}^2}\right)\times0.5=0.1$

② (1)×（１－0.1）＝552.42千円

③ ②×30m×10m＝165,726千円

## 解答への道

＜設例１、２＞

《公式》　**私道の用に供されている宅地**（評通24）

| 宅　地　の　用　途 | 評　価　額 |
|---|---|
| 特定の者の通行の用に供されている私道 | 自用地としての価額× $\frac{30}{100}$ |
| 不特定多数の者の通行の用に供されている私道（通り抜け私道） | 評価しない |

＜設例１＞

側方路線の部分は建物関係者（特定の者）の通行の用に供されているため30%相当額で評価する。裏面路線の部分は不特定多数の者の通行の用に供されているため評価しない。

なお、私道については、その私道に設定された特定路線価の30%相当額で評価することもできる。

＜設例２＞

《公式》　**路線価が付されていない私道に接する宅地**（評通14－３）

| 特定路線価に基づいた評価額 |
|---|

路線価地域内において、路線価の設定されていない道路のみに接している宅地を評価する必要がある場合には、納税義務者からの申出等に基づき、特定路線価を設定して評価する。

Ｂ宅地は私道に付されている特定路線価90千円を基礎として評価する。

Ａ宅地は路線100千円に接しているため一方のみ路線に接する宅地として評価する。私道に特定路線価を付したことによる側方路線影響加算は考慮しないことに注意すること。

＜設例３＞

不特定多数の者の通行の用に供されているため私道は評価しない。

側方路線は、特定路線価ではないため側方路線影響加算率を考慮するのを忘れないこと。

＜設例４＞

**土砂災害特別警戒区域内にある宅地**（評通20－６）

土砂災害特別警戒区域内に所在しているため、建築物の構造強化等に係る対策費用や、敷地としての利用制限等による減価が生じていることを考慮して、その宅地に占める土砂災害特別警戒区域内となる部分の地積に応じて一定の減額補正を行うこととなる。

なお、特別警戒区域は、基本的に地勢が傾斜する地域が多いことから、がけ地を含む場合があるため、がけ地補正率の適用がある場合には特別警戒区域補正率とがけ地補正率を乗じて得た数値を特別警戒区域補正率とすることとし、その最小値は0.50となる。

＜設例５、６、７＞

**《公式》　土地区画整理事業施行中の宅地**（評通24－２）

| 仮換地の価額に相当する価額 |
|---|

Ｅ宅地に関し仮換地の指定を受けているため、その仮換地Ｆ宅地の評価額をもってその評価額とする。

ただし、その仮換地の造成工事が施行中で、当該工事が完了するまでの期間が１年を超えると見込まれる場合の仮換地の価額に相当する価額は、その仮換地について造成工事が完了したものとして、上記の公式により評価した価額の100分の95に相当する価額によって評価する。（Ｇ宅地）

（注）仮換地が指定されている場合であっても、次の事項のいずれにも該当するときは、従前の宅地の価額により評価する。（Ｉ宅地）

１　土地区画整理法第99条第２項の規定により、仮換地について使用又は収益する日を別に定めるとされているため、その仮換地について使用又は収益を開始することができないこと。

２　仮換地の造成工事が行われていないこと。

＜設例８＞

**《公式》　セットバックを必要とする宅地**（評通24－６）

$$\text{宅地について道路敷きとして提供する必要がないものとした場合の価額（Ａ）} - \text{Ａ} \times \frac{\text{将来、建物の建替え時等に道路敷きとして提供しなければならない部分の地積}}{\text{宅地の総地積}} \times 0.7$$

＜設例９＞

**《公式》　都市計画道路予定地の区域内にある宅地**（評通24－７）

| 自用地としての価額×地区、容積率、地積割合に応じて定められた補正率 |
|---|

《参　考》

都市計画道路予定地の区域内となる部分を有する宅地の価額を求める場合の補正率

| 地区区分 | ビル街地区、高度商業地区 | | 繁華街地区、普通商業・併用住宅地区 | | | | 普通住宅地区、中小工場地区、大工場地区 | | |
|---|---|---|---|---|---|---|---|---|---|
| 容積率／地積割合 | 700%未満 | 700%以上 | 300%未満 | 300%以上400%未満 | 400%以上500%未満 | 500%以上 | 200%未満 | 200%以上300%未満 | 300%以上 |
| 30%未満 | 0.88 | 0.85 | 0.97 | 0.94 | 0.91 | 0.88 | 0.99 | 0.97 | 0.94 |
| 30%以上60%未満 | 0.76 | 0.70 | 0.94 | 0.88 | 0.82 | 0.76 | 0.98 | 0.94 | 0.88 |
| 60%以上 | 0.60 | 0.50 | 0.90 | 0.80 | 0.70 | 0.60 | 0.97 | 0.90 | 0.80 |

（注）地積割合とは、その宅地の総地積に対する都市計画道路予定地の部分の地積の割合をいう。

＜設例10＞

**《公式》 造成中の宅地**（評通24－３）

| その土地の造成工事着手直前の地目により評価した課税時期における価額 ＋ その宅地の造成に係る費用現価 × $\frac{80}{100}$ |
|---|

※ 費用現価

課税時期までに投下した費用の額を課税時期の価額に引き直した額の合計額をいう。土地の評価も、造成費用の評価も、課税時期ベースの価額である点に留意すること。

＜設例11、12＞

**《公式》 大規模工場用地**（評通22）

| 倍率方式適用地域に所在する場合 | 固定資産税評価額×倍率 |
|---|---|
| 路線価方式適用地域に所在する場合 | 正面路線価×地積 |

ただし、地積が20万平方メートル以上のものの価額については、上記により計算した価額の100分の95に相当する価額によって評価する。

また、路線価方式により評価する場合には、側方路線、裏面路線及び奥行価格補正率は考慮しない。

大規模工場用地の意義

大規模工場用地とは、一団の工場用地の地積が５万平方メートル以上のものをいう。ただし、路線価地域においては、大工場地区として定められた地域に所在するものに限る。

（注）「一団の工場用地」とは、工場、研究開発施設等の敷地の用に供されている宅地及びこれらの宅地に隣接する駐車場、福利厚生施設等の用に供されている一団の土地をいう。なお、その土地が、不特定多数の者の通行の用に供されている道路、河川等により物理的に分離されている場合には、その分離されている一団の工場用地ごとに評価することに留意する。

<設例13>

**《公式》　地上権及び永小作権**（法23）

地上権及び永小作権の価額は、その残存期間に応じ、その目的となっている土地のこれらの権利が設定されていない場合の時価に、次に掲げる割合を乗じて算出した金額による。

| | |
|---|---|
| 残存期間が10年以下のもの | 100分の５ |
| 残存期間が10年を超え15年以下のもの | 100分の10 |
| 残存期間が15年を超え20年以下のもの | 100分の20 |
| 残存期間が20年を超え25年以下のもの | 100分の30 |
| 残存期間が25年を超え30年以下のもの<br>及び地上権で存続期間の定めのないもの | 100分の40 |
| 残存期間が30年を超え35年以下のもの | 100分の50 |
| 残存期間が35年を超え40年以下のもの | 100分の60 |
| 残存期間が40年を超え45年以下のもの | 100分の70 |
| 残存期間が45年を超え50年以下のもの | 100分の80 |
| 残存期間が50年を超えるもの | 100分の90 |

<設例14>

**《公式》　区分地上権の目的となっている宅地**（評通25(4)）

区分地上権の目的となっている宅地の自用地としての価額－区分地上権の価額

なお、本問のように宅地の一部に区分地上権が設定されている場合の区分地上権の価額は、次のいずれかの方法により求めることができる。

(1) $\text{区分地上権の目的となっている宅地の自用地としての価額} \times \dfrac{\text{区分地上権が設定されている部分の地積}}{\text{宅地の総地積}} \times \text{区分地上権の割合}$

(2) $\text{区分地上権の設定されている宅地部分を一画地として評価した自用地としての価額} \times \text{区分地上権の割合}$

<設例15>

**《公式》　容積率（建築物の延べ面積の敷地面積に対する割合をいう。）の異なる２以上の地域にわたる宅地**（評通20－７）

路線価×奥行価格補正率×（１－控除割合*）×地積

＊　控除割合

$$\left(1-\frac{\text{容積率の異なる部分の各部分に適用される容積率にその各部分の地積を乗じて計算した数値の合計}}{\text{正面路線に接する部分の容積率×宅地の総地積}}\right)\times\text{容積率が価額に及ぼす影響度}$$

(小数点以下３位未満四捨五入)

《参　考》

容積率が価額に及ぼす影響度

| 地　区　区　分 | 影響度 |
| --- | --- |
| 高度商業地区、繁華街地区 | 0.8 |
| 普通商業・併用住宅地区 | 0.5 |
| 普通住宅地区 | 0.1 |

MEMO

# 第3章

# 1画地の宅地の意義

| | 重要度 |
|---|---|
| 問題1　１画地の宅地 | A |
| 問題2　空閑地の場合の１画地 | C |

## 問題 1　1画地の宅地

重要度　A

**次の各設例の場合において、被相続人甲の死亡により相続税の課税価格に算入すべき宅地及び宅地の上に存する権利の価額を求めなさい。なお、措法69条の4（小規模宅地等の特例）については、考慮する必要はない。**

**＜設例1＞**

被相続人甲は、自己所有の1筆の宅地のうちA部分は他人に賃貸借契約により貸し付け、B部分は家屋を建て自己の居住の用に供していた。

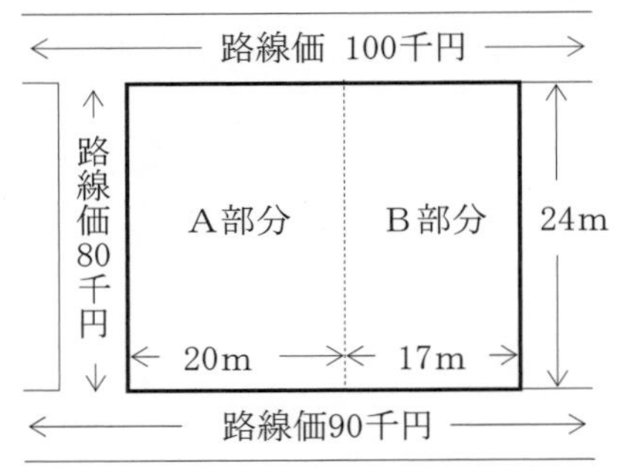


1　普通住宅地区所在

2　奥行価格補正率

17m………1.00

20m………1.00

24m………0.97

37m………0.92

3　側方路線影響加算率

角　地……0.03

準角地……0.02

4　二方路線影響加算率

……………0.02

5　借地権割合……60%

**＜設例2＞**

被相続人甲は、自己所有の3筆の宅地に次の図の点線のように家屋を建て自己の居住の用に供していた。

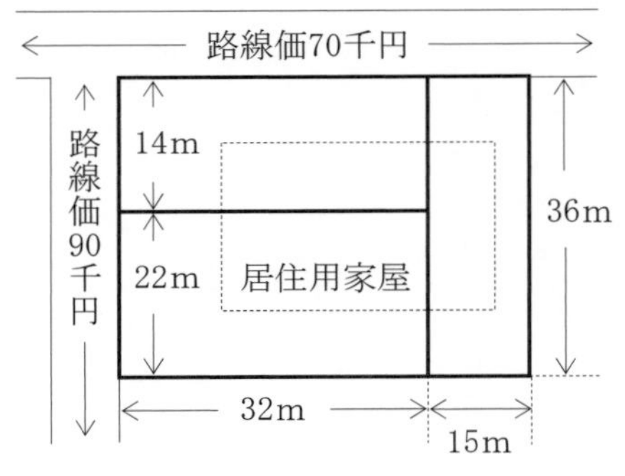


1　普通商業・併用住宅地区所在

2　奥行価格補正率

14m………1.00

15m………1.00

22m………1.00

32m………0.97

36m………0.95

47m………0.91

3　側方路線影響加算率

角　地……0.08

準角地……0.04

＜設例３＞

被相続人甲は、自己所有の１筆の宅地のうちＣ部分は自己の事業用家屋の敷地として、Ｄ部分は自己の居住用家屋の敷地として利用していた。

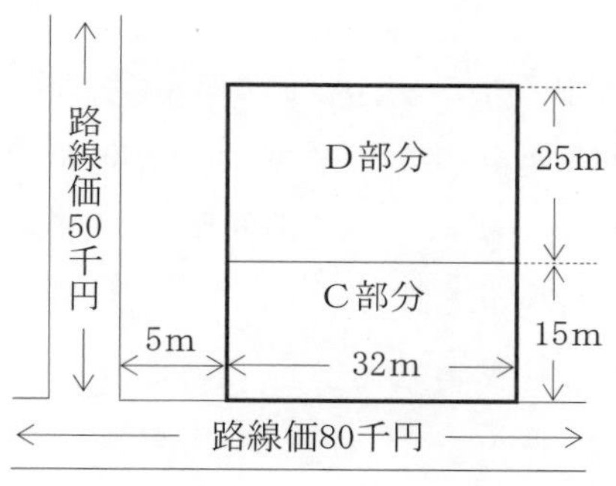


1　普通商業・併用住宅地区所在

2　奥行価格補正率

５ｍ………0.92

15m………1.00

25m………1.00

32m………0.97

37m………0.95

40m………0.93

3　側方路線影響加算率

角　地……0.08

準角地……0.04

＜設例４＞

被相続人甲は、自己所有の１筆の宅地のうちＥ部分は乙に、Ｆ部分は丙にそれぞれ賃貸借契約により貸し付けていた。

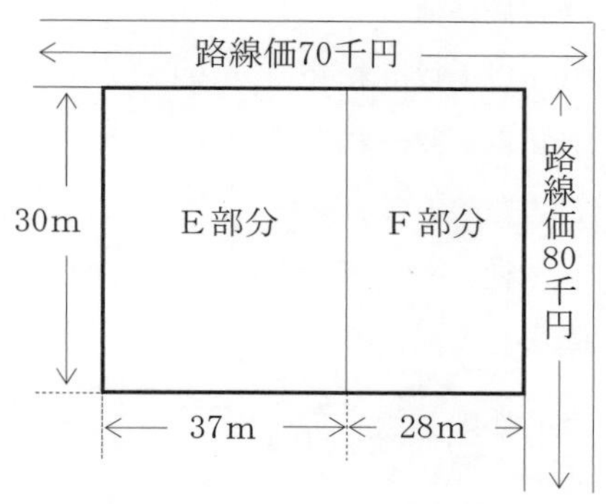


1　繁華街地区所在

2　奥行価格補正率

28m………0.98

30m………0.98

37m………0.94

65m………0.84

3　側方路線影響加算率

角　地……0.10

準角地……0.05

4　借地権割合……60%

＜設例５＞

被相続人甲は、Ｇ宅地を丁からＨ宅地を戊からそれぞれ賃借し、これらの借地上に家屋を建て自己の居住用宅地として利用していた。

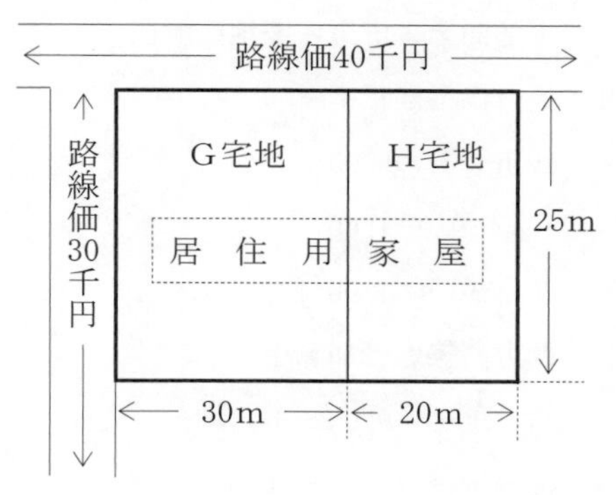


1　普通住宅地区所在

2　奥行価格補正率

20m………1.00

25m………0.97

30m………0.95

50m………0.89

3　側方路線影響加算率

角　地……0.03

準角地……0.02

4　借地権割合……70%

第３章　１画地の宅地の意義

＜設例６＞

被相続人甲は、自己所有の１筆の宅地のうちＩ部分は乙に使用貸借契約により貸し付け、Ｊ部分は自己の居住用家屋の敷地として利用していた。なお、乙は、Ｉ部分の上に家屋を建て事業を営んでいた。

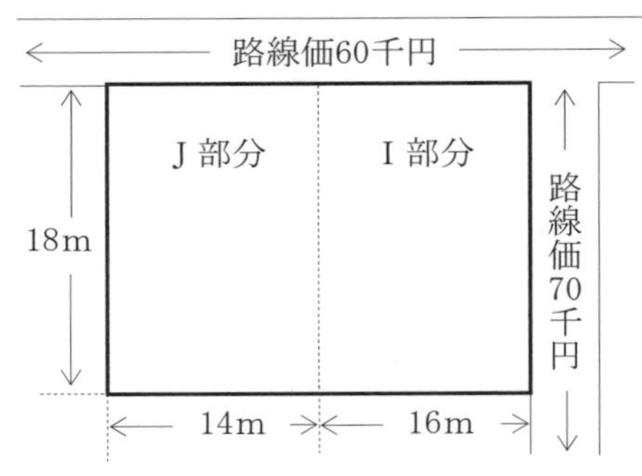


1　普通住宅地区所在

2　奥行価格補正率

14m………1.00

16m………1.00

18m………1.00

30m………0.95

3　側方路線影響加算率

角　地……0.03

準角地……0.02

＜設例７＞

被相続人甲は、自己所有の２筆の宅地に家屋を建て自己の事業の用に供していた。

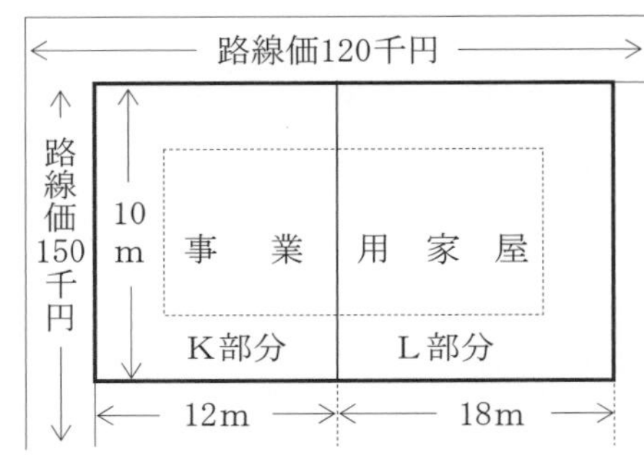


1　普通商業・併用住宅地区所在

2　奥行価格補正率

10m以上12m未満……0.99

12m以上32m未満……1.00

3　側方路線影響加算率

角　地……0.08　準角地……0.04

4　奥行長大補正率

$\frac{\text{奥行距離}}{\text{間口距離}}$が３以上４未満……0.99

＜設例８＞

被相続人甲は、自己の所有するＭ部分と丙から賃借しているＮ部分の上に家屋を建て自己の事業の用に供していた。

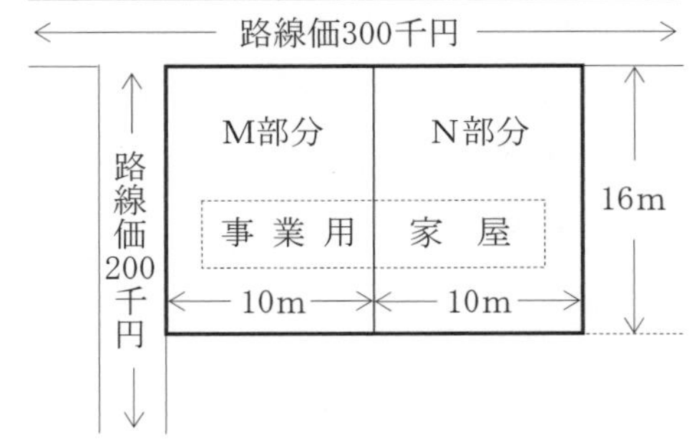


1　普通商業・併用住宅地区所在

2　奥行価格補正率

10m………0.99

16m………1.00

20m………1.00

3　側方路線影響加算率

角　地……0.08　準角地……0.04

4　借地権割合………70％

＜設例９＞

被相続人甲は、自己所有の１筆の宅地O部分は自己の居住用建物Pの敷地として、Q部分は２階建ての建物Rの敷地として利用していた。

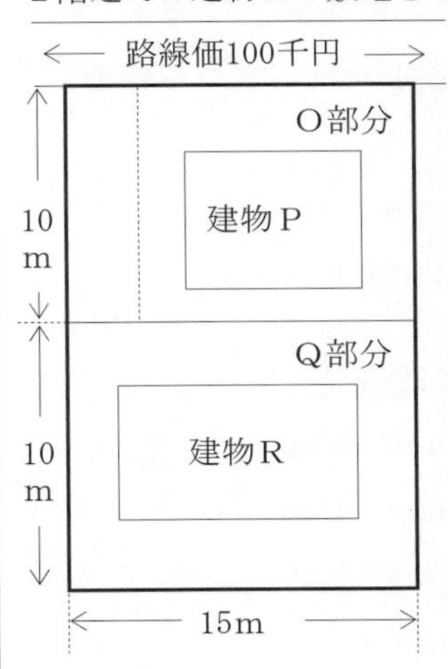


1　建物Rの利用状況
　２階　貸事務所（80㎡）
　１階　甲の営む飲食店（80㎡）

2　普通商業・併用住宅地区所在

3　この地域における接道義務
　２m

4　借地権割合　60%

5　借家権割合　30%

6　奥行価格補正率
　10m……0.99
　20m……1.00

7　間口狭小補正率
　４m未満……0.90

8　奥行長大補正率
　５以上６未満…0.96
　８以上…………0.90

9　不整形地補正率…0.84

＜設例10＞

被相続人甲は、自己の所有するS部分と丁から使用貸借で借り受けたT部分の上に家屋を建て自己の居住の用に供していた。

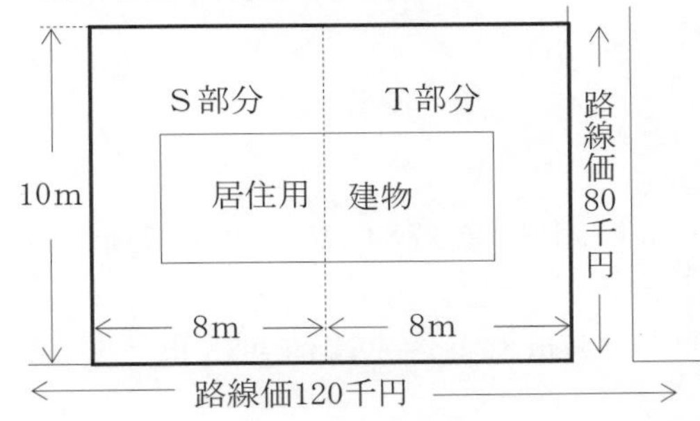


1　普通住宅地区所在

2　奥行価格補正率
　８m………0.97
　10m………1.00
　16m………1.00

3　側方路線影響加算率　0.03

＜設例11＞

被相続人甲は、自己所有の宅地Uの上に家屋を建て、自己の建築業の事務所として利用されていた。また、被相続人甲は雑種地Vを第三者から賃借し、資材置場として利用しており、雑種地Vに設定された賃借権の内容は、資材置場として一時的に使用することを目的とするもので、契約期間は１年間で地代の授受はあるが権利金の授受はない。

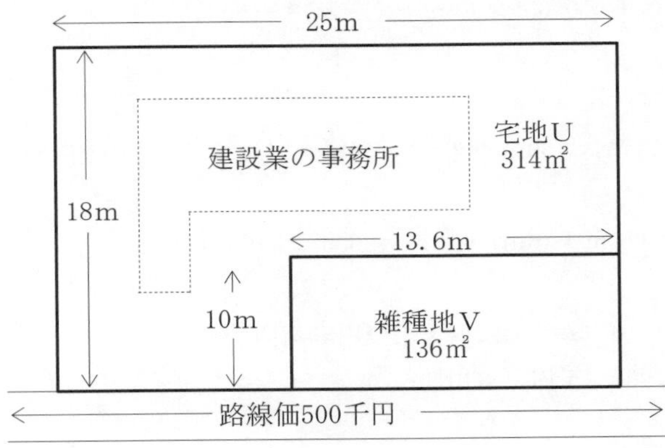


1　普通住宅地区所在

2　奥行価格補正率
　10m……1.00
　18m……1.00
　27m……0.97
　28m……0.95

3　不整形地補正率　0.90

<設例12>

被相続人甲は、自己の所有する下記の宅地の上に建物を建て、自己及び配偶者乙の居住の用に供していた。なお、被相続人甲は宅地X部分を配偶者乙へ生前に贈与しているが、宅地X部分は単独では通常の宅地として利用できない宅地であり、生前の贈与における分割は不合理なものと認められる。

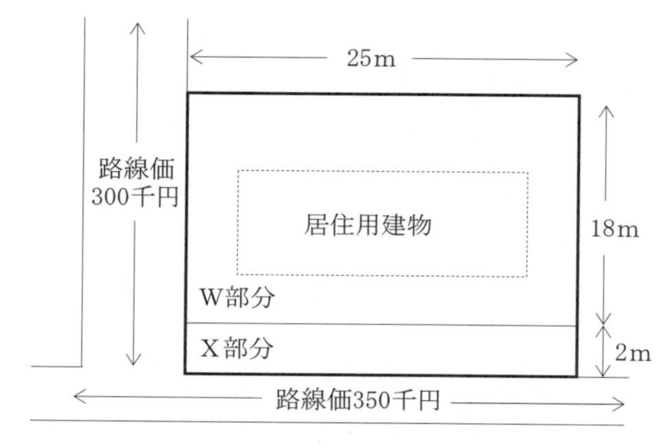


1　普通商業・併用住宅地区所在

2　奥行価格補正率

2m……0.90

18m……1.00

20m……1.00

25m……1.00

3　側方路線影響加算率

0.08

## 解　答

<設例1>

(1) A宅地　(100千円×0.97＋80千円×1.00×0.03＋90千円×0.97×0.02)×20m×24m×(1－60%)＝19,420.032千円（貸宅地）

(2) B宅地　(100千円×0.97＋90千円×0.97×0.02)×17m×24m＝40,288.368千円（自用地）

<設例2>

(90千円×0.91＋70千円×0.95×0.08)×36m×(32m＋15m)＝147,576.24千円（自用地）

<設例3>

80千円×0.93×(25m＋15m)×32m＝95,232千円（自用地）

<設例4>

(1) E宅地　70千円×0.98×30m×37m×(1－60%)＝30,458.4千円（貸宅地）

(2) F宅地　(80千円×0.98＋70千円×0.98×0.05)×30m×28m×(1－60%)＝27,494.88千円(貸宅地)

<設例5>

(40千円×0.97＋30千円×0.89×0.03)×25m×(30m＋20m)×70%＝34,650.875千円(借地権)

<設例6>

(70千円×0.95＋60千円×1.00×0.03)×(14m＋16m)×18m＝36,882千円（自用地）

<設例7>

(150千円×1.00＋120千円×0.99×0.04)×0.99＝153.204千円（円未満切捨）

153.204千円×(12m＋18m)×10m＝45,961.2千円（自用地）

＜設例８＞

(300千円×1.00＋200千円×1.00×0.08)×16m×(10m＋10m)＝101,120千円

(1) M部分　101,120千円×$\dfrac{16m\times10m}{16m\times(10m+10m)}$＝50,560千円

(2) N部分　101,120千円×$\dfrac{16m\times10m}{16m\times(10m+10m)}$×70%＝35,392千円

(3) (1)＋(2)＝85,952千円

＜設例９＞

O部分：100千円×0.99×15m×10m＝14,850千円

Q部分：(1)　100千円×1.00[*1]×0.75[*2]×15m×10m＝11,250千円

＊1　$\dfrac{15m\times10m}{2m}$＝75m＞20m　∴　20m→1.00

＊2①　0.84×0.90＝0.75（小数点第２位未満切捨）

②　0.90[*3]×0.90＝0.81（小数点第２位未満切捨）

＊3　$\dfrac{20m}{2m}$＝10　∴　0.90

③　①＜②　∴　0.75

(2)①　100千円×1.00×15m×20m＝30,000千円

②　100千円×1.00×15m×10m＝15,000千円

③　$\dfrac{①-②}{150m^2}$＝100千円

④　100千円×0.75[*2]×15m×10m＝11,250千円

(3)　(1)＝(2)　∴　11,250千円

(4)①　11,250千円×$\dfrac{75m^2\,[*]}{150m^2}$＝5,625千円

②　11,250千円×$\dfrac{75m^2\,[*]}{150m^2}$×(１－60%×30%)＝4,612.5千円

③　①＋②＝10,237.5千円

＊　150㎡×$\dfrac{80m^2}{80m^2+80m^2}$＝75㎡

＜設例10＞

120千円×1.00×8m×10m＝9,600千円

＜設例11＞

(1) 500千円×1.00*×0.90×314㎡＝141,300千円

$$* \quad 18\text{m} < \frac{314\text{㎡}}{11.4\text{m}} = 27.54\cdots\cdots\text{m} \qquad \therefore \quad 18\text{m} \rightarrow 1.00$$

(2) ① 500千円×1.00×450㎡＝225,000千円

② 500千円×1.00×136㎡＝68,000千円

③ $\frac{①-②}{314\text{㎡}}$＝500千円

④ 500千円×0.90×314㎡＝141,300千円

(3) (1)＝(2)　∴　141,300千円

＜設例12＞

(1) (350千円×1.00＋300千円×1.00×0.08)×25m×20m＝187,000千円

(2) 300千円×1.00×450㎡＝135,000千円

(3) (350千円×0.90＋300千円×1.00×0.08)×25m×２m＝16,950千円

(4) (1)×$\frac{(2)}{(2)+(3)}$＝166,140.177千円（円未満切捨）

## 解答への道

**《宅地の評価単位》**（評通７－２(1)）

> 宅地、宅地の上に存する権利の価額は、１画地の宅地（利用の単位となっている１区画の宅地をいう。）ごとに評価する。

１画地の宅地は、必ずしも１筆（土地課税台帳又は土地補充課税台帳に登録された１筆をいう。）の宅地からなるとは限らず、２筆以上の宅地からなる場合もあり、また、１筆の宅地が２画地以上の宅地として利用されている場合もあることに留意すること。

＜設例１＞

宅地の用途が貸宅地と自用地と異なるため、１筆の宅地であっても２画地として評価する。

＜設例２＞

３筆の宅地であっても一体として居住用家屋の敷地となっているため１画地として評価する。

＜設例３＞

利用形態としては事業用宅地、居住用宅地と異なるが、ともに同一人である甲が利用しているため、合わせて１画地として評価する。

＜設例４＞

Ｅ部分もＦ部分もともに貸宅地であるが、貸し付けている相手先が異なるためそれぞれ１画地として評価する。

＜設例５＞

Ｇ宅地、Ｈ宅地はそれぞれ１筆（丁所有地と戊所有地）であるが、ともに被相続人甲が居住用宅地としているため、合わせて１画地として評価する。

＜設例６＞

Ｊ部分とＩ部分の利用者は、甲と乙で異なるが、使用貸借契約により貸し付けている場合には自用地評価となるため、合わせて１画地として評価する。

＜設例７＞

２筆の宅地であっても一体として事業用家屋の敷地となっているため１画地として評価する。

＜設例８＞

２筆の宅地を同一用途に供しているため、合わせて評価するが、Ｍ地は自用地、Ｎ地は借地権であるため、合わせて評価した後にＭ地とＮ地に分けなければならない。一般的には、地積によりあん分する方法により計算する。

＜設例９＞

Ｑ部分は通路部分が明確に区分されていないため、原則として、接道義務を満たす最小の幅員の通路が設置されている土地（不整形地）として評価するが、この場合には当該通路部分の面積を算入せず、また、無道路地としての補正は行わない。

なお、全体の整形地の価額から差し引く隣接する整形地の価額の計算に当たって、奥行距離が短いため奥行価格補正率が1.00未満となる場合には、その奥行価格補正率は1.00とする。

＜設例10＞

使用貸借で借り受けた宅地を自己の所有する宅地と一体として利用している場合であっても、甲は、Ｔ部分に対して客観的な交換価値がある権利を有しないことから、Ｓ部分・Ｔ部分それぞれを一画地の宅地として評価する。

＜設例11＞

所有する土地に隣接する土地を賃借して所有する土地と一体として利用している場合には、原則として、所有する土地と賃借権の設定されている土地を一団の土地（１画地の宅地）として評価した価額を基礎として所有する土地と賃借権の価額を計算することとなるが、その賃借権の賃貸借期間が短いことによりその賃借権の価額を評価しない場合には、所有する土地のみを１画地の宅地として評価することとなる。

＜設例12＞

Ｗ部分とＸ部分との分割は不合理な分割であるため、この場合の評価は、分割前の宅地（Ｗ、Ｘ宅地全体)を「１画地の宅地」とし、その価額を評価した上で個々の宅地を評価することとなる。したがって、Ｗ、Ｘ宅地全体を１画地の宅地として評価した価額に、Ｗ、Ｘ宅地を別個に評価した価額の合計額に占めるＷ宅地の価額の比を乗じて評価する。

## 問題 2　空閑地の場合の1画地

重要度　C

次の各設例の場合において、被相続人甲の死亡により、それぞれの取得者の相続税の課税価格に算入すべき宅地及び宅地の上に存する権利の価額を求めなさい。

＜設例1＞

被相続人甲は、それぞれ1筆の宅地であるA宅地をCに、B宅地をDに遺贈した。なお、A宅地及びB宅地は、ともに相続開始時には空地である。

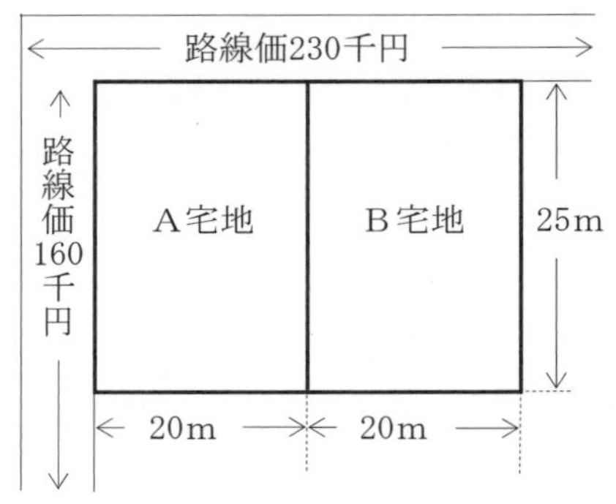


1　普通住宅地区所在

2　奥行価格補正率

20m………1.00

25m………0.97

40m………0.91

3　側方路線影響加算率

………0.02

＜設例2＞

被相続人甲は、それぞれ1筆の宅地であるE宅地及びF宅地をGに遺贈した。なお、E宅地及びF宅地は、ともに相続開始時には空地である。

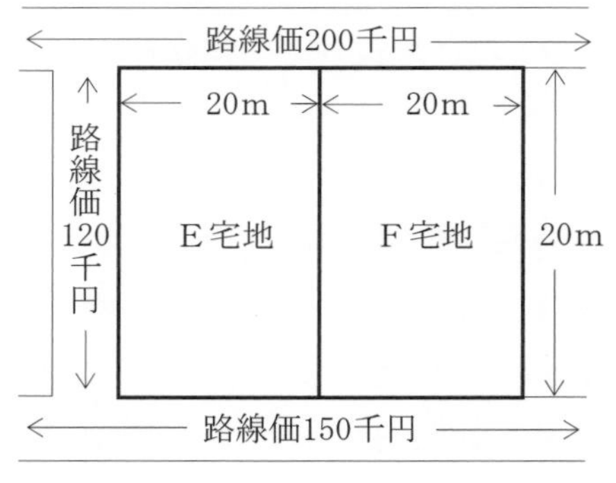


1　ビル街地区所在

2　奥行価格補正率

20m………0.94

40m………0.99

3　側方路線影響加算率

…………0.07

4　二方路線影響加算率

…………0.03

## 解　答

＜設例１＞

C　(230千円×0. 97＋160千円×1. 00×0. 02)×25m×20m＝113, 150千円

D　230千円×0. 97×25m×20m＝111, 550千円

＜設例２＞

G　(200千円×0. 94＋150千円×0. 94×0. 03＋120千円×0. 99×0. 07)×20m×(20m＋20m)

＝160, 436. 8千円

## 解答への道

＜設例１＞

空地のように利用者が存在しない場合の１画地の宅地は、その宅地の取得者が異なるごとに１つの評価単位とする。したがって、Ａ宅地とＢ宅地は、別々に評価することとする。

＜設例２＞

上記設例１と異なり、Ｅ宅地及びＦ宅地を同一人であるＧが取得しているため、Ｅ宅地とＦ宅地を合わせて１画地として評価する。

MEMO

# 第4章

# 使用貸借に係る土地についての取扱い

| | | 重要度 |
|---|---|---|
| 問題1 | 使用貸借に係る土地又は借地権の評価 | A |
| 問題2 | 借地権の贈与を受けたものとして取り扱う場合 | C |

## 問題 1　使用貸借に係る土地又は借地権の評価

| 重要度 | A |
|---|---|

次の設例に基づいて、各人の取得した土地及び土地の上に存する権利並びに家屋の価額を求めなさい。

なお、土地、土地の上に存する権利及び家屋は、すべて借地権割合が70%、借家権割合が30%である地域に存している。

<設　例>

被相続人甲の死亡により、次に掲げる者は、次に掲げる財産をそれぞれ取得した。

1　配偶者乙が取得した財産

(1) 宅　地　　自用地としての価額　　　25,000千円

この宅地は、下記(2)の家屋の敷地の用に供されている。

(2) 家　屋　　自用家屋としての価額　　12,000千円

この家屋は、相当の対価を得て、友人に貸し付けているものである。

2　長男Aが取得した財産

(1) 宅　地　　自用地としての価額　　　20,000千円

この宅地は、長男Aが被相続人甲から固定資産税相当額の地代を支払って借り受けていたものであり、Aは、この宅地の上に賃貸用の共同住宅を建て他の者に貸し付けていた。

(2) 借地権　　借地権の目的となっている宅地の自用地としての価額　　20,000千円

この借地は、被相続人甲が友人から賃貸借契約により借り受けていたものであり、甲は、これを長男Aに無償で貸し付けていた。長男Aは、この借地の上に、自己の事業の用に供する家屋を建てていた。

3　長女Bが取得した財産

(1) 借地権　　借地権の目的となっている宅地の自用地としての価額　　22,000千円

この借地は、被相続人甲が甲の父から固定資産税相当額の地代を支払って借り受けていたものであり、甲は、この借地の上に下記(2)の家屋を建てていた。

(2) 家　屋　　自用家屋としての価額　　 9,000千円

この家屋は、貸事務所の用に供されていた。

(3) 借地権　　借地権の目的となっている宅地の自用地としての価額　　20,000千円

この借地は、被相続人甲が配偶者乙から無償で借り受けていたものであり、甲は、この借地の上に下記(4)の家屋を建てていた。

(4) 家　屋　　自用家屋としての価額　　12,000千円

この家屋は、被相続人甲の事業の用に供されていた。

## 解　答

1　配偶者乙が取得した財産

宅　地　　25,000千円×（１－70％×30％）＝19,750千円

家　屋　　12,000千円×（１－30％）＝8,400千円

2　長男Ａが取得した財産

宅　地　　20,000千円

借地権　　20,000千円×70％＝14,000千円

3　長女Ｂが取得した財産

借地権　　0

家　屋　　9,000千円×（１－30％）＝6,300千円

借地権　　0

家　屋　　12,000千円

## 解答への道

1　配偶者乙が取得した宅地及び家屋については、相当の対価を得て貸し付けている家屋及びその敷地であるため、通常の貸家及び貸家建付地として評価する。

2　長男Ａが取得した宅地及び借地権については、どちらも被相続人甲が固定資産税に相当する金額以下の対価で貸し付けていたものであるため、使用貸借で貸し付けた土地等に該当する。

**《公式》　使用貸借に係る土地又は借地権を取得した場合**（使用貸借通達３）

| 使用貸借により貸し付けた土地等の種類 | 課税価格に算入すべき価額 |
|---|---|
| 土　地 | 自用地としての価額 |
| 借地権 | 自用借地権としての価額 |

なお、使用貸借に係る土地等を評価する場合においては、その土地等の上に存する建物等の自用又は貸付けの区分にかかわらず、すべてその土地等が自用のものであるとした場合の価額による。

3　長女Ｂが取得した借地権については、被相続人甲が固定資産税に相当する金額以下の対価で借り受けていたものであるため、使用貸借で借り受けていた土地等に該当する。

**《公式》　使用貸借に係る土地又は借地権を取得した場合**（使用貸借通達１、２）

| 使用貸借により貸し付けた土地等の種類 | 課税価格に算入すべき価額 |
|---|---|
| 土　地 | 0 |
| 借地権 | 0 |

なお、使用貸借に係る土地等の上に存する建物等は、その建物等の自用又は貸付けの区分に応じ、それぞれその建物等が自用又は貸付けのものであるとして評価する。（使用貸借通達４）

## 問題 2　借地権の贈与を受けたものとして取り扱う場合　重要度 C

次の各設例の場合における贈与税の課税関係について説明しなさい。

なお、いずれの宅地も借地権の設定に際し、その設定の対価として通常権利金を支払う取引上の慣行のある地域にある。

<設例１>

甲は乙所有の次の家屋の贈与を受けた。なお、甲はその家屋の敷地たる宅地に関しては乙から使用貸借で借り受けることとなった。

| | |
|---|---|
| 宅地の自用地としての価額 | 140,000千円 |
| 家屋の固定資産税評価額 | 25,000千円 |
| 借地権割合 | 60% |
| 借家権割合 | 30% |

<設例２>

甲は借地権者丙からその借地権を使用貸借により借り受け、その宅地上に建物を建築した。なお、この宅地は丙が丁から借地権を設定して賃借しているものである。また、甲及び丙間の貸借が使用貸借であることに関し、借地権の使用貸借に関する確認書が提出されている。

| | |
|---|---|
| 自用地としての価額 | 75,000千円 |
| 借地権割合 | 50% |

<設例３>

甲は次の宅地を乙から借地権を設定して賃借し、その宅地上に家屋を建て自己の居住の用に供していた。

この借地権の目的となっている宅地（底地）を丙が購入し、その後丙及び甲との間にその宅地の使用の対価としての地代の授受が行われなくなった。

なお、借地権者の地位に変更がない旨の申出書の提出はなされていない。

| | |
|---|---|
| 自用地としての価額 | 80,000千円 |
| 借地権割合 | 60% |

<設例４>

設例３の場合において、借地権者の地位に変更がない旨の申出書が提出されていた場合にはどうか。

＜設例５＞

甲は、平成17年10月に、地主乙に対して権利金10,000千円を支払って土地の賃貸借契約を結び借地権を取得し、その上に貸家を建てて知人に貸し付けていた。

令和７年５月、甲の子丙は、その借地権の目的となっている土地の底地部分を、15,000千円で乙から譲り受けた。譲り受け後直ちに甲及び丙は、従来の賃貸借契約を解除し、新たに使用貸借契約を結び、甲が引き続いて利用することとした。

（土地に関する資料）

| | |
|---|---|
| 固定資産税評価額 | 12,000千円 |
| 固定資産税課税標準額 | 6,000千円 |
| 国土交通省公示価格に基づく地価 | 45,000千円 |
| 倍　率 | ３倍 |
| 借地権割合 | 60% |
| 借家権割合 | 30% |

## 解　答

＜設例１＞

甲は乙から家屋（25,000千円×1.0＝25,000千円）の贈与のみを受けたものとして贈与税の課税価格を計算する。

＜設例２＞

贈与税の課税関係は発生しない。

＜設例３＞

丙は甲から借地権（80,000千円×60%＝48,000千円）の贈与を受けたものとして贈与税の課税価格を計算する。

＜設例４＞

贈与税の課税関係は発生しない。

＜設例５＞

丙は甲から貸家建付借地権（12,000千円×３×60%×（１－30%）＝15,120千円）の贈与を受けたものとして贈与税の課税価格を計算する。

## 解答への道

＜設例１＞

**《公式》 使用貸借による土地の借受けがあった場合**（使用貸借通達１）

| 評　価　対　象　者 | 土　地　の　評　価　額 |
|---|---|
| 土地所有者　（貸主） | 自用地としての価額 |
| 使用権者　　（借主） | 0 |

甲は乙から使用貸借によりこの宅地を借り受けているが、使用権の価額は０であるため、宅地を貸借した段階では借地権についての贈与関係は発生しない。

＜設例２＞

**《公式》 使用貸借による借地権の転借があった場合**（使用貸借通達２）

| 評　価　対　象　者 | 土　地　の　評　価　額 |
|---|---|
| 借地権者 | 自用借地権としての価額 |
| 使用権者　（転借者） | 0 |

※　「借地権の使用貸借に関する確認書」の提出が要件とされる。

設例１と同様に使用権の価額は０であるため、借地権の転借があった段階では借地権又は転借権についての贈与関係は発生しない。

＜設例３＞

**《公式》 借地権の贈与があったものとして取り扱う場合**（使用貸借通達５）

| | |
|---|---|
| 要件 | ①　借地権の目的となっている土地をその借地権者以外の者が取得し、その土地の取得者とその借地権者との間にその土地の使用の対価としての地代の授受が行われないこととなった場合。<br>②　「借地権者の地位に変更がない旨の申出書」が提出されていない。 |
| 取扱い | 土地の取得者はその借地権者からその土地に係る借地権の贈与を受けたものとする。 |

本問においては、「借地権者の地位に変更がない旨の申出書」が提出されていないため、借地権が甲から丙に贈与されたものとして取り扱う。

＜設例４＞

本問の場合は、「借地権者の地位に変更がない旨の申出書」が提出されているため、贈与税の課税関係は、発生しない。

＜設例５＞

設例３と同様に取り扱うが、借地権者である甲が有している借地権が貸家建付借地権であるため、貸家建付借地権が甲から丙に贈与されたものとして取り扱う。

# 第5章

# 相当の地代を支払っている場合等の借地権等についての取扱い

| | 重要度 |
|---|---|
| 問題１　相当の地代を支払っている場合等の借地権の評価 | B |
| 問題２　相当の地代を収受している場合等の貸宅地の評価 | B |
| 問題３　転貸借地権及び転借権 | C |
| 問題４　借地権設定による利益の贈与 | B |
| 問題５　相当の地代を引き下げた場合 | C |

## 問題 1　相当の地代を支払っている場合等の借地権の評価

重要度　B

**次の各設例の場合において、被相続人甲の死亡（令和７年５月16日）により相続税の課税価格に算入すべき借地権の価額を求めなさい。**

**＜設例１＞**

被相続人甲は、次の宅地を友人から相当の地代で借り受けていた。

（宅地の評価資料）

自用地としての価額

令和５年　20,000千円

令和６年　22,000千円

令和７年　24,000千円

相続開始時における通常の取引価額　30,000千円

通常の地代の年額　360千円

借地権割合　70%

**＜設例２＞**

被相続人甲は、次の宅地を友人から毎年2,400千円の地代で借り受けていた。

（宅地の評価資料）

自用地としての価額

令和５年　45,000千円

令和６年　52,000千円

令和７年　53,000千円

相続開始時における通常の取引価額　75,000千円

通常の地代の年額　600千円

借地権割合　70%

**＜設例３＞**

被相続人甲は、次の宅地を友人から毎年1,200千円の地代で借り受けていた。なお、被相続人甲は、借地権の設定に当たって、権利金30,000千円を支払っていた。

（宅地の評価資料）

自用地としての価額

令和５年　37,000千円

令和６年　41,000千円

令和７年　42,000千円

相続開始時における通常の取引価額　60,000千円

通常の地代の年額　400千円

借地権割合　60%

＜設例４＞

被相続人甲は、次の宅地を友人から毎年1,200千円の地代で借り受けていた。なお、被相続人甲は、借地権の設定に当たって、権利金30,000千円を支払っていた。

（宅地の評価資料）

自用地としての価額

令和５年　58,000千円

令和６年　59,000千円

令和７年　63,000千円

相続開始時における通常の取引価額　80,000千円

通常の地代の年額　800千円

借地権割合　60％

＜設例５＞

被相続人甲は、次の宅地を乙社から毎年720千円の地代で借り受けていた。なお、被相続人甲は、乙社との連名で土地の無償返還に関する届出書を納税地の所轄税務署長に提出している。

（宅地の評価資料）

自用地としての価額

令和５年　36,000千円

令和６年　41,000千円

令和７年　43,000千円

相続開始時における通常の取引価額　53,000千円

通常の地代の年額　720千円

借地権割合　70％

＜設例６＞

被相続人甲は、次の宅地を友人から毎年1,800千円の地代で借り受け、その借地の上に家屋を建てて第三者に賃貸借契約により貸し付けていた。

（宅地の評価資料）

自用地としての価額

令和５年　52,000千円

令和６年　50,000千円

令和７年　48,000千円

相続開始時における通常の取引価額　60,000千円

通常の地代の年額 1,080千円

借地権割合　70％

借家権割合　30％

## 解　答

**＜設例１＞**

0

**＜設例２＞**

(1) 相当の地代の判定

$$2,400千円<(45,000千円+52,000千円+53,000千円)\times\frac{1}{3}\times 6\%=3,000千円$$

∴　相当の地代の額に満たない額の地代しか支払っていない。

(2) 借地権の評価

$$53,000千円\times 70\%\times\left(1-\frac{2,400千円-600千円}{3,000千円-600千円}\right)=9,275千円$$

**＜設例３＞**

$$42,000千円\times 60\%\times\left(1-\frac{1,200千円-400千円}{2,400千円^{*}-400千円}\right)=15,120千円$$

$$*\ (37,000千円+41,000千円+42,000千円)\times\frac{1}{3}\times 6\%=2,400千円$$

**＜設例４＞**

$$63,000千円\times 60\%\times\left(1-\frac{1,200千円-800千円}{3,600千円^{*}-800千円}\right)=32,400千円$$

$$*\ (58,000千円+59,000千円+63,000千円)\times\frac{1}{3}\times 6\%=3,600千円$$

**＜設例５＞**

0

**＜設例６＞**

(1) 相当の地代の判定

$$1,800千円<(52,000千円+50,000千円+48,000千円)\times\frac{1}{3}\times 6\%=3,000千円$$

∴　相当の地代の額に満たない額の地代しか支払っていない。

(2) 貸家建付借地権の評価

$$48,000千円\times 70\%\times\left(1-\frac{1,800千円-1,080千円}{3,000千円-1,080千円}\right)\times(1-30\%)=14,700千円$$

## 解答への道

＜設例１、３＞

**《公式》　相当の地代を支払っている場合の借地権の評価**（相当の地代通達３(1)、(2)）

| ケース | 借地権の評価 |
|---|---|
| 権利金等の支払なし | 0 |
| 権利金等の支払あり | $\text{その土地の自用地としての価額} \times \text{借地権割合} \times \left(1 - \dfrac{\text{実際の地代の年額} - \text{通常の地代の年額}}{\text{その土地の過去3年間の自用地としての価額の平均額} \times 6\% - \text{通常の地代の年額}}\right)$ |

なお、相当の地代か否かの判定に当たっては、収受している権利金等の有無にしたがって、次の算式により計算した金額を用いる。

| ケース | 相当の地代の年額 |
|---|---|
| 権利金等の支払なし | $\text{その土地の過去3年間の自用地としての価額の平均額} \times 6\%$ |
| 権利金等の支払あり | $\left(\text{その土地の過去3年間の自用地としての価額の平均額} - \text{収受した権利金等の額} \times \dfrac{\text{その土地の過去3年間の自用地としての価額の平均額}}{\text{その土地の通常の取引価額}}\right) \times 6\%$ |

＜設例２、４＞

**《公式》　相当の地代に満たない地代を支払っている場合の借地権の評価**（相当の地代通達４）

権利金等の支払の有無にかかわらず、次の算式により計算した金額

$$\text{その土地の自用地としての価額} \times \text{借地権割合} \times \left(1 - \frac{\text{実際の地代の年額} - \text{通常の地代の年額}}{\text{その土地の過去3年間の自用地としての価額の平均額} \times 6\% - \text{通常の地代の年額}}\right)$$

＜設例５＞

**《公式》　土地の無償返還に関する届出書が提出されている場合の借地権の価額**

（相当の地代通達５）

0

＜設例６＞

本問は、相当の地代に満たない地代を支払って借り受けているため、借地権の評価は相当の地代通達４によって求めることになるが、その借地の上に貸家が建てられているため、その相当の地代通達４によって求めた借地権の価額に（１－借家権割合）を乗じる必要がある。

## 問題 2　相当の地代を収受している場合等の貸宅地の評価

重要度　B

**次の各設例の場合において、被相続人甲の死亡（令和７年５月10日）により相続税の課税価格に算入すべき貸宅地の価額を求めなさい。**

**＜設例１＞**

被相続人甲は、次の宅地を友人に相当の地代で貸し付けていた。

（宅地の評価資料）

自用地としての価額

令和５年　20,000千円

令和６年　22,000千円

令和７年　24,000千円

相続開始時における通常の取引価額　30,000千円

通常の地代の年額　360千円

借地権割合　70%

**＜設例２＞**

被相続人甲は、次の宅地を友人に毎年2,400千円の地代で貸し付けていた。

（宅地の評価資料）

自用地としての価額

令和５年　45,000千円

令和６年　52,000千円

令和７年　53,000千円

相続開始時における通常の取引価額　75,000千円

通常の地代の年額　600千円

借地権割合　70%

<設例３>

被相続人甲は、次の宅地を友人に毎年1,200千円の地代で貸し付けていた。なお、被相続人甲は、借地権の設定に当たって、権利金30,000千円を収受していた。

（宅地の評価資料）

自用地としての価額

令和５年　37,000千円

令和６年　41,000千円

令和７年　42,000千円

相続開始時における通常の取引価額　60,000千円

通常の地代の年額　400千円

借地権割合　60％

<設例４>

被相続人甲は、次の宅地を友人に毎年1,200千円の地代で貸し付けていた。なお、被相続人甲は、借地権の設定に当たって、権利金30,000千円を収受していた。

（宅地の評価資料）

自用地としての価額

令和５年　58,000千円

令和６年　59,000千円

令和７年　63,000千円

相続開始時における通常の取引価額　80,000千円

通常の地代の年額　800千円

借地権割合　60％

<設例５>

被相続人甲は、次の宅地を乙社に毎年720千円の地代で貸し付けていた。なお、被相続人甲は、乙社との連名で土地の無償返還に関する届出書を納税地の所轄税務署長に提出している。

（宅地の評価資料）

自用地としての価額

令和５年　36,000千円

令和６年　41,000千円

令和７年　43,000千円

相続開始時における通常の取引価額　53,000千円

通常の地代の年額　720千円

借地権割合　70％

## 解　答

**＜設例１＞**

$$24,000千円\times\frac{80}{100}=19,200千円$$

**＜設例２＞**

(1) 相当の地代の判定

$$2,400千円<(45,000千円+52,000千円+53,000千円)\times\frac{1}{3}\times 6\%=3,000千円$$

∴　相当の地代の額に満たない額の地代しか収受していない。

(2) 貸宅地の評価

① $53,000千円-53,000千円\times 70\%\times\left(1-\frac{2,400千円-600千円}{3,000千円-600千円}\right)=43,725千円$

② $53,000千円\times\frac{80}{100}=42,400千円$

③ ①＞②　　∴　42,400千円

**＜設例３＞**

(1) $42,000千円-42,000千円\times 60\%\times\left(1-\frac{1,200千円-400千円}{2,400千円^{*}-400千円}\right)=26,880千円$

＊ $(37,000千円+41,000千円+42,000千円)\times\frac{1}{3}\times 6\%=2,400千円$

(2) $42,000千円\times\frac{80}{100}=33,600千円$

(3) (1)＜(2)　　∴　26,880千円

**＜設例４＞**

(1) $63,000千円-63,000千円\times 60\%\times\left(1-\frac{1,200千円-800千円}{3,600千円^{*}-800千円}\right)=30,600千円$

＊ $(58,000千円+59,000千円+63,000千円)\times\frac{1}{3}\times 6\%=3,600千円$

(2) $63,000千円\times\frac{80}{100}=50,400千円$

(3) (1)＜(2)　　∴　30,600千円

＜設例５＞

$$43{,}000\text{千円}\times\frac{80}{100}=34{,}400\text{千円}$$

## 解答への道

＜設例１、３＞

**《公式》　相当の地代を収受している場合の貸宅地の評価**（相当の地代通達６(1)、(2)）

| ケース | 貸宅地の評価 |
|---|---|
| 権利金等の支払なし | $\text{その土地の自用地としての価額}\times\frac{80}{100}$ |
| 権利金等の支払あり | (1) $\text{その土地の自用地としての価額}-\text{その土地の自用地としての価額}\times\text{借地権割合}\times\left(1-\dfrac{\text{実際の地代の年額}-\text{通常の地代の年額}}{\text{その土地の過去3年間の自用地としての価額の平均額}\times6\%-\text{通常の地代の年額}}\right)$<br>(2) $\text{その土地の自用地としての価額}\times\frac{80}{100}$<br>(3) (1)、(2)いずれか少ない金額 |

＜設例２、４＞

**《公式》　相当の地代に満たない地代を収受している場合の貸宅地の評価**（相当の地代通達７）

権利金等の支払の有無にかかわらず、次の算式により計算した金額

(1)

$$\text{その土地の自用地としての価額}-\text{その土地の自用地としての価額}\times\text{借地権割合}\times\left(1-\frac{\text{実際の地代の年額}-\text{通常の地代の年額}}{\text{その土地の過去3年間の自用地としての価額の平均額}\times6\%-\text{通常の地代の年額}}\right)$$

(2)

$$\text{その土地の自用地としての価額}\times\frac{80}{100}$$

(3) (1)、(2)いずれか少ない金額

<設例５>

《公式》　土地の無償返還に関する届出書が提出されている場合の貸宅地の評価

（相当の地代通達８）

$$\text{その土地の自用地としての価額} \times \frac{80}{100}$$

## 問題３　転貸借地権及び転借権

重要度　C

次の各設例の場合において、被相続人甲の死亡（令和７年６月23日）により相続税の課税価格に算入すべき財産の価額を求めなさい。

なお、宅地はすべて借地権割合が70％である地域に所在しているものとする。

<設例１>

被相続人甲は、Ａから賃借していた次の宅地をＢに賃貸していた。

自用地としての価額　　50,000千円

甲が実際に収受している地代の年額　　180千円

通常の地代の年額　　180千円

<設例２>

被相続人甲は、Ｃから賃借していた次の宅地をＤに相当の地代に満たない地代により賃貸していた。なお、甲は借地権の設定に際し権利金を収受していない。

本年分の自用地としての価額　　42,000千円

相当の地代の年額

自用地としての価額の過去３年間における平均額40,000千円×70％×６％＝1,680千円

甲が実際に収受している地代の年額　　1,080千円

通常の地代の年額　　180千円

<設例３>

被相続人甲は、Ｅから相当の地代に満たない地代により賃借していた次の宅地をＦに賃貸していた。

自用地としての価額

令和５年　25,000千円　　令和６年　30,000千円　　令和７年　35,000千円

甲が実際に支払っている地代の年額　　810千円

通常の地代の年額　　150千円

<設例４>

被相続人甲は、ＧがＨから賃借していた次の宅地を相当の地代に満たない地代により賃借していた。なお、被相続人甲は借地権設定に際し権利金を支払っていない。

本年分の自用地としての価額　　　　　55,000千円

相当の地代の年額

自用地としての価額の過去３年間における平均額50,000千円×70%×６%＝2,100千円

甲が実際に支払っている地代の年額　1,200千円

通常の地代の年額　　　　　　　　　　300千円

＜設例５＞

被相続人甲は、ＩがＪから相当の地代により賃借していた次の宅地を賃借していた。なお、Ｊは借地権設定に際し権利金 5,000千円を収受している。

自用地としての価額

令和５年　21,700千円　　令和６年　23,300千円　　令和７年　30,000千円

Ｊが実際に収受している地代の年額　1,110千円

通常の地代の年額　　　　　　　　　　200千円

## 解　答

＜設例１＞

50,000千円×70%×(１－70%)＝10,500千円

＜設例２＞

(1) $42{,}000\text{千円}\times 70\% - 42{,}000\text{千円}\times 70\%\times 70\%\times\left(1-\dfrac{1{,}080\text{千円}-180\text{千円}}{1{,}680\text{千円}-180\text{千円}}\right)$
＝21,168千円

(2) $42{,}000\text{千円}\times 70\%\times\dfrac{80}{100}=23{,}520\text{千円}$

(3) (1)＜(2)　　∴ 21,168千円

＜設例３＞

$$35{,}000\text{千円}\times 70\%\times\left(1-\frac{810\text{千円}-150\text{千円}}{1{,}800\text{千円}^{*}-150\text{千円}}\right)\times(1-70\%)=4{,}410\text{千円}$$

＊ $(25{,}000\text{千円}+30{,}000\text{千円}+35{,}000\text{千円})\times\dfrac{1}{3}\times 6\%=1{,}800\text{千円}$

＜設例４＞

$$55{,}000\text{千円}\times 70\%\times 70\%\times\left(1-\frac{1{,}200\text{千円}-300\text{千円}}{2{,}100\text{千円}-300\text{千円}}\right)=13{,}475\text{千円}$$

<設例５>

$$30,000千円\times70\%\times\left(1-\frac{1,110千円\ -200千円}{1,500千円^{*}-200千円}\right)\times70\%=4,410千円$$

$$*\ (21,700千円+23,300千円+30,000千円)\times\frac{1}{3}\times6\%=1,500千円$$

## 解答への道

<設例１>

**《公式》　転貸借地権の評価**（評通29）

| 自用地としての価額×借地権割合×（１－借地権割合） |
|---|

<設例２>

**《公式》　転貸借地権の評価**（評通29、相当の地代通達７）

(1) $\text{自用地としての価額}\times\text{借地権割合}-\text{自用地としての価額}\times\text{借地権割合}\times\text{借地権割合}$

$$\times\left(1-\frac{\text{実際の地代の年額}-\text{通常の地代の年額}}{\text{その土地の過去3年間の自用地としての価額の平均額}\times\text{借地権割合}\times6\%-\text{通常の地代の年額}}\right)$$

(2) 自用地としての価額 × 借地権割合 × $\frac{80}{100}$

(3) (1)、(2)いずれか少ない方

C $\xrightarrow{\text{通常の賃貸借}}$ 甲 $\xrightarrow{\text{相当の地代}}$ Dとなるのであるから、公式どおりに評価する。

<設例３>

**《公式》　転貸借地権の評価**（評通29、相当の地代通達４）

$$\text{自用地としての価額}\times\text{借地権割合}\times\left(1-\frac{\text{実際の地代の年額}-\text{通常の地代の年額}}{\text{その土地の過去3年間の自用地としての価額の平均額}\times6\%-\text{通常の地代の年額}}\right)\times(1-\text{借地権割合})$$

E $\xrightarrow{\text{相当の地代}}$ 甲 $\xrightarrow{\text{通常の賃貸借}}$ Fとなるのであるから、公式どおりに評価する。

＜設例４＞

《公式》　**転借権の評価**（評通30、相当の地代通達４）

$$\text{自用地としての価額} \times \text{借地権割合} \times \text{借地権割合} \times \left(1 - \frac{\text{実際の地代の年額} - \text{通常の地代の年額}}{\text{その土地の過去3年間の自用地としての価額の平均額} \times \text{借地権割合} \times 6\% - \text{通常の地代の年額}}\right)$$

H ──通常の賃貸借──→ G ──相当の地代──→ 甲となるのであるから、公式どおりに評価する。

＜設例５＞

《公式》　**転借権の評価**（評通30、相当の地代通達３(2)）

$$\text{自用地としての価額} \times \text{借地権割合} \times \left(1 - \frac{\text{実際の地代の年額} - \text{通常の地代の年額}}{\text{その土地の過去3年間の自用地としての価額の平均額} \times 6\% - \text{通常の地代の年額}}\right) \times \text{借地権割合}$$

J ──相当の地代──→ I ──通常の賃貸借──→ 甲となるのであるから、公式どおりに評価する。

## 問題４　借地権設定による利益の贈与

重要度　B

**次の各設例の場合における贈与税の課税関係について説明しなさい。**

**なお、いずれの宅地も借地権の設定に際し、その設定の対価として通常権利金等を支払う取引上の慣行のある地域にある。**

**＜設例１＞**

甲は次の宅地をＡから借地権を設定して賃借することとなった。甲は借地権設定に際し権利金の支払に代えて相当の地代を支払うこととした。

本年分の自用地としての価額　190,000千円

借地権割合　70％

相当の地代の年額

自用地としての価額の過去３年間における平均額180,000千円×６％＝10,800千円

通常の地代の年額　3,600千円

**＜設例２＞**

甲は令和７年中に次の宅地をＢから借地権を設定して賃借することとなった。甲は借地権設定に際し権利金100,000千円を支払うこととした。

自用地としての価額

令和５年 153,000千円　　令和６年 157,000千円　　令和７年 170,000千円

令和７年のこの宅地の通常の取引価額　320,000千円

借地権割合　60％

実際に支払う地代の年額　6,600千円

通常の地代の年額　6,000千円

＜設例３＞

甲は次の宅地をＣから借地権を設定して賃借することとなった。甲は借地権設定に際し権利金の支払をしないこととした。

本年分の自用地としての価額　150,000千円

借地権割合　70％

相当の地代の年額

自用地としての価額の過去３年間における平均額135,000千円×６％＝8,100千円

実際に支払う地代の年額　5,790千円

通常の地代の年額　1,500千円

＜設例４＞

甲は令和７年中に次の宅地をＤから借地権を設定して賃借することとなった。甲は借地権設定に際し権利金40,000千円を支払うこととした。

自用地としての価額

令和５年　98,000千円　　令和６年 117,000千円　　令和７年 130,000千円

令和７年のこの宅地の通常の取引価額　230,000千円

借地権割合　60％

実際に支払う地代の年額　4,200千円

通常の地代の年額　2,400千円

## 解　答

＜設例１＞

贈与税の課税関係は発生しない。

＜設例２＞

$$(153,000千円+157,000千円+170,000千円)\times\frac{1}{3}=160,000千円$$

$$\left(160,000千円-100,000千円\times\frac{160,000千円}{320,000千円}\right)\times 6\%=6,600千円$$

6,600千円＝6,600千円　　∴　贈与税の課税関係は発生しない。

＜設例３＞

8,100千円＞5,790千円　　∴　相当の地代に満たない地代の支払。

$$150,000千円\times 70\%\times\left(1-\frac{5,790千円-1,500千円}{8,100千円-1,500千円}\right)=36,750千円$$

甲はＣから36,750千円の贈与を受けたものとして贈与税の課税価格を計算する。

＜設例４＞

$$(98,000千円+117,000千円+130,000千円)\times\frac{1}{3}=115,000千円$$

$$\left(115,000千円-40,000千円\times\frac{115,000千円}{230,000千円}\right)\times 6\%=5,700千円$$

5,700千円＞4,200千円　　∴　相当の地代に満たない地代の支払。

$$230,000千円\times 60\%\times\left(1-\frac{4,200千円-2,400千円}{6,900千円^{*}-2,400千円}\right)-40,000千円=42,800千円$$

＊　115,000千円×６％＝ 6,900千円

甲はＤから42,800千円の贈与を受けたものとして贈与税の課税価格を計算する。

## 解答への道

＜設例１＞

《公式》　借地権設定時の相続税法上の取扱い

相当の地代を支払って土地の借受けがあった場合（相当の地代通達１）

| | |
|---|---|
| 要件 | (1) 借地権の設定に際しその設定の対価として通常権利金等を支払う取引上の慣行のある地域において<br>(2) その権利金等の支払に代え、その土地の自用地としての価額の過去３年間における平均額(※)に対しておおむね年６％程度の地代（以下「相当の地代」という。）を支払っている場合 |
| 取扱い | 借地権者についてはその借地権の設定による利益はないものとして取り扱う。 |

※　自用地としての価額の過去３年間における平均額

①　原　則

その土地の相続税評価額（自用地としての価額の過去３年間における平均額）

②　通常支払われる権利金に満たない金額を権利金として支払っている場合又は借地権の設定に伴い特別の経済的利益を与えている場合

$$\text{その土地の相続税評価額（自用地としての価額の過去３年間における平均額）} - \left(\begin{array}{c}\text{実際に支払っている権利金等の額}\\+\\\text{供与した特別の経済的利益の額}\end{array}\right) \times \frac{\text{自用地としての価額の過去３年間における平均額}}{\text{借地権設定時におけるその土地の通常の取引価額}}$$

甲は、Ａに対し権利金の支払に代え相当の地代を支払うこととしているため、借地権者甲については、その借地権設定による利益はないものとして取り扱う。

＜設例２＞

甲は、Ｂに対し自用地としての価額の過去３年間における平均額から実際に支払っている権利金の額（修正後）を控除した価額の６％相当額を支払うこととしているため、借地権者甲については、その借地権設定による利益はないものとして取り扱う。

<設例３、４>

《公式》　借地権設定時の相続税法上の取扱い

相当の地代に満たない地代を支払って土地の借受けがあった場合（相当の地代通達２）

<table>
<tr><td>要件</td><td>(1) 借地権の設定に際しその設定の対価として通常権利金等を支払う取引上の慣行のある地域において<br>(2) その借地権の設定により支払う地代の額が相当の地代の額に満たない場合</td></tr>
<tr><td>取扱い</td><td>借地権者は、その借地権の設定時において、次の算式で計算した金額に相当する利益を土地の所有者から贈与により取得したものとして取り扱う。<br><算　式><br>(1) 権利金の支払いがある場合（借地権の低額譲渡）<br>$$\text{その土地の通常の取引価額}\times\text{借地権割合}\times\left(1-\frac{\text{実際の地代の年額}-\text{通常の地代の年額}}{\text{賃貸借があった時以前3年間のその土地の自用地としての価額の平均額}\times 6\%-\text{通常の地代年額}}\right)-\text{実際に支払っている権利金等の額（修正は要しない）}$$<br>(2) 権利金の支払いがない場合（借地権の贈与）<br>$$\text{その土地の自用地としての価額}\times\text{借地権割合}\times\left(1-\frac{\text{実際の地代の年額}-\text{通常の地代の年額}}{\text{賃貸借があった時以前3年間のその土地の自用地としての価額の平均額}\times 6\%-\text{通常の地代年額}}\right)$$</td></tr>
</table>

## 問題５　相当の地代を引き下げた場合

| 重要度 | C |
|---|---|

次の設例の場合における贈与税の課税関係について説明しなさい。

なお、この宅地は借地権の設定に際し、その設定の対価として通常権利金等を支払う取引上の慣行のある地域にある。

<設　例>

甲は次の宅地を令和７年２月に権利金50,000千円と相当の地代を支払い、借地権を設定して乙から賃借していたが、その後令和７年９月に地代を年額3,600千円に引き下げた。

自用地としての価額

令和５年　80,000千円　　令和６年 100,000千円　　令和７年 120,000千円

令和７年のこの宅地の通常の取引価額　200,000千円

借地権割合　70%

通常の地代の年額　1,000千円

## 解　答

$$(80,000千円+100,000千円+120,000千円)\times\frac{1}{3}=100,000千円$$

$$\left(100,000千円-50,000千円\times\frac{100,000千円}{200,000千円}\right)\times 6\%=4,500千円$$

4,500千円＞3,600千円

$$200,000千円\times70\%\times\left(1-\frac{3,600千円\ -1,000千円}{6,000千円^{*}-1,000千円}\right)-50,000千円=17,200千円$$

＊　100,000千円×６％＝6,000千円

甲は乙から17,200千円の贈与を受けたものとして贈与税の課税価格を計算する。

## 解答への道

**《公式》　相当の地代を引き下げた場合**（相当の地代通達９）

| | |
|---|---|
| 要件 | 借地権の設定に際し、相当の地代を支払った場合においても、その後その地代を引き下げたとき（その引き下げたことについて相当の理由があると認められる場合を除く。）。 |
| 取扱い | その引き下げた時における借地権者の利益については「相当の地代に満たない地代を支払って土地の借受けがあった場合」（相当の地代通達２）の定めに準じて取り扱う。 |

※　「相当の地代に満たない地代を支払って土地の借受けがあった場合」又は上記により利益を受けたものとして取り扱われたものについて、その後その地代を引き下げたときは、その引き下げたことについて相当の理由があると認められる場合を除き、その引き下げた時における利益（今回引き下げた額に相当する部分のみ）については上記と同様に取り扱う。

# 第６章

# 家屋及び構築物

| | | 重要度 |
|---|---|---|
| 問題１ | 自用家屋及び貸家 | A |
| 問題２ | 附属設備等 | A |
| 問題３ | 建築中の家屋 | B |
| 問題４ | 構築物 | A |
| 問題５ | 負担付贈与等により取得した土地等又は建物等 | B |

## 問　題　1　自用家屋及び貸家

重要度　A

次の各設例の場合における家屋の相続税評価額を求めなさい。なお、家屋は、すべて借家権割合が30%の地域に存している。

＜設例１＞

家　屋

この家屋は、所有者の居住の用に供されているものである。

| | |
|---|---|
| 固定資産税評価額 | 10,000千円 |
| 固定資産税課税標準額 | 5,000千円 |
| 取得価額 | 15,000千円 |

＜設例２＞

家　屋

この家屋は、所有者が賃貸借契約により知人に貸し付けているものである。

| | |
|---|---|
| 固定資産税評価額 | 8,000千円 |
| 固定資産税課税標準額 | 3,200千円 |
| 取得価額 | 18,000千円 |

＜設例３＞

家　屋

この家屋は、所有者が自己の営む事業の事務所の用に供しているものである。

| | |
|---|---|
| 固定資産税評価額 | 12,000千円 |
| 固定資産税課税標準額 | 4,800千円 |
| 取得価額 | 20,000千円 |

＜設例４＞

賃貸用共同住宅（８室）

この賃貸用共同住宅は、継続的に第三者に賃貸されていたが課税時期において８室（各独立部分の床面積の合計240㎡）のうち２室（各独立部分の床面積の合計60㎡）が一時的に空室となっている。

| | |
|---|---|
| 固定資産税評価額 | 25,000千円 |
| 固定資産税課税標準額 | 10,000千円 |
| 取得価額 | 50,000千円 |

＜設例５＞

賃貸用共同住宅（10室）

この賃貸用共同住宅は、10室のうち６室は第三者に賃貸されているが、残り４室は空室となっている。なお、この空室は一時的なものと認められない。

| | |
|---|---|
| 固定資産税評価額 | 20,000千円 |
| 各独立部分の床面積 | 各室　25㎡ |

## 解　答

＜設例１＞

10,000千円×1.0＝10,000千円

＜設例２＞

8,000千円×1.0×(1－30%)＝5,600千円

＜設例３＞

12,000千円×1.0＝12,000千円

＜設例４＞

$$25{,}000\text{千円}\times1.0\times\left(1-30\%\times\frac{240\text{㎡}}{240\text{㎡}}\right)=17{,}500\text{千円}$$

＜設例５＞

$$20{,}000\text{千円}\times1.0\times\left(1-30\%\times\frac{25\text{㎡}\times6}{25\text{㎡}\times10}\right)=16{,}400\text{千円}$$

## 解答への道

＜設例１＞

この家屋は、所有者の居住の用に供されているものであるため、自用家屋として評価する。

《公式》　**自用家屋**（評通89）

固定資産税評価額×1.0

＜設例２＞

この家屋は、賃貸借契約により貸し付けられているものであるため、貸家として評価する。

《公式》　**貸　家**（評通93）

自用家屋としての価額（固定資産税評価額 × 1.0）×（1 － 借家権割合 × 賃貸割合）

第６章　家屋及び構築物

<設例３>

この家屋は、所有者が自己の営む事業の事務所の用に供しているものであるため、自用家屋として評価する。

<設例４、５>

貸家に係る各独立部分（構造上区分された数個の各部分をいう。以下同じ。）がある場合には、次の算式により計算した賃貸割合を考慮しなければならないが、算式中の「賃貸されている各独立部分」には、継続的に賃貸されていた各独立部分で、課税時期において、一時的に賃貸されていなかったと認められる部分を含めることができる。

<算　式>

$$\frac{\text{Ａのうち課税時期において賃貸されている各独立部分の床面積の合計}}{\text{当該家屋の各独立部分の床面積の合計（Ａ）}}$$

## 問　題　２　附属設備等

重要度　Ａ

次の各設例に掲げる財産の相続税評価額を求めなさい。

<設例１>

建　物

| | | |
|---|---|---|
| 取得価額 | 建物の本体 | 25,000千円 |
| | 建物附属設備（建物と構造上一体となっている温湿度調整設備及び給排水設備である） | 6,500千円 |
| 課税時期の帳簿価額 | 建物の本体 | 18,000千円 |
| | 建物附属設備 | 4,500千円 |

固定資産税評価額（本体及び附属設備共）　16,000千円

<設例２>

門、塀

取得価額　2,200千円

再建築価額　2,500千円

経過年数に応ずる減価の額　1,300千円

<設例３>

庭園設備

取得価額　3,800千円

調達価額　4,700千円

## 解　答

＜設例１＞

16,000千円×1.0＝16,000千円

＜設例２＞

$$(2,500千円－1,300千円)\times\frac{70}{100}＝840千円$$

＜設例３＞

$$4,700千円\times\frac{70}{100}＝3,290千円$$

## 解答への道

＜設例１＞

**《公式》　附属設備等 －家屋と構造上一体となっている設備－**（評通92(1)）

| 別途評価しない。 |
|---|

家屋と構造上一体となっている設備については、家屋の固定資産税評価額の計算上、その設備の価額を含めて、家屋の固定資産税評価額としているため、新たに評価しないこととしているのである。なお、家屋と構造上一体となっている設備とは、次のものをいう。

※　家屋と構造上一体となっている設備

電気設備、ガス設備、衛生設備、給排水設備、温湿度調整設備、消火設備、避雷針設備、昇降設備、じんかい処理設備等。

＜設例２＞

**《公式》　附属設備等 －門、塀、外井戸、屋外じんかい処理設備等－**（評通92(2)）

| (附属設備の再建築価額*－経過年数に応ずる減価の額)×$\frac{70}{100}$ |
|---|

＊　再建築価額とは、課税時期においてその財産を新たに建築又は設備するために要する費用の額の合計額をいう。

＜設例３＞

**《公式》　附属設備等 －庭園設備－**（評通92(3)）

| 調達価額×$\frac{70}{100}$ |
|---|

調達価額とは、課税時期においてその庭園設備を、その庭園設備の現況により取得する場合の価額をいう。

## 問題 3　建築中の家屋

重要度　B

次の各設例に掲げる建築中の家屋の相続税評価額を求めなさい。

＜設例１＞

課税時期までに投下した費用の合計額　12,000千円

課税時期までに投下した費用の額を課税時期の価額に引き直した額の合計額　15,400千円

完成時の固定資産税評価額の見込額　23,000千円

＜設例２＞

課税時期までに投下した費用の合計額　20,000千円

課税時期までに投下した費用の額を課税時期の価額に引き直した額の合計額　22,000千円

上記費用のうち、課税時期において未払いである金額　2,000千円

＜設例３＞

課税時期までに投下した費用の合計額　18,000千円

課税時期までに投下した費用の額を課税時期の価額に引き直した額の合計額　19,000千円

課税時期までに支払った代金の額　20,000千円

### 解　答

＜設例１＞

15,400千円 $\times \frac{70}{100}$ ＝10,780千円

＜設例２＞

22,000千円 $\times \frac{70}{100}$ ＝15,400千円

＜設例３＞

19,000千円 $\times \frac{70}{100}$ ＝13,300千円

## 解答への道

＜設例１＞

《公式》　**建築中の家屋**（評通91）

$$費用現価 \times \frac{70}{100}$$

建築中の家屋の評価は、課税時期までに投下した費用の額を課税時期の価額に引き直した額の合計額である費用現価を用いて計算する。

＜設例２＞

費用現価は、建築業者が課税時期までにその家屋を建てるために投下した費用の額を基として算出されるものであり、支払った代金は、建築中の家屋の評価に一切影響を与えない。なお、未払いである金額2,000千円は、被相続人の債務として処理をする。

＜設例３＞

設例２と同様に、課税時期までに投下した費用の額以上に代金を支払っている場合においても、建築中の家屋の評価には、一切影響を与えない。なお、投下した費用の額と支払った代金との差額2,000千円は、前渡金として課税価格に算入する。

## 問　題　４　構築物

| 重 要 度 | A |
|---|---|

次の各設例に掲げる財産の相続税評価額を求めなさい。

＜設例１＞

構築物

再建築価額　　20,000千円

建築の時期から課税時期までの期間に応ずる償却費の額の合計額　　12,535千円

＜設例２＞

広告塔

再建築価額　　50,000千円

建築の時から課税時期までの期間に応ずる定額法による減価の額　　21,500千円

建築の時から課税時期までの期間に応ずる定率法による減価の額　　34,730千円

## 解　答

**＜設例１＞**

$$(20,000千円-12,535千円)\times\frac{70}{100}=5,225.5千円$$

**＜設例２＞**

$$(50,000千円-34,730千円)\times\frac{70}{100}=10,689千円$$

## 解答への道

**＜設例１＞**

**《公式》　構築物**（評通97）

$$\left(再建築価額 - \begin{matrix}建築の時から課税時期までの期間に\\応ずる償却費の額の合計額又は減価の額\end{matrix}\right)\times\frac{70}{100}$$

**＜設例２＞**

構築物の評価上用いる償却費の額の合計額又は減価の額は、定率法により計算する。

なお、構築物は、試験において、具体的な名称で出題される可能性がある。次に掲げる財産の名称程度は、覚えておくこと。

ガソリンスタンド、橋、トンネル、広告塔、運動場又は野球場のスタンド、プール、アスファルト。

## 問題 5　負担付贈与等により取得した土地等又は建物等　重要度 B

次の各設例の場合において、相続税又は贈与税の課税価格に算入すべき土地及び家屋の価額を求めなさい。

＜設例１＞

甲は、令和７年７月２日次に掲げる土地及び建物を乙にこの土地及び建物の取得のために生じた債務30,000千円を負担することを条件に贈与した。

| | | |
|---|---|---|
| 土　地 | 取得価額 | 40,000千円 |
| | 課税時期における相続税評価額 | 33,000千円 |
| | 課税時期における通常の取引価額 | 42,000千円 |
| 建　物 | 取得価額 | 15,000千円 |
| | 課税時期における相続税評価額 | 8,000千円 |
| | 課税時期における通常の取引価額 | 13,000千円 |

＜設例２＞

乙は、令和７年４月18日次に掲げる土地及び建物を被相続人甲の作成した遺言書に基づいて、対価20,000千円を支払って取得した。

| | | |
|---|---|---|
| 土　地 | 取得価額 | 10,000千円 |
| | 課税時期における相続税評価額 | 15,000千円 |
| | 課税時期における通常の取引価額 | 20,000千円 |
| 建　物 | 取得価額 | 12,000千円 |
| | 課税時期における相続税評価額 | 6,000千円 |
| | 課税時期における通常の取引価額 | 10,000千円 |

## 解　答

＜設例１＞

42,000千円＋13,000千円－30,000千円＝25,000千円

＜設例２＞

15,000千円＋6,000千円－20,000千円＝1,000千円

## 解答への道

＜設例１＞

土地及び土地の上に存する権利（以下「土地等」という。）並びに家屋及びその附属設備又は構築物（以下「家屋等」という。）のうち、負担付贈与又は個人間の対価を伴う取引により取得したものの価額は、その取得時における通常の取引価額に相当する金額によって評価する。

（個通－負担付贈与又は対価を伴う取引により取得した土地等及び家屋等に係る評価並びに相続税法第７条及び第９条の規定の適用について）

＜設例２＞

本問は、設例１とは異なり相続税の課税関係が生ずる場合の評価であるため、土地等又は建物等については、課税時期の相続税評価額をもって評価額とする。

# 第7章

# 小規模宅地等の特例

| | 重要度 |
|---|---|
| 問題１　基本問題 | A |
| 問題２　建物の利用状況が異なる場合等 | A |
| 問題３　建物の所有者が被相続人以外の者である場合等 | A |
| 問題４　建物の建築中に相続が開始した場合等 | B |

## 問題 1　基本問題

重要度　A

次の各設例の場合における各人の相続税の課税価格に算入すべき宅地又は宅地の上に存する権利の価額を求めなさい。なお、算入すべき価額の計算に当たって２以上の計算方法がある場合には、算入すべき価額の合計額が最も少なくなる方法を選択するものとし、措法69条の５（特定計画山林の特例）並びに措法70条の６の８及び措法70条の６の10（個人の事業用資産の納税猶予）の適用を受けていない。

また、宅地及び宅地の上に存する権利は、すべて借地権割合が60%、借家権割合が30%である地域に所在しているものとする。

＜設例１＞

被相続人甲の死亡により、次に掲げる者が、それぞれに掲げる宅地を相続又は遺贈により取得した。

(1) 配偶者乙

① 宅　地　　165㎡　　自用地としての価額　33,000千円

この宅地は、被相続人甲及び配偶者乙が居住の用に供していた家屋の敷地の用に供されていたものである。

② 宅　地　　250㎡　　自用地としての価額　38,000千円

この宅地は、被相続人甲が平成23年から物品販売業の用に供していた家屋の敷地の用に供されていたものであり、配偶者乙は、相続開始後、その事業を廃止し、相続税の申告期限においては、貸駐車場の敷地として使用している。

(2) 長男Ａ

① 宅　地　　200㎡　　自用地としての価額　36,000千円

この宅地は、被相続人甲が平成24年から賃貸借契約により知人に貸し付けていたものであり、知人はその宅地の上に家屋を建て自己の事業の用に供しており、相続税の申告期限において利用状況に変更はない。

② 宅　地　　150㎡　　自用地としての価額　28,500千円

この宅地は、被相続人甲が使用貸借契約により長男Ａに貸し付けていたものであり、長男Ａは、その宅地の上に家屋を建て自己の居住の用に供しており、相続税の申告期限において利用状況に変更はない。

＜設例２＞

被相続人甲の死亡により、次に掲げる者が、それぞれに掲げる宅地及び宅地の上に存する権利を相続又は遺贈により取得した。

(1) 配偶者乙

① 宅　地　　180㎡　　自用地としての価額　36,000千円

この宅地は、被相続人甲が賃貸借契約により丙社（製造業を営む法人であり、相続開始の直前における被相続人甲の所有する丙社株式の保有割合は52％）に貸し付けていたものであり、丙社の社屋の敷地として利用されている。なお、相続開始後、丙社は、その事業を引き続き営んでいる。また、配偶者乙は、相続税の申告期限において丙社の役員に該当し、同期限においてもこの宅地を有している。

② 借地権　　200㎡　　自用地としての価額　40,000千円

この借地は、被相続人甲が平成29年から賃貸借契約により知人に貸し付けていた家屋の敷地の用に供されていたものである。なお、配偶者乙は相続税の申告期限においても、この家屋を賃貸借契約により知人に貸し付けている。

(2) 長男A

① 宅　地　　132㎡　　自用地としての価額　26,400千円

この宅地は、被相続人甲、配偶者乙及び長男Aが居住の用に供していた家屋の敷地の用に供されていたものである。なお、長男Aは、相続開始後、引き続きこの宅地を居住の用に供しており、相続税の申告期限においてもこの宅地を有している。

② 借地権　　165㎡　　自用地としての価額　41,250千円

この借地は、被相続人甲が使用貸借契約により長男Aに貸し付けていたものであり、Aは、平成21年からその借地の上に家屋を建て物品販売業を営んでいる。なお、長男Aは、相続開始後もその事業を引き続き営んでおり、相続税の申告期限においてもこの借地権を有している。

## 解　答

**<設例１>**

1　宅地の相続税評価額

(1) 配偶者乙　　宅　地　　33,000千円

　　　　　　　　宅　地　　38,000千円

(2) 長 男 A　　宅　地　　36,000千円×（１－60％）＝14,400千円

　　　　　　　　宅　地　　28,500千円

2　小規模宅地等の特例による減額金額

配偶者乙（特定居住用宅地等）　$33,000千円 \div 165㎡ \times \frac{80}{100} \times 330 = 52,800千円$

長 男 A（貸付事業用宅地等）　$14,400千円 \div 200㎡ \times \frac{50}{100} \times 200 = 7,200千円$

∴　配偶者乙（特定居住用宅地等）から165㎡、長男A（貸付事業用宅地等）から100㎡を選択する。

配偶者乙（特定居住用宅地等）　$33,000千円 \times \frac{165㎡}{165㎡} \times \frac{80}{100} = 26,400千円$

長 男 A（貸付事業用宅地等）　$14,400千円 \times \frac{100㎡}{200㎡} \times \frac{50}{100} = 3,600千円$

3　相続税の課税価格に算入すべき価額

(1) 配偶者乙　宅　地　33,000千円－26,400千円＝6,600千円

宅　地　38,000千円

(2) 長 男 A　宅　地　14,400千円－3,600千円＝10,800千円

宅　地　28,500千円

**＜設例２＞**

1　宅地等の相続税評価額

(1) 配偶者乙　宅　地　36,000千円×（１－60％）＝14,400千円

借地権　40,000千円×60％×（１－30％）＝16,800千円

(2) 長 男 A　宅　地　26,400千円

借地権　41,250千円×60％＝24,750千円

2　小規模宅地等の特例による減額金額

(1) 特例対象宅地等

配偶者乙（特定同族会社事業用宅地等）　$14,400千円 \div 180㎡ \times \frac{80}{100} \times 400 = 25,600千円$

配偶者乙（貸付事業用宅地等）　$16,800千円 \div 200㎡ \times \frac{50}{100} \times 200 = 8,400千円$

長 男 A（特定居住用宅地等）　$26,400千円 \div 132㎡ \times \frac{80}{100} \times 330 = 52,800千円$

長 男 A（特定事業用宅地等）　$24,750千円 \div 165㎡ \times \frac{80}{100} \times 400 = 48,000千円$

(2) 調整による減額金額

長男Ａ（特定居住用宅地等）から 132㎡、長男Ａ（特定事業用宅地等）から165㎡、配偶者乙（特定同族会社事業用宅地等）から75㎡を選択する。

長 男 A（特定居住用宅地等）$26,400千円 \times \frac{132㎡}{132㎡} \times \frac{80}{100} = 21,120千円$

長 男 A（特定事業用宅地等）$24,750千円 \times \frac{165㎡}{165㎡} \times \frac{80}{100} = 19,800千円$

配偶者乙（特定同族会社事業用宅地等）$14,400千円 \times \frac{75㎡}{180㎡} \times \frac{80}{100} = 4,800千円$

21, 120千円＋19, 800千円＋4, 800千円＝45, 720千円

(3) 併用による減額金額

長男Ａ（特定居住用宅地等）から132㎡、長男Ａ（特定事業用宅地等）から165㎡、配偶者乙（特定同族会社事業用宅地等）から180㎡を選択する。

長 男 Ａ（特定居住用宅地等）$26,400千円\times\frac{132㎡}{132㎡}\times\frac{80}{100}=21,120千円$

長 男 Ａ（特定事業用宅地等）$24,750千円\times\frac{165㎡}{165㎡}\times\frac{80}{100}=19,800千円$

配偶者乙（特定同族会社事業用宅地等）$14,400千円\times\frac{180㎡}{180㎡}\times\frac{80}{100}=11,520千円$

21, 120千円＋19, 800千円＋11, 520千円＝52, 440千円

(4) (2)＜(3)　∴ (3)

3　相続税の課税価格に算入すべき価額

| | | |
|---|---|---|
| (1) 配偶者乙 | 宅　地 | 14, 400千円－11, 520千円＝2, 880千円 |
| | 借地権 | 16, 800千円 |
| (2) 長 男 Ａ | 宅　地 | 26, 400千円－21, 120千円＝5, 280千円 |
| | 借地権 | 24, 750千円－19, 800千円＝4, 950千円 |

## 解答への道

＜設例１＞

1　配偶者乙が取得した被相続人甲の居住の用に供されていた宅地等については、特定居住用宅地等に該当する。

2　配偶者乙が取得した被相続人甲の事業の用に供されていた宅地等については、申告期限まで引き続きその事業を営んでいないため、特定事業用宅地等に該当せず、小規模宅地等の特例の対象とならない。

3　不動産の貸付けの用に供されていた宅地等については、規模に関係なく貸し付けた者の事業に該当し、減額する割合は100分の50となる。ただし、貸付けの開始が相続開始前３年以内に該当するときは、事業的規模（３年超）で行っている貸付けを除き、小規模宅地等の特例の対象とならない。なお、使用貸借による貸付けは、貸し付けた者の事業に該当しない。

＜設例２＞

1　同族会社に対する賃貸借契約による貸付けは、不動産の貸付けに該当するが、本問のように特定同族会社事業用宅地等に該当する場合には、減額する割合は100分の80となる。なお、特定同族会社事業用宅地等に該当する場合の要件の１つとして、取得者が申告期限においてその会社の

役員である必要がある。

2　長男Ａ（同居親族）が取得した被相続人甲の居住の用に供されていた宅地等については、引き続き居住の用に供されているため、特定居住用宅地等に該当する。

3　長男Ａに対して使用貸借契約により貸し付けられている借地権については、同一生計親族（長男Ａ）が相続開始前３年よりも前から事業の用に供していた宅地等を、その同一生計親族である本人が取得し、継続要件を満たすため特定事業用宅地等に該当する。

## 問　題　2　建物の利用状況が異なる場合等

| 重要度 | A |
|---|---|

**次の〔資料〕に基づいて各人の相続税の課税価格に算入すべき宅地及び家屋の価額を求めなさい。なお、算入すべき価額の計算に当たって２以上の計算方法がある場合には、算入すべき価額の合計額が最も少なくなる方法を選択するものとし、措法69条の５（特定計画山林の特例）並びに措法70条の６の８及び措法70条の６の10（個人の事業用資産の納税猶予）の適用を受けていない。**

**また、宅地及び家屋は、すべて借地権割合が60%、借家権割合が30%である地域に所在しているものとする。**

**〔資　料〕**

1　各相続人等は、被相続人甲が適法な手続を経て作成した公正証書による遺言書に基づき、それぞれ次のとおり財産を取得した。

(1) 配偶者乙が取得した財産

①　宅　地　330㎡　　自用地としての価額 198,000千円

②　家　屋　750㎡　　固定資産税評価額　　9,000千円

この家屋は、①の宅地の上に建てられている３階建のビルで、１階及び２階部分は、貸事務所として平成29年から第三者に賃貸しており、３階部分は、被相続人甲、配偶者乙及び長男Ａの居住の用に供されていたものである。なお、利用効率は、各階均等であり、①の宅地は、家屋の利用状況に応じて使用されているものとする。なお、各階の床面積はいずれも250㎡であり、相続税の申告期限において利用状況に変更はない。

③　宅　地　264㎡の共有持分２分の１　宅地全体の自用地としての価額 198,000千円

この宅地は、被相続人甲が平成25年から賃貸借契約により丙社（卸売業を営む法人であり、相続開始の直前における被相続人甲の所有する丙社株式の保有割合は100%）に貸し付けていたものであり、丙社の社屋の敷地として利用されている。なお、相続開始後、丙社は、その事業を引き続き営んでいる。また、配偶者乙は、相続税の申告期限において丙社の役員に該当し、同期限においてもこの宅地を有している。

(2) 長男Ａが取得した財産

① 宅　地　264㎡の共有持分２分の１　宅地全体の自用地としての価額 198,000千円

この宅地は、上記(1)③の宅地であり、配偶者乙と２分の１ずつ持分で取得したものであるが、長男Ａは丙社の役員となっていない。また長男Ａは相続税の申告期限においてもこの宅地を有しており、引き続き丙社に対して貸付けている。

② 宅　地　540㎡　　自用地としての価額 189,000千円

長男Ａは、相続税の申告期限においてもこの宅地を有している。

③ 家　屋　360㎡　　固定資産税評価額　　6,000千円

この家屋は、②の宅地の上に建てられている３階建のビルで、２階及び３階部分は、平成27年から知人に賃貸しており、１階部分は、平成23年から被相続人甲の飲食店の用に供されていたものである。なお、利用効率は、各階均等であり、②の宅地は、家屋の利用状況に応じて使用されているものとする。また、長男Ａは、被相続人甲の飲食店及び知人への賃貸を相続開始後、引き継いでおり、申告期限においても飲食業及び知人への賃貸を継続している。なお、各階の床面積はいずれも120㎡である。

2　上記１の遺贈財産の他、第三者に賃貸している宅地100㎡（自用地としての価額200,000千円）があるが、相続税の申告期限において取得者は、定まっていない。

## 解　答

1　宅地及び家屋の相続税評価額

(1) 配偶者乙　　宅　地　① $198,000\text{千円}\times\frac{110㎡}{330㎡}=66,000\text{千円}$

② $198,000\text{千円}\times\frac{220㎡}{330㎡}\times(1-60\%\times30\%)=108,240\text{千円}$

③ ①＋②＝174,240千円

家　屋　① $9,000\text{千円}\times1.0\times\frac{250㎡}{750㎡}=3,000\text{千円}$

② $9,000\text{千円}\times1.0\times\frac{500㎡}{750㎡}\times(1-30\%)=4,200\text{千円}$

③ ①＋②＝7,200千円

宅　地　$198,000\text{千円}\times(1-60\%)\times\frac{1}{2}=39,600\text{千円}$

(2) 長 男 Ａ　　宅　地　$198,000\text{千円}\times(1-60\%)\times\frac{1}{2}=39,600\text{千円}$

宅　地　① $189,000$千円×$\frac{180㎡}{540㎡}$＝$63,000$千円

② $189,000$千円×$\frac{360㎡}{540㎡}$×（１－60％×30％）＝$103,320$千円

③ ①＋②＝$166,320$千円

家　屋　① $6,000$千円×1.0×$\frac{120㎡}{360㎡}$＝$2,000$千円

② $6,000$千円×1.0×$\frac{240㎡}{360㎡}$×（１－30％）＝$2,800$千円

③ ①＋②＝$4,800$千円

(3) 未分割財産　宅　地　$200,000$千円×（１－60％）＝$80,000$千円

2　小規模宅地等の特例による減額金額

(1) 特例対象宅地等

配偶者乙（特定居住用宅地等）　$66,000$千円÷110㎡×$\frac{80}{100}$×330＝$158,400$千円

配偶者乙（貸付事業用宅地等）　$108,240$千円÷220㎡×$\frac{50}{100}$×200＝$49,200$千円

配偶者乙（特定同族会社事業用宅地等）　$39,600$千円÷132㎡×$\frac{80}{100}$×400＝$96,000$千円

長男Ａ（貸付事業用宅地等）　$39,600$千円÷132㎡×$\frac{50}{100}$×200＝$30,000$千円

長男Ａ（特定事業用宅地等）　$63,000$千円÷180㎡×$\frac{80}{100}$×400＝$112,000$千円

長男Ａ（貸付事業用宅地等）　$103,320$千円÷360㎡×$\frac{50}{100}$×200＝$28,700$千円

(2) 調整による減額金額

配偶者乙（特定居住用宅地等）から110㎡、長男Ａ（特定事業用宅地等）から180㎡、配偶者乙（特定同族会社事業用宅地等）から400㎡×$\left(1-\frac{110㎡}{330㎡}-\frac{180㎡}{400㎡}\right)$を選択する。

配偶者乙（特定居住用宅地等）　$66,000$千円×$\frac{110㎡}{110㎡}$×$\frac{80}{100}$＝$52,800$千円

長男Ａ（特定事業用宅地等）　$63,000$千円×$\frac{180㎡}{180㎡}$×$\frac{80}{100}$＝$50,400$千円

配偶者乙（特定同族会社事業用宅地等）　$39,600$千円×$\frac{\frac{260㎡}{3}}{132㎡}$×$\frac{80}{100}$＝$20,800$千円

$52,800$千円＋$50,400$千円＋$20,800$千円＝$124,000$千円

(3) 併用による減額金額

配偶者乙（特定居住用宅地等）から110㎡、長男Ａ（特定事業用宅地等）から180㎡、配偶者乙（特定同族会社事業用宅地等）から132㎡を選択する。

配偶者乙（特定居住用宅地等）　66,000千円$\times\frac{110㎡}{110㎡}\times\frac{80}{100}$＝52,800千円

長男Ａ（特定事業用宅地等）　63,000千円$\times\frac{180㎡}{180㎡}\times\frac{80}{100}$＝50,400千円

配偶者乙（特定同族会社事業用宅地等）　39,600千円$\times\frac{132㎡}{132㎡}\times\frac{80}{100}$＝31,680千円

52,800千円＋50,400千円＋31,680千円＝134,880千円

(4)　(2)＜(3)　∴　(3)

3　相続税の課税価格に算入すべき価額

(1)　配偶者乙　宅　地　174,240千円－52,800千円＝121,440千円
家　屋　7,200千円
宅　地　39,600千円－31,680千円＝7,920千円

(2)　長男Ａ　宅　地　39,600千円
宅　地　166,320千円－50,400千円＝115,920千円
家　屋　4,800千円

(3)　未分割財産　80,000千円

**解答への道**

1　配偶者乙が取得した３階建のビルの敷地は、１・２階部分と３階部分で利用状況が異なるため、それぞれの利用状況に応じた評価を行い、小規模宅地等の特例を適用する。

2　同族会社の事業（卸売業）の用に供されている宅地については、配偶者乙と長男Ａが共有持分で取得しており、配偶者乙は特定同族会社事業用宅地等の要件を満たすため、80％の減額となり、長男Ａは貸付事業用宅地等の要件を満たすため、50％の減額の対象となる。

3　取得者が確定していない特例対象宅地等については、小規模宅地等の特例の適用はない。

## 問題３　建物の所有者が被相続人以外の者である場合等

| 重要度 | Ａ |
|---|---|

次の各設例の場合における各人の相続税の課税価格に算入すべき宅地の価額を求めなさい。

なお、措法69条の５（特定計画山林の特例）並びに措法70条の６の８及び措法70条の６の10（個人の事業用資産の納税猶予）の適用を受けていない。

また、宅地は、すべて借地権割合が70％、借家権割合が30％である地域に所在しているも

のとする。

<設例１>

被相続人甲と生計を一にしていた親族Ａが取得した宅地

宅　　地　　400㎡　　　自用地としての価額　　200,000,000円

この宅地は、使用貸借により親族Ａに貸し付けられていた。なお、この宅地の上に建てられている建物は、親族Ａが所有し、平成29年から自己の事業の用に供している。また、この宅地は、相続税の申告期限においても親族Ａが所有し、引き続きその事業の用に供している。

【ケース１】　上記建物が親族Ａの物品販売業に係る事務所として使用されているとき

【ケース２】　上記建物が親族Ａの不動産貸付業に係る事務所として使用されているとき

<設例２>

被相続人甲と生計を一にしていた親族Ｂが取得した宅地

宅　　地　　350㎡　　　自用地としての価額　　175,000,000円

この宅地は、親族Ｂに貸し付けられていた。なお、この宅地の上に建てられている建物は、親族Ｂが所有し、被相続人甲が親族Ｂから借り受け、平成26年から甲の事業の用に供されていた。また、親族Ｂは、被相続人甲の事業を引き継ぎ、相続税の申告期限においてもこの宅地を有し、かつ、その事業を営んでいる。なお、甲及びＢとの間で、地代や家賃等の支払いは一切なかった。

【ケース１】　上記建物が甲の物品販売業に係る事務所として使用されているとき

【ケース２】　上記建物が甲の不動産貸付業に係る事務所として使用されているとき

<設例３>

被相続人甲とは生計を別にしていた親族Ｃが取得した宅地

宅　　地　　360㎡　　　自用地としての価額　　180,000,000円

この宅地は、使用貸借により親族Ｃに貸し付けられていた。なお、この宅地の上に建てられている建物は、親族Ｃが所有し、平成26年から自己の事業に係る事務所として使用している。また、この宅地は、相続税の申告期限においても親族Ｃが所有し、引き続きその事業の用に供している。

【ケース１】　親族Ｃの事業内容が物品販売業である場合

【ケース２】　親族Ｃの事業内容が不動産賃貸業である場合

<設例４>

被相続人甲とは生計を別にしていた親族Ｄが取得した宅地

宅　　地　　280㎡　　　自用地としての価額　　142,800,000円

この宅地は、親族Ｄに貸し付けられていた。なお、この宅地の上に建てられている建物は、親族Ｄが所有し、被相続人甲が親族Ｄから借り受け、平成26年から甲の事業の用に供されていた。また、親族Ｄは、被相続人甲の事業を引き継ぎ、相続税の申告期限においてもこの宅

地を有し、かつ、その事業を営んでいる。なお、甲及びDとの間で、地代や家賃等の支払いは一切なかった。

【ケース１】　上記建物が甲の物品販売業に係る事務所として使用されているとき

【ケース２】　上記建物が甲の不動産貸付業に係る事務所として使用されているとき

＜設例５＞

被相続人甲と同居していた親族Eが取得した宅地

宅　　地　　290㎡　　　自用地としての価額　　156,600,000円

この宅地は、平成27年から被相続人甲と生計を一にしていた親族Fに貸し付けられていた。なお、この宅地の上に建てられている建物は、親族Fが所有し、被相続人甲が平成27年に親族Fから借り受け、甲の居住の用に供されていた。また、親族Eは、相続税の申告期限においても引き続きこの宅地を有し、かつ、その建物に居住している。

【ケース１】　被相続人甲と親族Fとの間の宅地の貸借が使用貸借契約であり、親族Fと被相続人甲との間の建物の貸借も使用貸借契約である場合

【ケース２】　被相続人甲と親族Fとの間の宅地の貸借が使用貸借契約であり、親族Fと被相続人甲との間の建物の貸借が賃貸借契約である場合（親族Eが家屋の借主となって賃貸借契約が継続されている）

【ケース３】　被相続人甲と親族Fとの間の宅地の貸借が賃貸借契約であり、親族Fと被相続人甲との間の建物の貸借が使用貸借契約である場合（親族Eが宅地の貸主となって賃貸借契約が継続されている）

＜設例６＞

被相続人甲と同居していた親族Gが取得した宅地

宅　　地　　250㎡　　　自用地としての価額　　130,000,000円

この宅地は、平成27年から被相続人甲とは生計を別にしていた親族Hに貸し付けられていた。なお、この宅地の上に建てられている建物は、親族Hが所有し、被相続人甲が平成27年に親族Hから借り受け、甲の居住の用に供されていた。また、親族Gは、相続税の申告期限においてもこの宅地を有し、かつ、その建物に居住している。

【ケース１】　被相続人甲と親族Hとの間の宅地の貸借が使用貸借契約であり、親族Hと被相続人甲との間の建物の貸借も使用貸借契約である場合

【ケース２】　被相続人甲と親族Hとの間の宅地の貸借が使用貸借契約であり、親族Hと被相続人甲との間の建物の貸借が賃貸借契約である場合（親族Gが家屋の借主となって賃貸借契約が継続されている）

【ケース３】　被相続人甲と親族Hとの間の宅地の貸借が賃貸借契約であり、親族Hと被相続人甲との間の建物の貸借が使用貸借契約である場合（親族Gが宅地の貸主となって賃貸借契約が継続されている）

<設例７>

被相続人甲と生計を一にしていた親族Ｊが取得した宅地

宅　　地　　　450㎡　　　　自用地としての価額　　　270,000,000円

この宅地は、使用貸借により親族Ｊに貸し付けられていた。なお、この宅地の上に建てられている建物は、親族Ｊが所有し、同族会社Ｋ社（Ｋ社は、被相続人甲及び甲の同族関係者が発行済株式の総数の60％を有する卸売業を営む会社であり、親族Ｊは、同社の役員である。）が平成26年から親族Ｊから借り受け、同社の社屋として使用している。また、この宅地は、相続税の申告期限においても親族Ｊが所有し、かつ、Ｋ社の社屋の敷地として使用されている。

【ケース１】　親族ＪとＫ社との間の建物の貸借が賃貸借契約である場合

【ケース２】　親族ＪとＫ社との間の建物の貸借が使用貸借契約である場合

【ケース３】　親族ＪとＫ社との間の建物の貸借が賃貸借契約である場合において、Ｋ社の事業内容が不動産貸付業であるとき（相続税の申告期限においても賃貸借契約は継続している）

<設例８>

被相続人甲の親族Ｌが取得した宅地

宅　　地　　　500㎡　　　　自用地としての価額　　　225,000,000円

この宅地は、同族会社M社（M社は、被相続人甲が発行済株式の総数の53％を有する卸売業を営む会社であり、親族Ｌは、同社の役員である。）の社屋の敷地として、平成26年から同社に貸し付けられていた。なお、この宅地は、相続税の申告期限においても親族Ｌが所有し、かつ、M社の社屋の敷地として使用されている。

【ケース１】　被相続人甲とM社との間の宅地の貸借が賃貸借契約である場合

【ケース２】　被相続人甲とM社との間の宅地の貸借が使用貸借契約である場合

【ケース３】　被相続人甲とM社との間の宅地の貸借が賃貸借契約である場合において、M社の事業内容が不動産貸付業であるとき（相続税の申告期限においても賃貸借契約は継続している）

## 解　答

＜設例１＞

【ケース１】　$200,000,000円-200,000,000円\times\frac{400㎡}{400㎡}\times\frac{80}{100}=40,000,000円$

【ケース２】　$200,000,000円-200,000,000円\times\frac{200㎡}{400㎡}\times\frac{50}{100}=150,000,000円$

＜設例２＞

【ケース１】　$175,000,000円-175,000,000円\times\frac{350㎡}{350㎡}\times\frac{80}{100}=35,000,000円$

【ケース２】　$175,000,000円-175,000,000円\times\frac{200㎡}{350㎡}\times\frac{50}{100}=125,000,000円$

＜設例３＞

【ケース１】　180,000,000円

【ケース２】　180,000,000円

＜設例４＞

【ケース１】　$142,800,000円-142,800,000円\times\frac{280㎡}{280㎡}\times\frac{80}{100}=28,560,000円$

【ケース２】　$142,800,000円-142,800,000円\times\frac{200㎡}{280㎡}\times\frac{50}{100}=91,800,000円$

＜設例５＞

【ケース１】　$156,600,000円-156,600,000円\times\frac{290㎡}{290㎡}\times\frac{80}{100}=31,320,000円$

【ケース２】　156,600,000円

【ケース３】　156,600,000円×（１－70％）＝46,980,000円

$46,980,000円-46,980,000円\times\frac{200㎡}{290㎡}\times\frac{50}{100}=30,780,000円$

＜設例６＞

【ケース１】　$130,000,000円-130,000,000円\times\frac{250㎡}{250㎡}\times\frac{80}{100}=26,000,000円$

【ケース２】　130,000,000円

【ケース３】　130,000,000円×（１－70％）＝39,000,000円

$39,000,000円-39,000,000円\times\frac{200㎡}{250㎡}\times\frac{50}{100}=23,400,000円$

＜設例７＞

【ケース１】　$270,000,000円-270,000,000円\times\frac{400m^2}{450m^2}\times\frac{80}{100}=78,000,000円$

【ケース２】　270,000,000円

【ケース３】　$270,000,000円-270,000,000円\times\frac{200m^2}{450m^2}\times\frac{50}{100}=210,000,000円$

＜設例８＞

【ケース１】　225,000,000円×（１－70％）＝67,500,000円

$67,500,000円-67,500,000円\times\frac{400m^2}{500m^2}\times\frac{80}{100}=24,300,000円$

【ケース２】　225,000,000円

【ケース３】　225,000,000円×（１－70％）＝67,500,000円

$67,500,000円-67,500,000円\times\frac{200m^2}{500m^2}\times\frac{50}{100}=54,000,000円$

## 解答への道

被相続人の遺産である宅地等につき、その宅地等の上に存する建物等の所有者が被相続人以外の者である場合においては、「その建物等の所有者が被相続人から宅地等を借り受けている。」ということが前提となり、その上で、「その建物等が誰によってどのように使われているか。」により小規模宅地等の特例の適用関係を考えていくことになる。

## 問題4　建物の建築中に相続が開始した場合等

| 重要度 | B |
|---|---|

次の各設例の場合における各人の相続税の課税価格に算入すべき財産の価額を求めなさい。なお、措法69条の５（特定計画山林の特例）並びに措法70条の６の８及び措法70条の６の10（個人の事業用資産の納税猶予）の適用を受けていない。

＜設例１＞

被相続人甲の親族Ａが取得した財産

(1) 宅　地　　420㎡　　自用地としての価額　　126,000,000円

親族Ａは、申告期限においてもこの宅地を所有している。

(2) 家　屋　　160㎡　　費用現価　　35,000,000円

この家屋は、(1)の宅地の上に建てられているものであり、相続開始時において建築中であった。なお、これは、被相続人甲が平成26年から営んでいた物品販売業の事務所の建て替えに伴うものであるが、申告期限までに完成し、親族Ａが甲から引き継いだ物品販売業の用に供している。

＜設例２＞

被相続人甲と生計を一にしていた親族Ｂが取得した財産

(1) 宅　地　　360㎡　　自用地としての価額　　97,200,000円

親族Ｂは、相続税の申告期限においてもこの宅地を所有している。

(2) 家　屋　　480㎡　　固定資産税評価額　　15,000,000円

この家屋は、(1)の宅地の上に建てられている鉄筋コンクリート造３階建のビルで、各階の利用状況は、次のとおりであるが、親族Ｂから被相続人甲への家賃等の支払はなかった。なお、利用効率は各階均等であるものとし、(1)の宅地は家屋の利用状況に応じて使用されているものとする。また、親族Ｂはこの家屋で相続開始後も引き続き美容院を営んでいる。

１階　　160㎡　平成26年から親族Ｂが営んでいる美容院の店舗の用に供している。

２階　　160㎡
３階　　160㎡　} 美容院の店員の寄宿舎等の用に供している。

＜設例３＞

被相続人甲の同居親族Ｃが取得した財産

(1) 宅　地　　250㎡　　自用地としての価額　　129,750,000円

親族Ｃは、相続税の申告期限においてもこの宅地を所有している。

(2) 家　屋　　150㎡　　費用現価　　30,000,000円

この家屋は、(1)の宅地の上に建てられているものであり、相続開始時において建築中であった。なお、これは、以前から被相続人甲が居住の用に供していた家屋の建て替えに伴うものであるが、相続税の申告期限にまでに完成し、親族Ｃが居住の用に供している。

＜設例４＞

被相続人甲と生計を一にしていた配偶者乙が取得した財産

宅　地　　450㎡　　自用地としての価額　　112,500,000円

この宅地の上に建てられている家屋は、配偶者乙が所有し、平成23年から乙が部屋を使用させるとともに食事を供する事業（いわゆる下宿）の用に供しているものであるが、被相続人甲と乙との間で宅地の貸借に関して地代等の支払はなかった。なお、配偶者乙は、相続開始後も引き続き下宿を営んでおり、相続税の申告期限においてもこの宅地を所有している。

＜設例５＞

被相続人甲の親族Ｄが取得した財産

(1) 宅　地　　350㎡　　自用地としての価額　　91,000,000円

親族Ｄは、相続税の申告期限においてもこの宅地を所有している。

(2) 家　屋　　210㎡　　固定資産税評価額　　10,000,000円

この家屋は、(1)の宅地の上に建てられているもので、被相続人甲が平成23年から酒類の小売業の店舗として使用していた。なお、親族Ｄは、相続税の申告期限までにこの家屋を改装し、コンビニエンスストアとしてその事業を引き継いでいる。

【ケース１】　コンビニエンスストアにおいて酒類を取り扱っている場合

【ケース２】　コンビニエンスストアにおいて酒類を取り扱っていない場合

＜設例６＞

被相続人甲の親族Ｅが取得した財産

(1) 宅　地　　400㎡　　自用地としての価額　　110,000,000円

親族Ｅは、相続税の申告期限においてもこの宅地を所有している。

(2) 家　屋　　230㎡　　固定資産税評価額　　23,000,000円

この家屋は、(1)の宅地の上に建てられているもので、被相続人甲が平成23年から物品販売業の店舗として使用していたものであるが、相続開始後において災害により損害を受けたため、相続税の申告期限においてその事業は休業中であり、事業を引き継いだ親族Ｅは、事業再開のための準備をすすめている。

＜設例７＞

被相続人甲の親族Ｆが取得した財産

(1) 宅　地　　272㎡　　自用地としての価額　　122,400,000円

(2) 家　屋　　300㎡　　固定資産税評価額　　20,000,000円

この家屋は、(1)の宅地の上に建てられている鉄筋コンクリート造２階建の建物で、各階の利用状況は、次のとおり（(1)の宅地は家屋の利用状況に応じて使用されていたものとする。）であり、利用効率は各階均等であるものとする。なお、親族Ｆは、相続開始後

も引き続き飲食店を営む一方、２階部分とこれに対応する敷地は相続税の申告期限までに譲渡したため、申告期限においては１階部分とこれに対応する敷地のみを所有している。

１階　　150㎡　　平成23年から被相続人甲の飲食業の店舗の用に供されていた。

２階　　150㎡　　平成26年から被相続人甲のパン・菓子製造業の店舗の用に供されていた。

＜設例８＞

被相続人甲の親族Ｇが取得した財産

(1) 宅　地　　420㎡　　自用地としての価額　　105,000,000円

親族Ｇは、相続税の申告期限においてもこの宅地を所有している。

(2) 家　屋　　200㎡　　固定資産税評価額　　10,000,000円

この家屋は、(1)の宅地の上に建てられているもので、被相続人甲が平成23年から物品販売業の用に供していたものであり、親族Ｇは、その事業を引き継いでいる。なお、親族Ｇは、事業を拡張するためにこの家屋の建て替え工事に着手しており、相続税の申告期限において未完成であるが、完成後の家屋は、その全部が引き継いだ物品販売業の用に供されると認められるものである。

＜設例９＞

被相続人甲の親族Ｈが取得した財産

(1) 宅　地　　230㎡　　自用地としての価額　　56,350,000円

親族Ｈは、相続税の申告期限においてもこの宅地を所有している。

(2) 家　屋　　160㎡　　固定資産税評価額　　12,000,000円

この家屋は、(1)の宅地の上に建てられているもので、被相続人甲が平成23年から卸売業の用に供していたものである。なお、親族Ｈは、相続税の申告期限においてまだ就学中であるため、親族Ｈの実父Ｉが当面の事業主となっている。

## 解　答

＜設例１＞

(1) 宅　地　　$126,000,000円-126,000,000円\times\frac{400㎡}{420㎡}\times\frac{80}{100}=30,000,000円$

(2) 家　屋　　$35,000,000円\times\frac{70}{100}=24,500,000円$

＜設例２＞

(1) 宅　地　　$97,200,000円-97,200,000円\times\frac{360㎡}{360㎡}\times\frac{80}{100}=19,440,000円$

(2) 家　屋　　15,000,000円×1.0＝15,000,000円

＜設例３＞

（1）宅　地　　$129,750,000円-129,750,000円\times\frac{250㎡}{250㎡}\times\frac{80}{100}=25,950,000円$

（2）家　屋　　$30,000,000円\times\frac{70}{100}=21,000,000円$

＜設例４＞

宅　地　　$112,500,000円-112,500,000円\times\frac{400㎡}{450㎡}\times\frac{80}{100}=32,500,000円$

＜設例５＞

【ケース１】

（1）宅　地　　$91,000,000円-91,000,000円\times\frac{350㎡}{350㎡}\times\frac{80}{100}=18,200,000円$

（2）家　屋　　10,000,000円×1.0＝10,000,000円

【ケース２】

（1）宅　地　　91,000,000円

（2）家　屋　　10,000,000円×1.0＝10,000,000円

＜設例６＞

（1）宅　地　　$110,000,000円-110,000,000円\times\frac{400㎡}{400㎡}\times\frac{80}{100}=22,000,000円$

（2）家　屋　　23,000,000円×1.0＝23,000,000円

＜設例７＞

（1）宅　地　　$122,400,000円\times\frac{\overset{*}{136㎡}}{272㎡}=61,200,000円$

＊　$272㎡\times\frac{150㎡}{300㎡}=136㎡$

①　$61,200,000円-61,200,000円\times\frac{136㎡}{136㎡}\times\frac{80}{100}=12,240,000円$（１階対応部分）

②　61,200,000円（２階対応部分）

③　①＋②＝73,440,000円

（2）家　屋　　20,000,000円×1.0＝20,000,000円

＜設例８＞

（1）宅　地　　$105,000,000円-105,000,000円\times\frac{400㎡}{420㎡}\times\frac{80}{100}=25,000,000円$

（2）家　屋　　10,000,000円×1.0＝10,000,000円

＜設例９＞

(1) 宅　地　　$56,350,000円-56,350,000円\times\frac{230m^2}{230m^2}\times\frac{80}{100}=11,270,000円$

(2) 家　屋　　12,000,000円×1.0＝12,000,000円

## 解答への道

＜設例１＞

事業用建物等の建築中等に相続が開始した場合（措通69の４－５）

⇨(1) 適用範囲

この通達は、事業場の移転又は建て替えに係る事業用建物等の建築中に相続の開始があった場合の取扱いであるため、新規開店や支店増設については、この通達の対象外となる。

(2) 建築中の建物等の所有者の要件

① 被相続人の所有に係るもの

② 被相続人の親族の所有に係るもの

(3) 事業供用者の要件

① 被相続人の同一生計親族

② 建築中の建物等又はその敷地を取得した被相続人の別生計親族

③ 従前の建物等が被相続人の事業用であり、被相続人に代わって①又は②の親族が、完成したその建物等を相続税の申告期限までに事業（被相続人の事業と同一の事業）の用に供した場合には、その建物等の敷地は被相続人の事業用宅地等に該当するものとして、小規模宅地等の特例の適用がある。その上で、

イ 被相続人の事業が不動産貸付業等以外の事業である場合には、80％の減額。

ロ 被相続人の事業が不動産貸付業等である場合には、50％の減額。

④ 従前の建物等が被相続人の同一生計親族の事業用である場合には、完成したその建物等を相続税の申告期限までにその同一生計親族（従前の建物等で事業を行っていた本人）が、完成したその建物等を相続税の申告期限までに事業の用に供した場合には、その建物等の敷地は同一生計親族の事業用宅地等に該当するものとして、小規模宅地等の特例の適用がある。その上で、

イ 同一生計親族の事業が不動産貸付業等以外の事業である場合には、80％の減額。

ロ 同一生計親族の事業が不動産貸付業等である場合には、50％の減額。

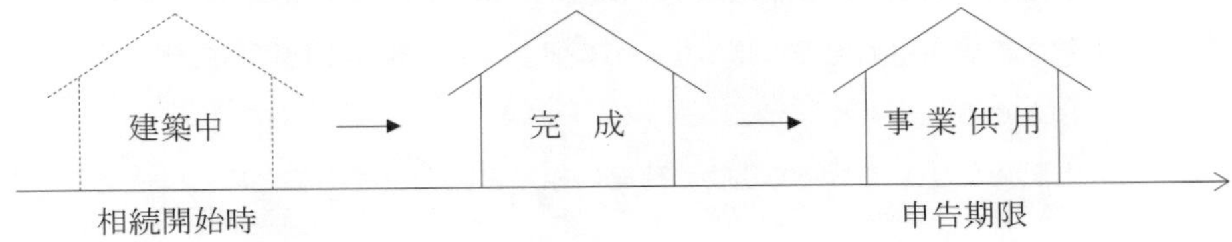

⑤　上記③及び④において建物等の建築に相当の期間を要するため、相続税の申告期限までに建物等が完成していない場合には、相続開始直前においてその被相続人等のその建物等に係る事業の準備行為の状況からみてその建物等を速やかにその事業の用に供することが確実であると認められるときに限り事業用宅地等に該当する。

＜設例２＞

使用人の寄宿舎等の敷地（措通69の４－６）

⇨　被相続人等の営む事業に従事する使用人の寄宿舎等については、不動産の貸付けに該当する可能性もあるが、その実質に照らした場合、被相続人等の事業に付随する設備とみる方が合理的である。

したがって、被相続人等の営む事業に従事する使用人の寄宿舎等の敷地の用に供されていた宅地等については、被相続人等が営んでいた事業そのものに係る事業用宅地等として取り扱う。

＜設例３＞

居住用建物の建築中等に相続が開始した場合（措通69の４－８）

⇨(1)　適用範囲

この通達は、相続開始直前において被相続人又は同一生計親族が居住用の建物（建築中の仮住まいその他一時的な入居目的であるものを除く。）を所有していない場合に限り適用されるため、相続開始直前において被相続人又は同一生計親族が現に居住の用に供していた建物を有していた場合には、この通達の対象外となる。

(2)　建築中の建物の所有者の要件

①　被相続人の所有に係るもの

②　被相続人の親族の所有に係るもの

(3)　居住者の要件

①　被相続人の同一生計親族

②　建築中の建物又はその敷地を取得した被相続人の別生計親族

③　従前の建物が被相続人の居住用であり、被相続人に代わって①又は②の親族が、完成したその建物を相続税の申告期限までに居住の用に供した場合には、その建物の敷地は被相続人の居住用宅地等に該当するものとして、小規模宅地等の特例の適用があり、80%の減額となる。

④　従前の建物が被相続人の同一生計親族の居住用である場合には、完成したその建物を相続税の申告期限までにその同一生計親族（従前の建物に居住していた本人）が、完成したその建物を相続税の申告期限までに居住の用に供した場合には、その建物の敷地は同一生計親族の居住用宅地等に該当するものとして、小規模宅地等の特例の適用があり、80%の減額となる。

⑤　上記③及び④において建物の建築に相当の期間を要するため、相続税の申告期限までに

建物が完成していない場合には、相続開始直前においてその被相続人等のその建物に係る居住の準備行為の状況からみてその建物を速やかにその居住の用に供することが確実であると認められるときに限り居住用宅地等に該当する。

**＜設例４＞**

下宿等（措通69の４－14）

⇨　下宿等の場合、単に部屋を使用させるだけでなく、下宿人に食事を提供することなどが主となってくることから、不動産貸付業等以外の事業として取り扱う。

**＜設例５＞**

申告期限までに転業又は廃業があった場合（措通69の４－16）

⇨　特定事業用宅地等に該当するか否かの判定につき、相続税の申告期限までに転業又は廃業があった場合の取扱いは、以下のとおりである。

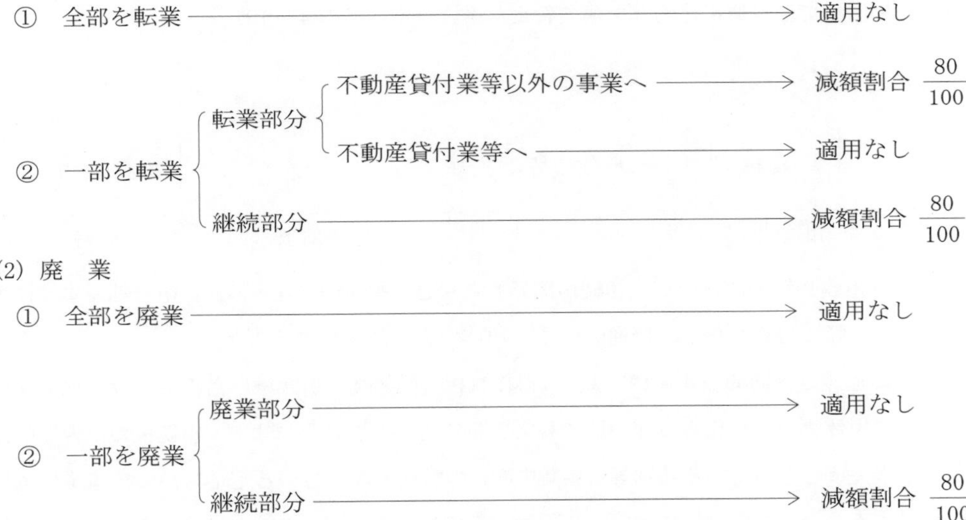


**＜設例６＞**

災害のため事業が休止された場合（措通69の４－17）

⇨

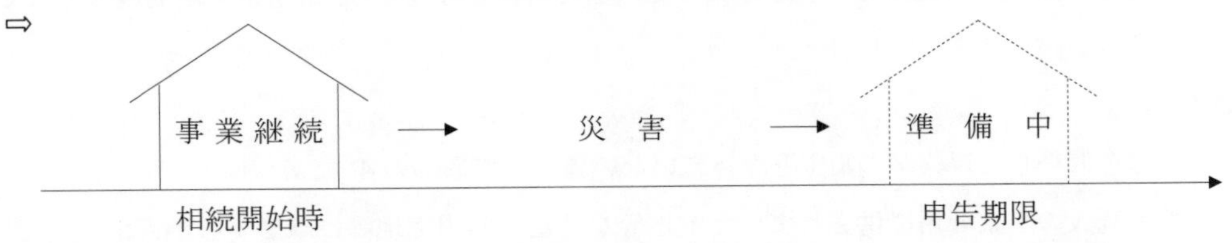


相続開始後申告期限までの間に被相続人等の事業の用に供されている建物等が災害を受けたことにより、申告期限においてその事業が休業中となっている場合であっても、その災害を受けた建物等の敷地の用に供されている宅地等を取得した親族等による事業再開の準備が進められていると認められれば、その宅地等については、申告期限においてもその事業の用に供

されているものとして取り扱う。

なお、相続開始以前に災害を受けている場合であれば、その取扱いは、「事業用建物等の建築中等に相続が開始した場合（措通69の４－５）」の範囲となる。

＜設例７＞

申告期限までに宅地等の一部の譲渡又は貸付けがあった場合（措通69の４－18）

⇨ 特定事業用宅地等に該当するか否かの判定につき、相続税の申告期限までに譲渡又は貸付けがあった場合の取扱いは、以下のとおりである。

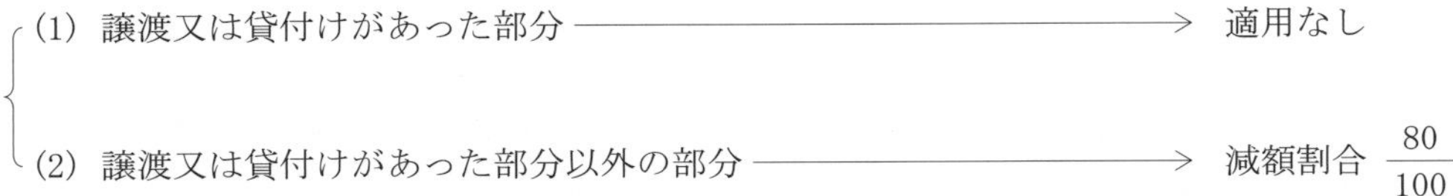


＜設例８＞

申告期限までに事業用建物等を建て替えた場合（措通69の４－19）

⇨

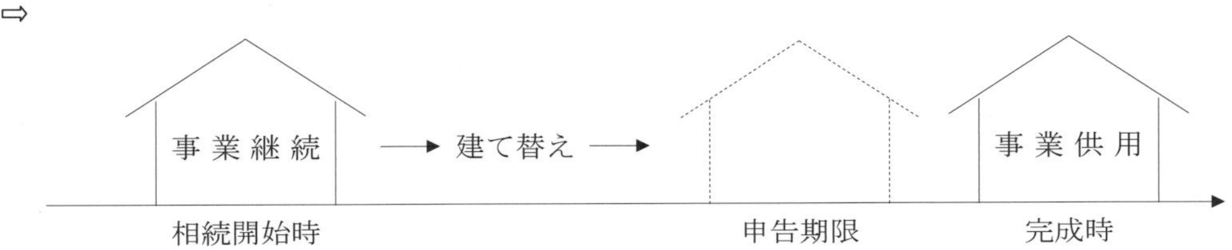


事業用建物等の建築中等に相続が開始した場合（措通69の４－５）と申告期限までに事業用建物等を建て替えた場合（措通69の４－19）の違いに注意すること。

この通達（措通69の４－19）は、取得後（相続開始後）引き継いだ事業規模の拡大又は縮小や事業用建物の老朽化等に伴い建て替え工事に着手したことにより、相続税の申告期限においては未完成となっている建物等（事業中断）の敷地となっている宅地等が特定事業用宅地等に該当するかどうかの判定についての取扱いを定めたものであり、完成後速やかにその建物等が引き継いだ事業の用に供されると認められれば、申告期限においてもその事業を継続しているものとして未完成の建物等の敷地となっている宅地等であっても、特定事業用宅地等として取り扱う。

＜設例９＞

宅地等を取得した親族が事業主となっていない場合（措通69の４－20）

⇨ 被相続人の事業の用に供されていた宅地等が特定事業用宅地等に該当するか否かの判定は、原則的には、その宅地等を取得した親族自身が事業主として被相続人の事業を継続しているか否かにより行う。

しかし、宅地等を取得した親族が就学中である等やむを得ない事情により当分の間事業主となれない場合に限っては、その宅地等を取得した親族の親族が代わりに事業主として被相続人の事業を継続していれば、その宅地等を取得した親族が事業主となって被相続人の事業を継続しているものとして取り扱ってかまわない。

MEMO

# 第8章

# 家屋の利用状況に応じた宅地等及び家屋並びに配偶者居住権等の評価

| | 重要度 |
|---|---|
| 問題１　利用状況に応じた家屋及び宅地の評価　－その１－ | A |
| 問題２　利用状況に応じた家屋及び宅地の評価　－その２－ | A |
| 問題３　利用状況に応じた家屋及び宅地の評価　－その３－ | A |
| 問題４　利用状況に応じた家屋及び宅地の上に存する権利の評価 | B |
| 問題５　居住用の区分所有財産の評価 | B |
| 問題６　配偶者居住権等の評価　－その１－ | A |
| 問題７　配偶者居住権等の評価　－その２－ | A |

## 問題 1　利用状況に応じた家屋及び宅地の評価 －その１－

重要度 A

次の設例の場合において、次に掲げる財産の相続税評価額を求めなさい。

（注）宅地及び家屋は、借地権割合が60%、借家権割合が30%である地域に所在している。なお、地積規模の大きな宅地については考慮不要とする。

<設　例>

(1) 宅　地　　600㎡　　自用地としての価額　　90,000千円

(2) 家　屋　　1,500㎡　　自用家屋としての価額　　72,000千円

この家屋は、(1)の宅地の上に建てられているもので、鉄筋コンクリート造３階建のビルである。このビルの１階部分は甲の店舗の用に、２階部分は第三者の貸事務所の用に、３階部分は甲の居住の用に供していたものである。なお、各階の床面積はいずれも500㎡で、利用効率は各階均等である。

### 解　答

(1) 家屋の評価額

① 自用家屋（１階、３階）

$$72,000\text{千円} \times \frac{500\text{㎡} \times 2}{1,500\text{㎡}} = 48,000\text{千円}$$

② 貸家（２階）

$$72,000\text{千円} \times \frac{500\text{㎡}}{1,500\text{㎡}} \times (1 - 30\%) = 16,800\text{千円}$$

③ ①＋②＝64,800千円

(2) 宅地の評価額

① 事業用宅地

イ 地　積　$600\text{㎡} \times \frac{500\text{㎡}}{1,500\text{㎡}} = 200\text{㎡}$

ロ 評価額　$90,000\text{千円} \times \frac{200\text{㎡}}{600\text{㎡}} = 30,000\text{千円}$

② 貸家建付地

イ 地　積　$600\text{㎡} \times \frac{500\text{㎡}}{1,500\text{㎡}} = 200\text{㎡}$

ロ 評価額　$90,000\text{千円} \times \frac{200\text{㎡}}{600\text{㎡}} \times (1 - 60\% \times 30\%) = 24,600\text{千円}$

③　居住用宅地

イ　地　積　　$600㎡ \times \frac{500㎡}{1,500㎡} = 200㎡$

ロ　評価額　　$90,000千円 \times \frac{200㎡}{600㎡} = 30,000千円$

④　①＋②＋③＝84,600千円

## 解答への道

**《公式》　利用状況に応じた家屋及び宅地（宅地の上に存する権利を含む）の評価**

(1)　家屋の評価

家屋のうち一部を自用(事業又は居住の用)、一部を貸し付けているような場合には、その家屋全体の評価額を床面積等の基準によりあん分し、それぞれ自用家屋、貸家として評価する。

(2)　家屋の敷地である宅地の評価

(1)の敷地である宅地についても、その家屋の利用状況に応じ、宅地全体の評価額を床面積等の基準によってあん分し、それぞれに応じた評価をすることとなる。

＜家屋及び宅地の利用状況＞

| | 家屋 | | 宅地 | |
|---|---|---|---|---|
| | 面積 | 評価区分 | 地積 | 評価区分 |
| 1階 | 500㎡ | 自用家屋 | $600㎡ \times \frac{500㎡}{1,500㎡} = 200㎡$ | 自用地 |
| 2階 | 500㎡ | 貸家 | $600㎡ \times \frac{500㎡}{1,500㎡} = 200㎡$ | 貸家建付地 |
| 3階 | 500㎡ | 自用家屋 | $600㎡ \times \frac{500㎡}{1,500㎡} = 200㎡$ | 自用地 |

この類の問題は、まず家屋から考え始めるのが解答への近道である。

なお、宅地については小規模宅地等の特例を考慮し、利用状況の異なるごとに評価額を求めておくとよい。

## 問題 2　利用状況に応じた家屋及び宅地の評価 －その２－

重要度　A

次の設例の場合において、次に掲げる財産の相続税評価額を求めなさい。

（注）宅地及び家屋は、借地権割合が70%、借家権割合が30%である地域に所在している。

＜設　例＞

(1) 宅　地　　250㎡　自用地としての価額　　150,000千円

(2) 家　屋　　2,000㎡　固定資産税評価額　　200,000千円

この家屋は、(1)の宅地の上に建てられている鉄筋コンクリート造９階建のビルで、１階から８階までの各階の床面積は230㎡、９階の床面積は160㎡であり、利用効率は各階均等である。

なお、各階の利用状況は、次のとおりである。

１階から４階　被相続人甲が賃貸借契約により第三者に貸し付けている。

５階から８階　被相続人甲が第三者に分譲している。

９階　被相続人甲の居住の用に供されていた。

## 解　答

(1) 家屋の評価額

① 貸家（１階から４階）

$$200,000\text{千円} \times 1.0 \times \frac{230\text{㎡} \times 4}{2,000\text{㎡}} \times (1 - 30\%) = 64,400\text{千円}$$

② 居住用家屋（９階）

$$200,000\text{千円} \times 1.0 \times \frac{160\text{㎡}}{2,000\text{㎡}} = 16,000\text{千円}$$

③ ①＋②＝80,400千円

(2) 宅地の評価額

① 貸家建付地（１階から４階）

イ 地　積

$$250\text{㎡} \times \frac{230\text{㎡} \times 4}{2,000\text{㎡}} = 115\text{㎡}$$

ロ 評価額

$$150,000\text{千円} \times \frac{115\text{㎡}}{250\text{㎡}} \times (1 - 70\% \times 30\%) = 54,510\text{千円}$$

② 居住用宅地（９階）

イ 地 積

$$250㎡\times\frac{160㎡}{2,000㎡}=20㎡$$

ロ 評価額

$$150,000千円\times\frac{20㎡}{250㎡}=12,000千円$$

③ ①＋②＝66,510千円

## 解答への道

＜家屋及び宅地の利用状況＞

| | 家屋 | | 宅地 | |
|---|---|---|---|---|
| | 面 積 | 評価区分 | 地 積 | 評価区分 |
| １階から４階 | 920㎡ | 貸 家 | $250㎡\times\frac{230㎡\times4}{2,000㎡}=115㎡$ | 貸家建付地 |
| ５階から８階 | 920㎡ | ――（他人所有） | $250㎡\times\frac{230㎡\times4}{2,000㎡}=115㎡$ | ――（他人所有） |
| ９階 | 160㎡ | 自用家屋 | $250㎡\times\frac{160㎡}{2,000㎡}=20㎡$ | 自 用 地 |

## 問題 3　利用状況に応じた家屋及び宅地の評価 －その３－

重要度　A

次の設例の場合において、次に掲げる財産の相続税評価額を求めなさい。

（注）宅地及び家屋は、借地権割合が60%、借家権割合が30%である地域に所在している。

＜設　例＞

(1) 宅　地　　240㎡　　自用地としての価額　　144,000千円

(2) 家　屋　　450㎡　　自用家屋としての価額　　96,000千円

この家屋は、(1)の宅地の上に建てられている鉄筋コンクリート造３階建のビルで、各階の利用状況は、次のとおりであるが、配偶者乙から被相続人甲への家賃等の支払はなかった。なお、利用効率は各階均等であるものとする。

１階　　180㎡　　配偶者乙が営む美容院の店舗の用に供している。

２階　　150㎡　　美容院の店員の寄宿舎等の用に供している。

３階　　120㎡　　被相続人甲及び配偶者乙の居住の用に供している。

### 解　答

(1) 家屋の評価額　　96,000千円

(2) 宅地の評価額

① 事業用宅地

イ 地　積　　$240㎡\times\frac{180㎡+150㎡}{450㎡}=176㎡$

ロ 評価額　　$144,000千円\times\frac{176㎡}{240㎡}=105,600千円$

② 居住用宅地

イ 地　積　　$240㎡\times\frac{120㎡}{450㎡}=64㎡$

ロ 評価額　　$144,000千円\times\frac{64㎡}{240㎡}=38,400千円$

③ ①＋②＝144,000千円

**解答への道**

＜家屋及び宅地の利用状況＞

| | 家屋 | | 宅地 | |
|---|---|---|---|---|
| | 面積 | 評価区分 | 地積 | 評価区分 |
| 1階及び2階 | 330㎡ | 自用家屋 | $240㎡ \times \frac{330㎡}{450㎡} = 176㎡$ | 自用地 |
| 3階 | 120㎡ | 自用家屋 | $240㎡ \times \frac{120㎡}{450㎡} = 64㎡$ | 自用地 |

1階及び2階部分は、配偶者乙の営む事業の用に供されているが、被相続人甲への家賃等の支払がないため、自用家屋及び自用地として評価することとなる。また、宅地は、同一生計親族の事業用宅地に該当する。

※　被相続人等の営む事業に従事する使用人の寄宿舎等（被相続人等の親族のみが使用していたものを除く。）の敷地の用に供されていた宅地等は、被相続人等の事業用宅地等に当たるものとする（措通69の４－６）。

## 問題 4　利用状況に応じた家屋及び宅地の上に存する権利の評価

重要度　B

**次の設例の場合において、次に掲げる財産の相続税評価額を求めなさい。**

**（注）宅地及び家屋は、借地権割合が60%、借家権割合が30%である地域に所在している。**

**＜設　例＞**

(1)　借地権　　510㎡　　借地権の目的となっている宅地の自用地としての価額　102,000千円

(2)　家　屋　　1,200㎡　　自用家屋としての価額　35,700千円

この家屋は、(1)の借地の上に建てられているもので、鉄筋コンクリート造４階建のビルである。１階部分は被相続人甲の事業の用に、２階及び３階部分は貸事務所の用に、４階部分は甲及び配偶者乙の居住の用に供していたものである。

なお、各階の床面積はいずれも300㎡で、利用効率は１階を100%とした場合、１階上がるごとに10%ずつ低下するものとする。

## 解　答

(1)　あん分基準面積

| | | |
|---|---|---|
| 1階部分 | | 300㎡ |
| 2階部分 | 300㎡×（1－10%）＝ | 270㎡ |
| 3階部分 | 300㎡×（1－20%）＝ | 240㎡ |
| 4階部分 | 300㎡×（1－30%）＝ | 210㎡ |
| 合　計 | | 1,020㎡ |

(2)　家屋の評価額

①　事業用家屋（1階）

$$35,700千円\times\frac{300㎡}{1,020㎡}=10,500千円$$

②　貸家（2階及び3階）

$$35,700千円\times\frac{270㎡+240㎡}{1,020㎡}\times(1-30\%)=12,495千円$$

③　居住用家屋（4階）

$$35,700千円\times\frac{210㎡}{1,020㎡}=7,350千円$$

④　①＋②＋③＝30,345千円

(3)　借地権の評価額

①　事業用借地権

イ　地　積　　$510㎡\times\frac{300㎡}{1,020㎡}=150㎡$

ロ　評価額　　$102,000千円\times60\%\times\frac{150㎡}{510㎡}=18,000千円$

②　貸家建付借地権

イ　地　積　　$510㎡\times\frac{270㎡+240㎡}{1,020㎡}=255㎡$

ロ　評価額　　$102,000千円\times60\%\times\frac{255㎡}{510㎡}\times(1-30\%)=21,420千円$

③　居住用借地権

イ　地　積　　$510㎡\times\frac{210㎡}{1,020㎡}=105㎡$

ロ　評価額　　$102,000千円\times60\%\times\frac{105㎡}{510㎡}=12,600千円$

④　①＋②＋③＝52,020千円

**解答への道**

<家屋及び宅地の上に存する権利の利用状況>

| | 家屋 | | 宅地の上に存する権利 | |
|---|---|---|---|---|
| | 面　積 | 評価区分 | 地　積 | 評価区分 |
| 1階 | 300㎡ | 自用家屋 | $510㎡ \times \frac{300㎡}{1,020㎡} = 150㎡$ | 自用借地権 |
| 2階及び3階 | 510㎡ | 貸　家 | $510㎡ \times \frac{510㎡}{1,020㎡} = 255㎡$ | 貸家建付借地権 |
| 4階 | 210㎡ | 自用家屋 | $510㎡ \times \frac{210㎡}{1,020㎡} = 105㎡$ | 自用借地権 |

家屋の利用効率が階によって異なるため、まず、利用効率に応じて床面積を修正し、それに基づいて利用状況に応じた評価をすることになる。

## 問題5　居住用の区分所有財産の評価

重要度　B

**次の設例の場合において、次に掲げる財産の相続税評価額を求めなさい。**

**<設　例>**

(1) 家　屋

この家屋は、被相続人甲が区分所有していた分譲マンションの一室であり、被相続人甲の居住の用に供されていたものである。

① 区分所有部分一室の固定資産税評価額　40,000,000円

② 築年数　15年

③ 総階数　25階（地階はない）

④ 所在階　11階

⑤ 専有部分の面積　55.80㎡

(2) 宅　地

この宅地は(1)の家屋に係る敷地利用権である。

① (1)の家屋に係る敷地全体の自用地評価額　350,000,000円

② (1)の家屋に係る敷地全体の面積　1,500㎡

③ 被相続人甲が所有していた(1)の家屋に係る敷地権の割合　14,000分の100

## 解　答

(1) 一室の区分所有権の評価額

①　評価乖離率

Ａ：15年×△0. 033＝△0. 495

Ｂ：25階÷33＝0. 757（小数点以下第４位切捨て）

0. 757×0. 239＝0. 180（小数点以下第４位切捨て）

Ｃ：11階×0. 018＝0. 198

Ｄ：$1,500㎡\times\dfrac{100}{14,000}$＝10. 72㎡（小数点以下第３位切上げ）

10. 72㎡÷55. 80㎡＝0. 193（小数点以下第４位切上げ）

0. 193×△1. 195＝△0. 231（小数点以下第４位切上げ）

∴　△0. 495＋0. 180＋0. 198＋△0. 231＋3. 220＝2. 872

②　評価水準及び区分所有補正率

１÷2. 872＝0. 348189415…＜0. 6

∴　区分所有補正率　2. 872×0. 6＝1. 7232

③　一室の区分所有権の価額

40, 000, 000円×1. 0×1. 7232＝68, 928, 000円

(2) 一室の区分所有権に係る敷地利用権の価額

$350,000,000円\times\dfrac{100}{14,000}\times1.7232$＝4, 308, 000円

（参考）小規模宅地等の特例による減額金額

$4,308,000円\times\dfrac{10.72㎡}{10.72㎡}\times\dfrac{80}{100}$＝3, 446, 400円

## 解答への道

令和６年１月１日以降の相続、遺贈又は贈与により取得した分譲マンションで一定のものについては、課税の公平の観点から、戸建て住宅の乖離率と同水準で評価を行うために、「区分所有補正率」を用いて評価することとなった。

(1) 区分所有補正率を用いる場合及び評価方法

①　区分所有補正率を用いる場合

| | **区分所有補正率** |
|---|---|
| 評価水準＜0. 6 | 評価乖離率×0. 6 |
| 0. 6≦評価水準≦１ | 補正なし |
| １＜評価水準 | 評価乖離率 |

つまり、評価水準が**0. 6未満**の場合と**１超**の場合に区分所有補正率による補正が必要となる。

② 評価方法

イ 一室の区分所有権等に係る区分所有権（家屋部分）の自用家屋としての価額

| 固定資産税評価額×1.0×**区分所有補正率** |
|---|

ロ 一室の区分所有権等に係る敷地利用権（土地部分）の自用地としての価額

| | |
|---|---|
| 路線価方式による評価額<br>又は<br>倍率方式による評価額 | ×敷地権の割合（共有持分の割合）×**区分所有補正率** |

（注１）一室の区分所有権等とは、一棟の区分所有建物に存する居住の用に供する専有部分（※）一室に係る区分所有権（家屋部分）及び敷地利用権（土地部分）をいう。

（注２）一棟の区分所有建物とは、区分所有者が存する家屋で、居住の用に供する専有部分（※）のあるものをいう。

※ 居住の用に供する専有部分とは、一室の専有部分について、構造上、主として居住の用途に供することができるものをいい、原則として、登記簿上の種類に「居宅」を含むものが該当する。

**《適用がない場合》**

① 構造上、主として居住の用途に供することができないもの（事業用のテナント物件など）

② 区分建物の登記がされていないもの（一棟所有の賃貸マンションなど）

③ 地階（登記簿上「地下」と記載されているもの）を除く総階数が２以下のもの

④ 一棟の区分所有建物に存する居住の用に供する専有部分一室の数が３以下であって、その全てを区分所有者又はその親族の居住の用に供するもの（二世帯住宅など）

⑤ たな卸商品等に該当するもの

(2) 評価乖離率及び評価水準

① 評価乖離率

| Ａ＋Ｂ＋Ｃ＋Ｄ＋3.220 |
|---|

《記号の意味》

Ａ：一棟の区分所有建物の築年数[※1]×△0.033

※１ 建築の時から課税時期までの期間（１年未満の端数は１年とする）

Ｂ：一棟の区分所有建物の総階数指数[※2]×0.239（小数点以下第４位切捨て）

※２ 総階数（地階を除く）を33で除した値（小数点以下第４位切捨て、１を超える場合は１）

Ｃ：一室の区分所有権等に係る専有部分の所在階[※3]×0.018

※３ 専有部分が複数階にまたがる場合には低い方の階とする。なお、地階の場合には

第８章 家屋の利用状況に応じた宅地等及び家屋並びに配偶者居住権等の評価

零階とし、Cは0となる。

D：一室の区分所有権等に係る敷地持分狭小度※4×△1.195（小数点以下第4位切上げ）

※4　$\dfrac{\text{一室の区分所有権等に係る敷地利用権の面積※5}}{\text{一室の区分所有権等に係る専有部分の床面積}}$（小数点以下第4位切上げ）

※5　一室の区分所有権等に係る敷地利用権の面積（小数点以下第3位切上げ）＝一棟の区分所有建物の敷地の面積×敷地権の割合（共有持分の割合）

（注）評価乖離率が零又は負数の場合には、区分所有権及び敷地利用権の価額は零とする。

② 評価水準

| 1÷評価乖離率 |
|---|

## 問題6　配偶者居住権等の評価　－その1－

重要度　A

＜設例1＞

**次の〔資料〕に基づいて、配偶者居住権、建物所有権、敷地利用権及び敷地所有権の相続税評価額を求めなさい。**

〔資　料〕

令和7年4月2日に死亡した被相続人甲の相続について、同年10月17日における分割協議の結果、以下の条件で配偶者居住権等が設定され、それぞれ取得した。なお、子Aは取得した宅地の所有権を相続税の申告期限まで所有し、その宅地の上に存する家屋に居住している。

建物：相続税評価額18,000,000円（木造、平成30年6月10日建築）

宅地：相続税評価額40,000,000円（150㎡）（上記建物の敷地の用に供されている）

配偶者乙：女性、昭和31年8月10日生

存続年数：配偶者乙の終身

所有権：建物及び宅地の所有権は被相続人甲及び配偶者乙と同居していた子Aが取得

（参考）

木造建物の法定耐用年数：22年

平均余命年数（女性）：69歳……21.32年
70歳……20.45年
71歳……19.59年
72歳……18.73年

法定利率による複利現価率：19年……0.570
20年……0.554

21年……0.538

22年……0.522

**＜設例２＞**

**＜設例１＞において小規模宅地等の特例を考慮した場合の敷地利用権及び敷地所有権の課税価格算入額を答えなさい。**

## 解　答

**＜設例１＞**

① 配偶者居住権の価額（配偶者乙が取得）

$$18,000,000円 - 18,000,000円 \times \frac{\overset{*1}{33年} - \overset{*2}{7年} - \overset{*3}{21年}}{\underset{*1}{33年} - \underset{*2}{7年}} \times \overset{*4}{0.538} = 16,137,692円$$

（円未満四捨五入）

＊１　22年×1.5＝33年

＊２　H30.6.10～R7.10.17 →７年４月　∴ ７年（６月未満切捨）

＊３　S31.8.10～R7.10.17 →69歳２月

∴ 69歳（満年齢）…21.32年→21年（６月未満切捨）

＊４　21年…0.538

② 建物の所有権の価額（子Ａが取得）

18,000,000円－①＝1,862,308円

③ 敷地利用権の価額（配偶者乙が取得）

40,000,000円－40,000,000円×0.538＝18,480,000円

④ 敷地の所有権の価額（子Ａが取得）

40,000,000円－③＝21,520,000円

**＜設例２＞**

① 小規模宅地等の特例（減額金額）

乙　$18,480,000円 \times \frac{\overset{*1}{69.3㎡}}{69.3㎡} \times \frac{80}{100} = 14,784,000円$

＊１　$150㎡ \times \frac{18,480,000円}{18,480,000円 + 21,520,000円} = 69.3㎡$

Ａ　$21,520,000円 \times \frac{\overset{*2}{80.7㎡}}{80.7㎡} \times \frac{80}{100} = 17,216,000円$

＊２　$150㎡ \times \frac{21,520,000円}{18,480,000円 + 21,520,000円} = 80.7㎡$

② 課税価格算入額

乙 18,480,000円－14,784,000円＝3,696,000円

A 21,520,000円－17,216,000円＝4,304,000円

## 解答への道

民法の改正では、被相続人死亡後の配偶者の居住場所を確保しつつ、その後の生活費となる被相続人の他の遺産も取得できるようにとの配慮から配偶者居住権が新たに創設され、これに伴い相続税法において以下の配偶者居住権等の評価の規定が設けられた。

**《公式》 配偶者居住権等の評価**

① 配偶者居住権の価額は、次のイからロを控除した残額とする。

イ その配偶者居住権の目的となっている建物の相続開始の時におけるその配偶者居住権が設定されていないものとした場合の時価

ロ 次の算式で算出した金額

$$イ\times\frac{耐用年数-経過年数-存続年数}{耐用年数-経過年数}\times\begin{array}{l}存続年数に応じた法定利率\\による複利現価率\end{array}$$

② 配偶者居住権の目的となっている建物の価額は、その建物の相続開始の時におけるその配偶者居住権が設定されていないものとした場合の時価から①の価額を控除した残額とする。

③ 配偶者居住権の目的となっている建物の敷地の用に供される土地をその配偶者居住権に基づき使用する権利の価額は、次のイからロを控除した残額とする。

イ その土地の相続開始の時におけるその配偶者居住権が設定されていないものとした場合の時価

ロ イ×存続年数に応じた法定利率による複利現価率

④ 配偶者居住権の目的となっている建物の敷地の用に供される土地の価額は、その土地の相続開始の時におけるその配偶者居住権が設定されていないものとした場合の時価から③の価額を控除した残額とする。

配偶者居住権は建物についての権利であるため、配偶者居住権自体が小規模宅地等の特例の対象になることはない。

他方、配偶者居住権の目的となっている建物の土地（敷地利用権及び敷地所有権）については「土地の上に存する権利」に該当するため、要件を満たせば小規模宅地等の特例の対象となる。

なお、この場合において敷地利用権及び敷地所有権に係る地積は、土地の地積を敷地利用権と

敷地所有権の価額の比率によりあん分する。

《図　解》

土地の相続税評価額：60,000,000円　面積300㎡

子が土地・建物を相続、配偶者が配偶者居住権を取得

建物に配偶者と子が居住

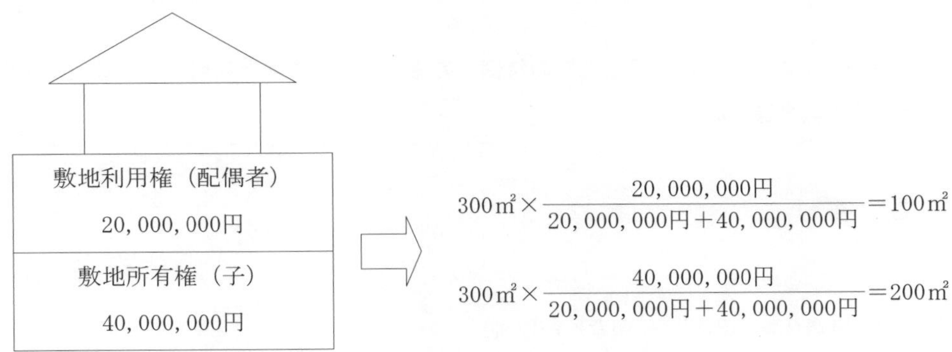


配偶者居住権等は、当然に発生するものではなく、配偶者が被相続人の財産に属した建物に相続開始時に居住していた場合において、遺贈又は分割協議あるいは裁判所による審判によって認められる。

したがって、問題文に配偶者居住権を取得する旨等が示された場合に限り計算等を行うものと考えられる。

## 問題７　配偶者居住権等の評価　－その２－

| 重要度 | A |
|---|---|

＜設例１＞

**次の資料に基づいて、配偶者居住権の価額、建物所有権の価額、敷地利用権の価額及び敷地所有権の価額を求めなさい。**

〔資　料〕

令和７年６月５日に死亡した被相続人甲の相続について、同年11月３日における分割協議の結果、以下の条件で配偶者居住権等が設定され、それぞれ取得した。なお、子Aは取得した宅地の所有権を相続税の申告期限まで所有している。

建物：相続税評価額10,000,000円（木造、平成13年８月15日建築）

宅地：相続税評価額12,000,000円（140㎡）（上記建物の敷地の用に供されている）

配偶者乙：男性、昭和26年１月１日生

存続年数：10年間

所有権：建物及び宅地の所有権は被相続人甲及び配偶者乙と別に居住していた子Aが取得

（参考）

木造建物の法定耐用年数：22年

平均余命年数（男性）：74歳……13.23年

75歳……12.54年

法定利率による複利現価率：10年……0.744

11年……0.722

**＜設例２＞**

**＜設例１＞において小規模宅地等の特例を考慮した場合の敷地利用権及び敷地所有権の課税価格算入額を答えなさい。**

## 解　答

**＜設例１＞**

① 配偶者居住権の価額（配偶者乙が取得）

10,000,000円－10,000,000円×0（＊1）×0.744（＊5）＝10,000,000円

＊１ $\dfrac{33年^{*2}-24年^{*3}-10年^{*4}}{33年^{*2}-24年^{*3}}$ ∴ 分子が０以下のため０

＊２ 22年×1.5＝33年

＊３ H13.8.15～R7.11.3 →24年２月 ∴ 24年（６月未満切捨）

＊４ S26.1.1～R7.11.3 →74歳10月 ∴ 74歳（満年齢）…13.23年→13年（６月未満切捨）

13年＞10年 ∴ 10年

＊５ 10年…0.744

② 建物の所有権の価額（子Ａが取得）

10,000,000円－①＝０円

③ 敷地利用権の価額（配偶者乙が取得）

12,000,000円－12,000,000円×0.744＝3,072,000円

④ 敷地の所有権の価額（子Ａが取得）

12,000,000円－③＝8,928,000円

**＜設例２＞**

① 小規模宅地等の特例（減額金額）

乙 $3,072,000円\times\dfrac{35.84㎡^{*}}{35.84㎡}\times\dfrac{80}{100}=2,457,600円$

＊ $140㎡\times\dfrac{3,072,000円}{3,072,000円+8,928,000円}=35.84㎡$

② 課税価格算入額

乙 3,072,000円－2,457,600円＝614,400円

A 8,928,000円

## 解答への道

子Aは非同居親族であるため、小規模宅地等の特例の適用はない。

MEMO

# 第9章

# 農地及び農地の上に存する権利

| | 重要度 |
|---|---|
| 問題１　自用農地 | A |
| 問題２　生産緑地 | C |

## 問題1 自用農地

重要度 A

次の各設例の場合における農地の相続税評価額を求めなさい。

＜設例１＞

純農地

固定資産税評価額　250千円　登記簿上の地積　1,200㎡

倍　率　30倍　実際の地積　1,236㎡

近隣の売買実例から推定した価額　73,000千円

＜設例２＞

中間農地

固定資産税評価額　210千円　倍　率　48倍

固定資産税課税標準額　53千円　地　積　700㎡

＜設例３＞

市街地周辺農地

固定資産税評価額　1,595千円

この農地が宅地であるとした場合の１㎡当たりの価額　83千円

この農地を宅地に転用する場合において通常必要と認められる１㎡当たりの造成費８千円

地　積　1,450㎡

＜設例４＞

市街地農地

固定資産税評価額　845千円

この農地が宅地であるとした場合の１㎡当たりの価額　90千円

この農地を宅地に転用する場合において通常必要と認められる１㎡当たりの造成費７千円

地　積　650㎡

＜設例５＞

市街地周辺農地

固定資産税評価額　2,250千円

付近にある宅地の１㎡当たりの価額　15千円

付近にある宅地と比較した場合におけるこの農地の較差割合　0.8

この農地を宅地に転用する場合において通常必要と認められる１㎡当たりの造成費４千円

地　積　1,500㎡

＜設例６＞

市街地農地

固定資産税評価額　　10,920千円

付近にある宅地の１㎡当たりの価額　　20千円

付近にある宅地と比較した場合におけるこの農地の較差割合　　1.2

この農地を宅地に転用する場合において通常必要と認められる１㎡当たりの造成費３千円

地　積　　1,300㎡

＜設例７＞

市街地農地

固定資産税評価額　　84,280千円

地　積　　980㎡

この農地を宅地に転用する場合において通常必要と認められる１㎡当たりの造成費48千円

付近にある宅地に関する資料

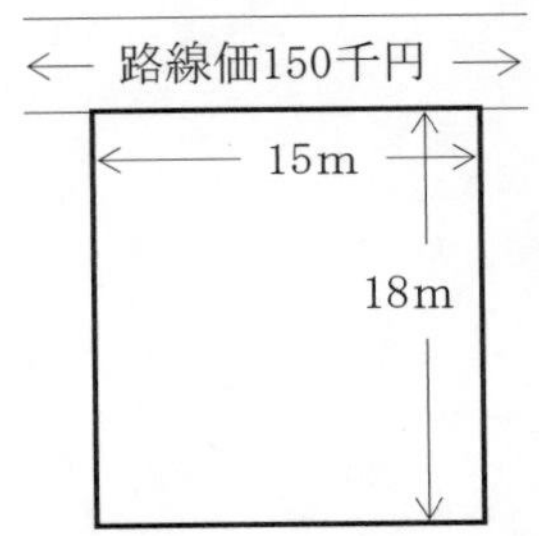


１　普通住宅地区所在

２　奥行価格補正率

18m……1.00

＜設例８＞

この農地は、宅地への転用が見込める市街地農地であり、宅地に転用するとした場合には地盤改良等が必要である。

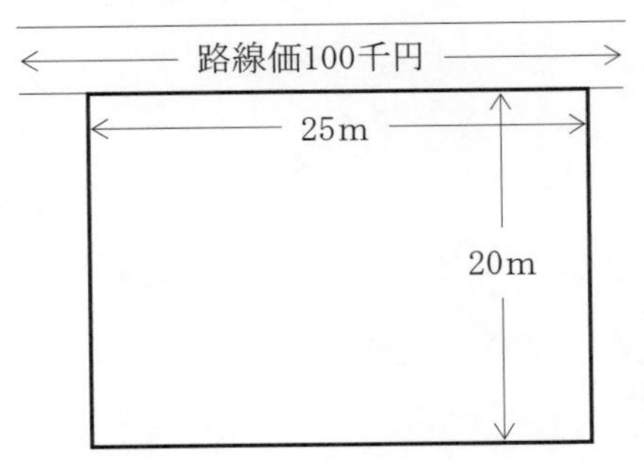


１　普通住宅地区所在

２　奥行価格補正率　1.00

３　造成費用

整地費用（全面）　　400円（１㎡当たり）

地盤改良費（全面）　　1,300円（１㎡当たり）

土盛費（平均の高さ0.5m）（全面）

3,800円（１㎥当たり）

土止費（擁壁面の長さ65m、平均の高さ0.5m）

20,000円（１㎡当たり）

## 解　答

**＜設例１＞**

$$250\text{千円}\times\frac{1,236\text{㎡}}{1,200\text{㎡}}\times 30=7,725\text{千円}$$

**＜設例２＞**

210千円×48＝10,080千円

**＜設例３＞**

$$(83\text{千円}-8\text{千円})\times 1,450\text{㎡}\times\frac{80}{100}=87,000\text{千円}$$

**＜設例４＞**

(90千円－７千円)×650㎡＝53,950千円

**＜設例５＞**

$$(15\text{千円}\times 0.8-4\text{千円})\times 1,500\text{㎡}\times\frac{80}{100}=9,600\text{千円}$$

**＜設例６＞**

(20千円×1.2－３千円)×1,300㎡＝27,300千円

**＜設例７＞**

(150千円×1.00－48千円)×980㎡＝99,960千円

**＜設例８＞**

(100千円×1.00－4.9千円*)×20m×25m＝47,550千円

＊①　20m×25m×400円＝200千円

②　20m×25m×1,300円＝650千円

③　20m×25m×0.5m×3,800円＝950千円

④　65m×0.5m×20,000円＝650千円

⑤　$\frac{①+②+③+④}{20\text{m}\times 25\text{m}}=4.9\text{千円}$

## 解答への道

**＜設例１＞**

**《公式》　純農地**（評通37）

倍率方式

| 固定資産税評価額×倍率 |
|---|

登記簿上の地積と実際の地積とが異なるため、その修正が必要となる。

＜設例２＞

《公式》　**中間農地**（評通38）

倍率方式

| 固定資産税評価額×倍率 |
|---|

計算上用いる資料は、固定資産税評価額であり、固定資産税課税標準額ではない。

＜設例３＞

《公式》　**市街地周辺農地**（評通39）

| その農地が市街地農地であるとした場合の価額×地積×$\frac{80}{100}$ |
|---|

＜設例４＞

《公式》　**市街地農地**（評通40）

(1)と(2)のうち、いずれかの方式により評価する。

(1)　宅地比準方式

| （その農地が宅地であるとした場合の１㎡当たりの価額 －１㎡当たりの造成費）×地積 |
|---|

(2)　倍率方式

| 固定資産税評価額×倍率 |
|---|

＜設例５、６＞

宅地比準方式を適用する場合のその農地が宅地であるとした場合の１㎡当たりの価額とは、下記の算式により計算した金額をいう。

＜算　式＞

比準宅地の１㎡当たりの価額×較差割合*

＊　較差割合とは農地とその付近にある宅地との位置、形状等の条件の差を考慮して定められた割合をいう。

＜設例７＞

付近にある宅地の１㎡当たりの価額とは、付近にある宅地について路線価方式又は倍率方式によって評価した金額である。

＜設例８＞

１㎡当たりの造成費は、その農地を宅地に転用するに際して必要な費用の額の合計額であり、次の算式により計算する。

①　造成費の額の合計額

地積×整地費用＋地積×地盤改良費＋地積×土盛の高さ×土盛費

＋擁壁面の長さ×高さ×土止費

②　１㎡当たりの造成費

①÷地積

## 問題２　生産緑地

重要度　C

**次の各設例の場合における生産緑地として指定を受けている農地の相続税評価額を求めなさい。**

**<設例１>**

中間農地

| | |
|---|---|
| 固定資産税評価額 | 78千円 |
| 倍　率 | 50倍 |
| 地　積 | 700㎡ |

この農地は、生産緑地として指定を受けているもので、18年を経過しないと市町村長に対し買取りの申出をすることができないものである。

| 課税時期から買取りの申出をすることができることとなる日までの期間 | 割　合 |
|---|---|
| ５年以下のもの | 100分の10 |
| ５年を超え10年以下のもの | 100分の15 |
| 10年を超え15年以下のもの | 100分の20 |
| 15年を超え20年以下のもの | 100分の25 |
| 20年を超え25年以下のもの | 100分の30 |
| 25年を超え30年以下のもの | 100分の35 |

**<設例２>**

中間農地

| | |
|---|---|
| 固定資産税評価額 | 100千円 |
| 倍　率 | 43倍 |
| 地　積 | 600㎡ |

この農地は、生産緑地として指定を受けているもので、課税時期現在において、市町村長に対し買取りの申出が行われているものである。

## 解　答

＜設例１＞

$$78\text{千円}\times 50\times\left(1-\frac{25}{100}\right)=2,925\text{千円}$$

＜設例２＞

$$100\text{千円}\times 43\times\left(1-\frac{5}{100}\right)=4,085\text{千円}$$

## 解答への道

＜設例１＞

《公式》　課税時期において市町村長に対し買取りの申出をすることができない生産緑地

（評通40－３(1)）

| 農地の自用地評価額×（１－課税時期から買取りの申出をすることができることとなる日までの期間に応じた割合） |
|---|

＜設例２＞

《公式》　課税時期において市町村長に対し買取りの申出が行われていた生産緑地又は買取りの申出をすることができる生産緑地（評通40－３(2)）

| 農地の自用地評価額×$\left(1-\frac{5}{100}\right)$ |
|---|

MEMO

# 第10章

# 山林及び山林の上に存する権利

| | | 重要度 |
|---|---|---|
| 問題１ | 自用山林 | A |
| 問題２ | 保安林等及び公益的機能別施業森林区域内の山林 | C |

## 問題 1　自用山林

重要度　A

次の各設例の場合における山林の相続税評価額を求めなさい。

＜設例１＞

純山林

固定資産税評価額　225千円　　倍　率　8.4倍

固定資産税課税標準額　86千円　　地　積　1,750㎡

＜設例２＞

中間山林

固定資産税評価額　270千円　　固定資産課税台帳上の地積　1,800㎡

倍　率　4.0倍　　実際の地積　1,850㎡

＜設例３＞

市街地山林

この山林が宅地であるとした場合の１㎡当たりの価額　30千円

この山林を宅地に転用する場合において通常必要と認められる１㎡当たりの造成費６千円

地　積　660㎡

＜設例４＞

市街地山林

付近にある宅地の１㎡当たりの価額　45千円

付近にある宅地と比較した場合におけるこの山林の較差割合　0.9

この山林を宅地に転用する場合において通常必要と認められる１㎡当たりの造成費７千円

地　積　780㎡

＜設例５＞

市街地山林

固定資産税評価額　68,000千円

地　積　820㎡

この山林を宅地に転用する場合において通常必要と認められる１㎡当たりの造成費28千円

付近にある宅地に関する資料

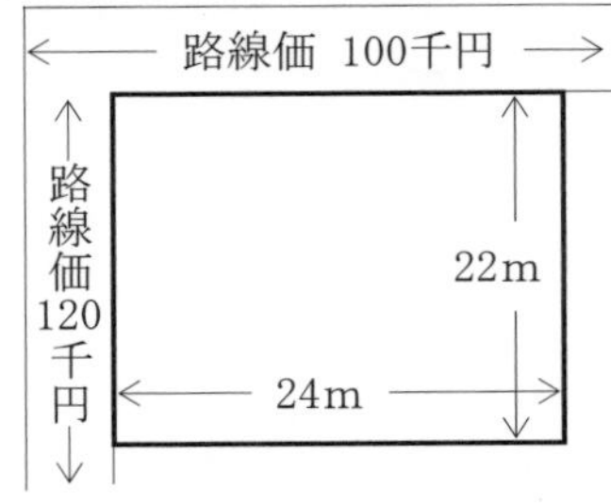


1　普通商業・併用住宅地区所在

2　奥行価格補正率

12m以上32m未満……1.00

3　側方路線影響加算率

角　地……0.08

準角地……0.04

## 解　答

＜設例１＞

225千円×8.4＝1,890千円

＜設例２＞

$$270千円 \times \frac{1,850㎡}{1,800㎡} \times 4.0 = 1,110千円$$

＜設例３＞

(30千円－６千円)×660㎡＝15,840千円

＜設例４＞

(45千円×0.9－７千円)×780㎡＝26,130千円

＜設例５＞

(1)　120千円×1.00＋100千円×1.00×0.04＝124千円

(2)　(124千円－28千円)×820㎡＝78,720千円

## 解答への道

＜設例１＞

《公式》　**純山林**（評通47）

倍率方式

| 固定資産税評価額×倍率 |
|---|

地積 1,750㎡の固定資産税評価額が 225千円であり、１㎡当たりの評価額ではないことに留意すること。

＜設例２＞

《公式》　**中間山林**（評通48）

倍率方式

| 固定資産税評価額×倍率 |
|---|

固定資産課税台帳上の地積と実際の地積が異なる場合には、実際の地積に対応した評価額に修正しなければならない。

＜設例３＞

《公式》　**市街地山林**（評通49）

(1)と(2)のうち、いずれかの方式により評価する。

(1)　宅地比準方式

| (その山林が宅地であるとした場合の１㎡当たりの価額 －１㎡当たりの造成費)×地積 |
|---|

第10章 山林及び山林の上に存する権利

(2) 倍率方式

| 固定資産税評価額×倍率 |
|---|

倍率方式の適用をするために必要な要素が資料中に与えられていないため倍率方式では計算できず、宅地比準方式で評価することとなる。

＜設例４＞

宅地比準方式を適用する場合のその山林が宅地であるとした場合の１㎡当たりの価額とは、下記の算式により計算した金額をいう。

＜算　式＞

比準宅地の１㎡当たりの価額×較差割合*

＊　較差割合とは山林とその付近にある宅地との位置、形状等の条件の差を考慮して定められた割合をいう。

＜設例５＞

付近にある宅地の１㎡当たりの価額とは、付近にある宅地について路線価方式又は倍率方式によって評価した金額である。

## 問　題　２　保安林等及び公益的機能別施業森林区域内の山林

| 重 要 度 | C |
|---|---|

次の各設例の場合における山林の相続税評価額を求めなさい。

＜設例１＞

純山林　4,000㎡

自用地評価額　　　21,600千円

この山林上の立木に関しては森林法の規定に基づき伐採について制限を受けている。

伐採関係の区分は択伐であり、控除割合は0.5である。

＜設例２＞

市街地山林　2,000㎡

この山林が宅地であるとした場合の１㎡当たりの価額　　　60千円

この山林を宅地に転用する場合において通常必要と認められる１㎡当たりの造成費10千円

この山林上の立木に関しては森林法の規定に基づき伐採について制限を受けている。

伐採関係の区分は禁伐であり、控除割合は0.8である。

＜設例３＞

市街地山林　3,000㎡

この山林が宅地であるとした場合の１㎡当たりの価額　　　40千円

この山林を宅地に転用する場合において通常必要と認められる１㎡当たりの造成費　８千円

この山林は、長男Ａが被相続人甲から相続により取得したもので、森林法の規定による市町村長の認定を受けた森林施業計画が定められていた区域内に存する山林のうち公益的機能別施業森林区域内にあるものに該当し、その控除割合は0.2である。

＜設例４＞

中間山林　5,000㎡

自用地評価額　45,000千円

この山林は、配偶者乙が被相続人甲から相続により取得したもので、森林法の規定による市町村長の認定を受けた森林施業計画が定められていた区域内に存する山林のうち公益的機能別施業森林区域内にあるものに該当し、その控除割合は0.4である。なお、この山林に生立する立木に関しては森林法の規定に基づき伐採について制限を受けている。伐採関係の区分は一部皆伐であり、控除割合は0.3である。

＜設例５＞

中間山林　4,000㎡

自用地評価額　35,000千円

この山林は特別緑地保全地区内にあるものである。

## 解　答

＜設例１＞

21,600千円×（１－0.5）＝10,800千円

＜設例２＞

(60千円－10千円)×2,000㎡×（１－0.8）＝20,000千円

＜設例３＞

(40千円－８千円)×3,000㎡×（１－0.2）＝76,800千円

＜設例４＞

45,000千円×（１－0.4*）＝27,000千円

＊　0.4>0.3　∴　0.4

＜設例５＞

$$35{,}000\text{千円}\times\left(1-\frac{80}{100}\right)=7{,}000\text{千円}$$

第10章　山林及び山林の上に存する権利

## 解答への道

＜設例１、２＞

**《公式》　保安林等の山林**（評通50）

| 山林の自用地評価額×（１－控除割合） |
|---|

森林法等の規定に基づき土地の利用又は立木の伐採について制限を受けている山林の価額は通常の山林の評価額を求めた後に、（１－控除割合）を乗じて評価する。なお、保安林に関して固定資産税は非課税とされているが、相続税法では課税される。

＜設例３＞

**《公式》　公益的機能別施業森林区域内の山林**

| 山林の自用地評価額×（１－控除割合） |
|---|

森林法の規定による市町村長の認定を受けた森林施業計画が定められていた区域内に存する山林のうち公益的機能別施業森林区域内にあるものの価額は、その山林の自用地価額を求めた後に、（１－控除割合）を乗じて評価する。

＜設例４＞

公益的機能別施業森林区域内の山林として、上記設例３《公式》により評価する山林が、森林法その他の法令の規定に基づき土地の利用又は立木の伐採について制限を受けている場合には、その山林については、次のように評価する。

**《公式》　保安林等の山林と公益的機能別施業森林区域内の山林の両方に該当する場合**

| 山林の自用地評価額×（１－ 保安林等についての控除割合と公益的機能別施業森林区域内の山林についての控除割合のうちいずれか大きい方の割合） |
|---|

＜設例５＞

**《公式》　特別緑地保全地区内にある山林**（評通50－２）

| 山林の自用地評価額×$\left(1-\frac{80}{100}\right)$ |
|---|

# 第11章

# 立　竹　木

## 問　題　1　立竹木

重要度　A

次の各設例の場合における立木の相続税評価額を求めなさい。なお、法第26条（立木の評価）については考慮しなくてよい。

＜設例１＞

立木（森林の主要樹種である杉）

| | | | |
|---|---|---|---|
| 標準価額 | 1,450千円 | 地利級割合 | 0.9 |
| 地味級割合 | 1.0 | 立木の存する山林の地積 | 20ヘクタール |
| 立木度割合 | 1.0 | | |

＜設例２＞

ひのき

| | | | |
|---|---|---|---|
| 標準価額 | 550千円 | 地利級割合 | 1.1 |
| 地味級割合 | 1.3 | 総合等級割合 | 1.14 |
| 立木度割合 | 0.8 | 立木の存する山林の地積 | 30ヘクタール |

＜設例３＞

庭園にある立木

| | |
|---|---|
| 調達価額 | 1,700千円 |
| 取得価額 | 1,400千円 |

## 解　答

＜設例１＞

1,450千円×1.0×1.0×0.9×20ha＝26,100千円

＜設例２＞

550千円×1.14×30ha＝18,810千円

＜設例３＞

1,700千円×$\frac{70}{100}$＝1,190千円（庭園設備として評価する。）

## 解答への道

＜設例１＞

**《公式》　森林の主要樹種の立木**（評通113）

| 標準価額×地味級割合×立木度割合×地利級割合×地積 |
|---|

※　標準価額（評通115）

樹種別の１ヘクタール当たりの価額とする。

＜設例２＞

《公式》　**森林の主要樹種の立木**（総合等級が示されている場合）

| 標準価額×総合等級割合×地積 |
|---|

総合等級が示されている場合には、「地味級割合×立木度割合×地利級割合」の代わりに、「総合等級割合」を用いることに注意する。

＜設例３＞

《公式》　**庭園にある立木及び立竹**（評通125）

| 庭園設備として一括評価 |
|---|

庭木は庭園設備に含まれ、庭園設備と一括して調達価額×$\frac{70}{100}$で評価される。（評通92(3)）

## 問題２　保安林及び公益的機能別施業森林区域内の立木　重要度 C

**次の各設例の場合における山林及び立木の相続税評価額を求めなさい。なお、法第26条（立木の評価）については考慮しなくてよい。**

＜設例１＞

立　木

| | |
|---|---|
| 標準価額 | 2,400千円 |
| 総合等級割合 | 1.04 |
| 立木の存する山林の地積 | 60ha |

この立木に関しては森林法の規定に基づき伐採について制限を受けている。

伐採関係の区分は一部皆伐であり、控除割合は0.3である。

＜設例２＞

(1)　山林（純山林）

| | |
|---|---|
| 自用地評価額 | 3,000千円 |
| 地　積 | 8ha |

(2)　立　木

(1)の山林に生立するものである。

| | |
|---|---|
| 標準価額 | 880千円 |
| 総合等級割合 | 1.17 |

この立木に関しては森林法で伐採が禁止されている。

伐採関係の区分は禁伐であり、控除割合は0.8である。

<設例３>

立　木

標準価額　1,000千円

総合等級割合　0.85

立木の存する山林の地積　20ha

この立木は、長女Ａが被相続人甲から相続により取得したもので、森林法の規定による市町村長の認定を受けた森林施業計画が定められていた区域内に存する立木のうち公益的機能別施業森林区域内にあるものに該当し、その控除割合は0.2である。

<設例４>

立　木

標準価額　1,420千円

総合等級割合　1.30

立木の存する山林の地積　10ha

この立木は、長女Ａが被相続人甲から相続により取得したもので、森林法の規定による市町村長の認定を受けた森林施業計画が定められていた区域内に存する立木のうち公益的機能別施業森林区域内にあるものに該当し、その控除割合は0.4である。なお、この立木は、森林法の規定に基づき伐採について制限を受けている。伐採関係の区分は択伐であり、控除割合は0.5である。

<設例５>

立　木

標準価額　1,100千円

総合等級割合　1.04

立木の存する山林の地積　30ha

この立木は、特別緑地保全地区内にあるものである。

## 解　答

<設例１>

2,400千円×1.04×60ha×(１－0.3)＝104,832千円

<設例２>

(1) 山　林

3,000千円×(１－0.8)＝600千円

(2) 立　木

880千円×1.17×８ha×(１－0.8)＝1,647.36千円

<設例３>

1,000千円×0.85×20ha×(１－0.2)＝13,600千円

＜設例４＞

1,420千円×1.30×10ha×（１－0.5*）＝9,230千円

＊　0.4＜0.5　　∴　0.5

＜設例５＞

$$1{,}100千円 \times 1.04 \times 30ha \times \left(1-\frac{80}{100}\right)=6{,}864千円$$



**解答への道**

＜設例１＞

**《公式》　保安林等の立木**（評通123）

| 立木の評価額×（１－控除割合） |
|---|

＜設例２＞

保安林として指定を受けている場合には立木のみならず、その生立する山林にも影響を及ぼすことに留意すること。（評通50）

＜設例３＞

**《公式》　公益的機能別施業森林区域内の立木**

| 立木の評価額×（１－控除割合） |
|---|

森林法の規定による市町村長の認定を受けた森林施業計画が定められていた区域内に存する立木のうち公益的機能別施業森林区域内にあるものの価額は、その立木について伐採の制限がないものとした場合の価額を求めた後に、（１－控除割合）を乗じて評価する。

＜設例４＞

公益的機能別施業森林区域内の立木として、上記設例３《公式》により評価する立木が、森林法その他の法令の規定に基づき立木の伐採について制限を受けている場合には、その立木については、次のように評価する。

**《公式》保安林等の立木と公益的機能別施業森林区域内の立木の両方に該当する場合**

| 立木の評価額×（１－保安林等についての控除割合と公益的機能別施業森林区域内の立木についての控除割合のうちいずれか大きい方の割合） |
|---|

＜設例５＞

**《公式》　特別緑地保全地区内にある立木**（評通123－２）

| $立木の評価額 \times \left(1-\frac{80}{100}\right)$ |
|---|

## 問題 3　立木の相続税の課税価格に算入すべき価額

| 重要度 | A |
|---|---|

**次の〔資料〕に基づいて、各人の課税価格に算入すべき価額を求めなさい。**

**〔資　料〕**

1　被相続人甲の相続人等は、次のとおりである。

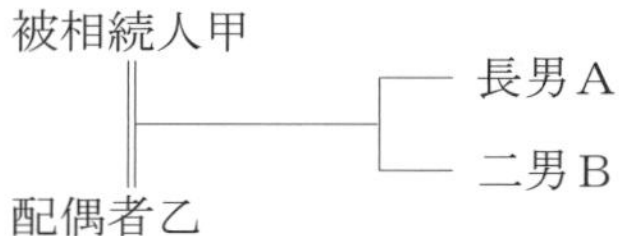


（注）二男Bは、被相続人甲の相続に関して適法に相続の放棄をした。

2　遺言書の内容は次のとおりである。なお、遺言書の内容について相続人等間に異議はない。

(1)　配偶者乙に対する遺贈

①　山林（純山林）　　2 ha

自用地評価額　　16,800千円

②　立　木

標準価額　　1,450千円

総合等級割合　　1.20

この立木に関しては、森林法の規定に基づき伐採について制限を受けている。なお、伐採関係の区分は一部皆伐であり、控除割合は0.3である。

(2)　二男Bに対する遺贈

①　山林（市街地山林）　　0.1ha

固定資産税評価額　　11,500千円

付近にある宅地の1㎡当たりの価額　　70千円

山林から宅地に転用するための1㎡当たりの造成費　　25千円

②　立　木

| 標準価額 | 3,470千円 | 立木度割合 | 1.0 |
|---|---|---|---|
| 地味級割合 | 1.3 | 地利級割合 | 0.9 |

(3)　父Rに対して4分の1の包括遺贈をする。

3　上記の他に遺産が時価総額120,000千円（立木10,000千円を含む。）あるが、この遺産の取得については、遺産の4分の1（立木5,000千円を含む。）を父Rが取得し、残りを長男Aが取得した。

## 解　答

配偶者乙

山　林　16,800千円×(1－0.3)＝11,760千円

立　木　1,450千円×1.20×2ha×(1－0.3)×$\frac{85}{100}$＝2,070.6千円

二男B

山　林　(70千円－25千円)×1,000㎡*＝45,000千円

＊　0.1ha＝10,000㎡×0.1＝1,000㎡

立　木　3,470千円×1.3×1.0×0.9×0.1ha＝405.99千円

父　R

包括遺贈財産　120,000千円×$\frac{1}{4}$－5,000千円＋5,000千円×$\frac{85}{100}$＝29,250千円

長男A

分割財産　120,000千円×$\frac{3}{4}$－5,000千円＋5,000千円×$\frac{85}{100}$＝89,250千円

## 解答への道

相続人が相続又は遺贈、相続人以外の者が包括遺贈により取得した立木についての相続税の課税価格に算入すべき価額は、立木の時価（相続税評価額）×$\frac{85}{100}$である。(法26)

MEMO

# 第12章

# 動　　産

| | 重要度 |
|---|---|
| 問題１　一般動産 | A |
| 問題２　償却費の計算方法 | C |
| 問題３　たな卸商品 | A |
| 問題４　書画、骨とう品 | B |

## 問題 1　一般動産

重要度　A

次の各設例の場合における動産の相続税評価額を求めなさい。

＜設例１＞

機械装置

取得価額　　6,500千円

売買実例価額　5,800千円

同種及び同規格の新品の課税時期における小売価額　7,200千円

製造の時から課税時期までの定額法による償却費の額の合計額　1,800千円

製造の時から課税時期までの定率法による償却費の額の合計額　2,500千円

＜設例２＞

車輌運搬具

取得価額　　2,380千円

帳簿価額　　1,380千円

同種及び同規格の新品の課税時期における小売価額　2,650千円

製造の時から課税時期までの定額法による償却費の額の合計額　1,000千円

製造の時から課税時期までの定率法による償却費の額の合計額　1,700千円

なお、この車輌運搬具の売買実例価額は明らかでない。また、この車輌運搬具の所有者は所得税の申告につき青色申告書を提出しており、固定資産台帳が整備されている。所得税の申告に当たっては減価償却費の計算を行っており、記載された簿価は適正に計算されたものである。

### 解　答

＜設例１＞

5,800千円

＜設例２＞

2,650千円－1,700千円＝950千円

### 解答への道

＜設例１＞

**《公式》　一般動産の原則**（評通129）

売買実例価額、精通者意見価格等

<設例２>

《公式》　**売買実例価額、精通者意見価格等が明らかでない一般動産**（評通129、130）

| 同種及び同規格の新品の課税時期における小売価額 | － | 製造の時から課税時期までの期間に応ずる定率法による償却費の額の合計額又は減価の額 |
|---|---|---|

## 問題２　償却費の計算方法

| 重要度 | C |
|---|---|

**次の設例の場合における一般動産の相続税評価額を求めなさい。**

<設　例>

一般動産（取得から９年８月経過）

取得価額　20,000千円

同種及び同規格の新品の課税時期における小売価額　26,000千円

耐用年数　30年

経過年数９年の残価率　0.500

経過年数10年の残価率　0.463

### 解　答

<設　例>

26,000千円×0.463＝12,038千円

### 解答への道

《公式》

| 同種及び同規格の新品の課税時期における小売価額 | × | 製造の時から課税時期までの期間（経過年数）に応ずる残価率 |
|---|---|---|

製造の時から課税時期までの期間については、１年未満の端数があるときは、その端数は、１年とする。

※　残価率とは、新品の価額から課税時期までの期間の償却費の額の合計額又は減価の額を控除した価額を求める場合に使用するものである。

第12章　動産

## 問　題　3　たな卸商品

重要度　A

次の各設例の場合におけるたな卸商品の相続税評価額を求めなさい。

<設例１>

商　品

課税時期において販売する場合の価額　　3,800千円

適正利潤の額　　1,390千円

仕入の時から販売するまでに負担すると認められる経費の額　　1,400千円

課税時期後販売するまでに負担すると認められる経費の額　　800千円

納付すべき消費税の額　　190千円

<設例２>

原材料

課税時期においてこれを購入する場合における仕入価額　　2,800千円

その原材料の引取に要する運賃等の経費の額　　300千円

<設例３>

仕掛品

課税時期において原材料を購入する場合の仕入価額　　5,700千円

原材料の引取に要する運賃及び原材料の加工に要する経費等の額　　920千円

取得価額　　5,500千円

課税時期において売却する場合における売却可能価額　　4,700千円

<設例４>

製　品

課税時期において販売する場合の価額　　9,500千円

適正利潤の額　　1,700千円

予定経費の額　　490千円

納付すべき消費税の額　　100千円

仕入価額　　6,800千円

附随費用　　300千円

<設例５>

不動産販売業を営む者が所有している販売用の宅地（倍率方式適用地域に所在）

固定資産税評価額　　15,000千円

倍　率　　2.5倍

取得価額　　74,000千円

課税時期において販売する場合の価額　　93,000千円

課税時期後販売の時までにその販売業者が負担すると認められる経費の額　2,500千円

販売業者に帰属すべき適正利潤の額　　3,500千円

## 解　答

**＜設例１＞**

3,800千円－(1,390千円＋800千円＋190千円)＝1,420千円

**＜設例２＞**

2,800千円＋300千円＝3,100千円

**＜設例３＞**

5,700千円＋920千円＝6,620千円

**＜設例４＞**

9,500千円－(1,700千円＋490千円＋100千円)＝7,210千円

**＜設例５＞**

93,000千円－(2,500千円＋3,500千円)＝87,000千円



## 解答への道

課税時期において直ちに販売可能な商品、製品及び生産品は課税時期の販売価額から評価額を算出し、加工が必要な原材料、半製品及び仕掛品は課税時期の仕入価額から評価額を算出することとなる。

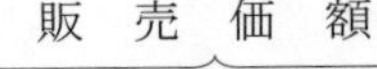


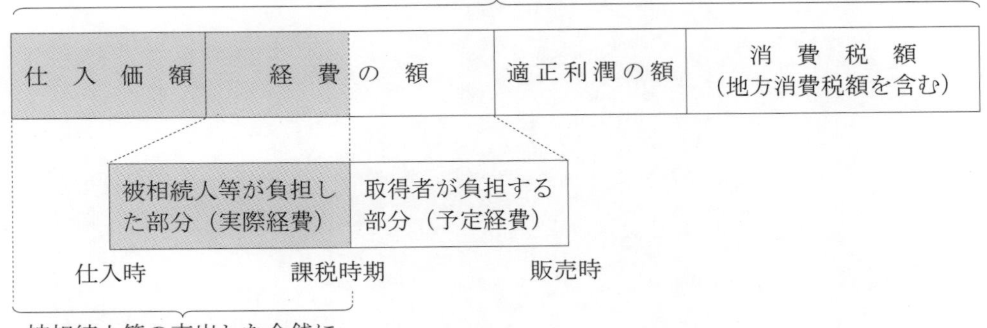


**＜設例１＞**

**《公式》　商　品**（評通133(1)）

| 課税時期において販売する場合の価額 － (適正利潤の額＋予定経費の額＋消費税の額) |
|---|

予定経費とは、課税時期後販売の時までにその販売業者が負担すると認められる経費をいう。

＜設例２＞

**《公式》　原材料**（評通133(2)）

| 課税時期において購入する場合の仕入価額　＋　引取等に要する経費の額 |
|---|

＜設例３＞

**《公式》　半製品及び仕掛品**（評通133(3)）

| その半製品又は仕掛品の原材料を課税時期において購入する場合における仕入価額　＋　引取、加工等に要する経費の額 |
|---|

＜設例４＞

**《公式》　製品及び生産品**（評通133(4)）

| 課税時期において販売する場合の価額　－（適正利潤の額＋予定経費の額＋消費税の額） |
|---|

＜設例５＞

**《公式》　不動産のうちたな卸資産に該当するもの**（評通４－２）

| 土地、家屋その他の不動産のうち、たな卸資産に該当するものの価額は、たな卸商品等の定めに準じて評価する。 |
|---|

不動産販売業を営む者が所有している販売用の宅地は、たな卸資産に該当するため、たな卸商品等として評価する。

## 問題４　書画、骨とう品

重要度　B

次の各設例の場合における書画、骨とう品の相続税評価額を求めなさい。

＜設例１＞

書　画（販売業者が有するものではない）

売買実例価額を参酌した評価額　37,000千円

取得価額　20,000千円

＜設例２＞

骨とう品（販売業者が有するものである）

精通者意見価格　3,000千円

取得価額　400千円

課税時期において販売する場合の価額　3,100千円

課税時期後販売の時までにその販売業者が負担すると認められる経費の額　50千円

販売業者に帰属すべき適正利潤の額　2,200千円

納付すべき消費税の額　155千円

### 解　答

＜設例１＞

37,000千円

＜設例２＞

3,100千円－(50千円＋2,200千円＋155千円)＝695千円

### 解答への道

**＜設例１＞　販売業者が有するもの以外**（評通135(2)）

売買実例価額、精通者意見価格等を参酌した評価額

**＜設例２＞　販売業者が有するもの**（評通135(1)）

たな卸商品等としての評価額

MEMO

# 第13章

# 上　場　株　式

| | 重要度 |
|---|---|
| 問題１　基本型 | A |
| 問題２　課税時期が権利落等の日の前日以前である場合 | A |
| 問題３　課税時期が権利落等の日から基準日までの間にある場合 | A |
| 問題４　課税時期が基準日の翌日以後である場合 | A |
| 問題５　株式に関する権利 | A |
| 問題６　負担付贈与等により取得した上場株式 | B |

## 問　題　1　基本型

重要度　A

次の各設例の場合において、相続税の課税価格に算入すべき上場株式の価額を求めなさい。

なお、被相続人甲が死亡したのは令和７年５月19日であり、甲の死亡時の住所及び相続人の住所は、ともに東京都千代田区にある。

＜設例１＞

Ａ株式　　　　20,000株

この株式は、東京証券取引所に上場されている株式で、その株価の状況は、次のとおりである。

令和７年５月19日の最終価格　　1,250円
令和７年５月の毎日の最終価格の月平均額　　1,256円
令和７年４月の毎日の最終価格の月平均額　　1,260円
令和７年３月の毎日の最終価格の月平均額　　1,246円
令和７年２月の毎日の最終価格の月平均額　　1,245円

＜設例２＞

Ｂ株式　　　　10,000株

この株式は、東京証券取引所と名古屋証券取引所に上場されている株式で、その株価の状況は、次のとおりである。なお、Ｂ株式の発行会社の本店は愛知県にある。

| 取　引　価　格 | 東京証券取引所 | 名古屋証券取引所 |
|---|---|---|
| 令和７年５月19日の最終価格 | 1,280円 | 1,290円 |
| 令和７年５月の毎日の最終価格の月平均額 | 1,270円 | 1,270円 |
| 令和７年４月の毎日の最終価格の月平均額 | 1,260円 | 1,240円 |
| 令和７年３月の毎日の最終価格の月平均額 | 1,250円 | 1,260円 |

＜設例３＞

Ｃ株式　　　　8,000株

この株式は、東京証券取引所に上場されている株式で、その株価の状況は、次のとおりである。

(1)　課税時期前後の株価

５月17日　836円　　５月18日　取引なし　　５月19日　取引なし
５月20日　838円　　５月21日　880円　　５月22日　837円

(2)　最終価格の月平均額

令和７年５月の毎日の最終価格の月平均額　　841円
令和７年４月の毎日の最終価格の月平均額　　843円
令和７年３月の毎日の最終価格の月平均額　　839円

## 解　答

＜設例１＞

(1) 1,250円　　(2) 1,256円　　(3) 1,260円　　(4) 1,246円

∴　(1)～(4)で最も低い金額　　1,246円

1,246円×20,000株＝24,920千円

＜設例２＞

(1) ① 1,280円　　② 1,270円　　③ 1,260円　　④ 1,250円

①～④で最も低い金額　　1,250円

(2) ① 1,290円　　② 1,270円　　③ 1,240円　　④ 1,260円

①～④で最も低い金額　　1,240円

(3) (1)＞(2)　　∴ 1,240円

1,240円×10,000株＝12,400千円

＜設例３＞

(1) 838円　　(2) 841円　　(3) 843円　　(4) 839円

∴　(1)～(4)で最も低い金額　　838円

838円×8,000株＝6,704千円



## 解答への道

**《株式及び株式に関する権利の評価単位》**（評通168）

株式及び株式に関する権利の価額は、それらの銘柄の異なるごとに、次に掲げる区分に従い、その１株又は１個ごとに評価する。

(1) 株　式

① 上場株式
② 気配相場等のある株式
③ 取引相場のない株式

(2) 株式に関する権利

① 株式の割当てを受ける権利
② 株主となる権利
③ 株式無償交付期待権
④ 配当期待権
⑤ ストックオプション
⑥ 上場新株予約権

<設例１>

**《公式》　上場株式**（評通169(1)）

| |
|---|
| (1) 課税時期の最終価格<br>(2) 課税時期の属する月の毎日の最終価格の月平均額<br>(3) 課税時期の属する月の前月の毎日の最終価格の月平均額<br>(4) 課税時期の属する月の前々月の毎日の最終価格の月平均額<br>∴　(1)～(4)のうち最も低い金額 |

※　最終価格、月平均額

最終価格とは、いわゆる終値（金融商品取引所における午後３時の価格）をいう。

月平均額とは、その月に公表された毎日の最終価格の合計額をその公表日数で除して求めた額をいう。

上場株式の評価は、その課税時期の属する月、前月、前々月の毎日の最終価格の月平均額を用いてその株式の１株当たりの評価額を求めるため、２月の毎日の最終価格の月平均額は、その株式の評価に影響を与えない。

<設例２>

**《公式》　国内の２以上の金融商品取引所に上場されている場合**（評通169(1)）

| |
|---|
| 最も低い金額の金融商品取引所の最終価格 |

国内の２以上の金融商品取引所に上場されている場合には、納税義務者が選択した金融商品取引所の価額によることができるため、それぞれの金融商品取引所の価額のうち、いずれか低い金額をとることが、納税義務者にとって最も有利となる。

<設例３>

**《公式》　課税時期に最終価格がない場合**（評通171(1)）

| 課税時期の最終価格（原則） | ⇨ | 課税時期の前日以前の最終価格又は翌日以後の最終価格のうち、課税時期に最も近い日の最終価格（その最終価格が２ある場合には、その平均額） |
|---|---|---|

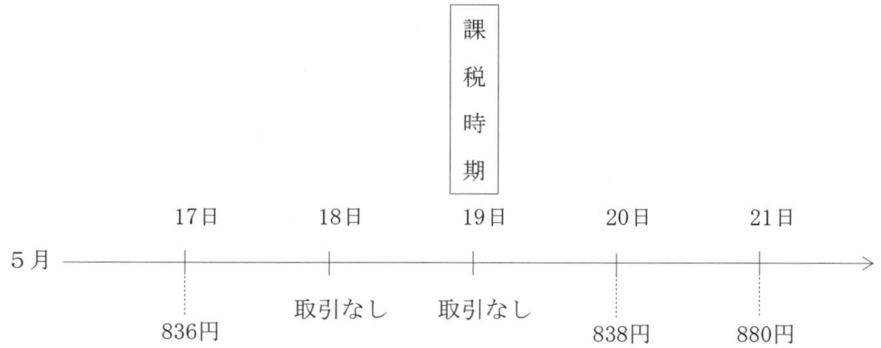


したがって、838円を課税時期の最終価格とする。

## 問題 2 課税時期が権利落等の日の前日以前である場合 重要度 A

**次の各設例の場合において、相続税の課税価格に算入すべき上場株式の価額を求めなさい。**

**＜設例１＞**

Ｄ株式　15,000株

この株式は、東京証券取引所に上場されている株式で、その株価等の状況は、次のとおりである。

株価の状況

| | |
|---|---|
| 課税時期（令和７年５月22日）の最終価格 | 742円 |
| 令和７年５月の毎日の最終価格の月平均額 | 731円 |
| 令和７年５月１日から同年５月27日までの毎日の最終価格の平均額 | 741円 |
| 令和７年５月28日から同年５月31日までの毎日の最終価格の平均額 | 721円 |
| 令和７年４月の毎日の最終価格の月平均額 | 745円 |
| 令和７年３月の毎日の最終価格の月平均額 | 748円 |

| | |
|---|---|
| 株式の割当ての基準日 | 令和７年５月29日 |
| 権利落の日 | 令和７年５月28日 |
| 株式の割当ての日 | 令和７年７月１日 |
| 株式の割当数 | 株式１株につき0.20株を割当て |
| 払込金額 | 株式１株につき50円 |

**＜設例２＞**

Ｅ株式　30,000株

この株式は、東京証券取引所に上場されている株式で、その株価等の状況は、次のとおりである。なお、課税時期は令和７年５月９日とする。

株価の状況

| | |
|---|---|
| 令和７年５月６日の最終価格 | 1,170円 |
| 令和７年５月７日から同年５月11日までの各日の最終価格 | 取引なし |
| 令和７年５月12日の最終価格 | 1,130円 |
| 令和７年５月の毎日の最終価格の月平均額 | 1,155円 |
| 令和７年５月１日から同年５月22日までの毎日の最終価格の平均額 | 1,180円 |
| 令和７年５月23日から同年５月31日までの毎日の最終価格の平均額 | 1,080円 |
| 令和７年４月の毎日の最終価格の月平均額 | 1,176円 |
| 令和７年３月の毎日の最終価格の月平均額 | 1,172円 |

株式の割当ての基準日　　　令和７年５月24日

権利落の日　　　　　　　　令和７年５月23日

株式の割当ての日　　　　　令和７年６月25日

株式の割当数　　　　　　　株式１株につき0.10株を割当て

払込金額　　　　　　　　　株式１株につき50円

＜設例３＞

Ｆ株式　　　　　　5,000株

この株式は、東京証券取引所に上場されている株式で、その株価等の状況は、次のとおりである。なお、課税時期は令和７年９月25日とする。

株価の状況

令和７年９月23日の最終価格　　　　　　　　701円

令和７年９月24日から同年９月29日までの各日の最終価格　　　　取引なし

令和７年９月30日の最終価格　　　　　　　　682円

令和７年９月の毎日の最終価格の月平均額　　692円

令和７年９月１日から同年９月28日までの毎日の最終価格の平均額　　　708円

令和７年９月29日から同年９月30日までの毎日の最終価格の平均額　　　676円

令和７年８月の毎日の最終価格の月平均額　　697円

令和７年７月の毎日の最終価格の月平均額　　695円

配当金交付の基準日　　　令和７年９月30日

配当落の日　　　　　　　令和７年９月29日

配当金交付効力の発生日　令和７年10月30日

予想配当金額　　　　　　１株につき10円

## 解　答

＜設例１＞

(1) 742円　　(2) 741円　　(3) 745円　　(4) 748円

∴　(1)～(4)で最も低い金額　　741円

741円×15,000株＝11,115千円

＜設例２＞

(1) $(1,170円+1,130円)\times\frac{1}{2}=1,150円$　　(2) 1,180円　　(3) 1,176円　　(4) 1,172円

∴　(1)～(4)で最も低い金額　　1,150円

1,150円×30,000株＝34,500千円

＜設例３＞

(1) 701円　　(2) 692円　　(3) 697円　　(4) 695円

∴　(1)～(4)で最も低い金額　　692円

692円×5,000株＝3,460千円

## 解答への道

＜設例１＞

**《公式》　最終価格の月平均額の特例**（評通172(1)）

＜課税時期が株式の割当て等の基準日以前である場合＞

| 権利落等の日が属する月の最終価格の月平均額 | ⇨ | 原則として、その月の初日からその権利落等の日の前日（配当落の場合にあっては、その月の末日）までの毎日の最終価格の平均額 |
|---|---|---|

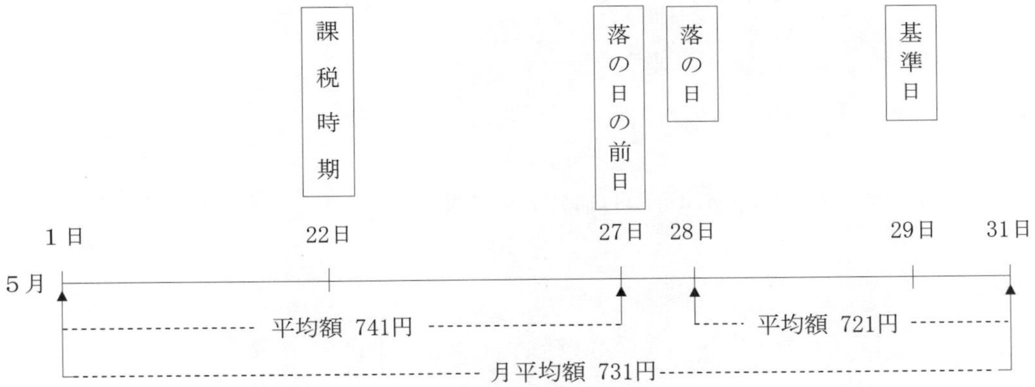

課税時期　落の日の前日　落の日　基準日

5月　1日　22日　27日　28日　29日　31日

平均額 741円　　平均額 721円

月平均額 731円

したがって、その月の最終価格の平均額としては、含みの価格の平均額である741円を用いる。

第13章　上場株式

＜設例２＞

**《公式》　課税時期が権利落等の日の前日以前で課税時期に最終価格がない場合**

（評通171(1)、(2)）

| 権利落等の日の前日以前の最終価格のうち、課税時期の前日以前の最終価格又は翌日以後の最終価格で課税時期に最も近い日の最終価格（その最終価格が２ある場合には、その平均額） |
|---|

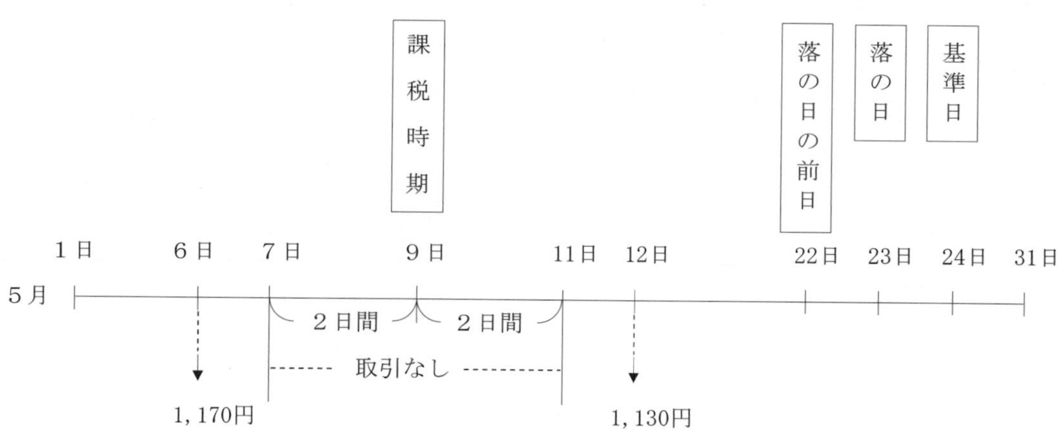


したがって、権利落等の日の前日以前又は翌日以後の最終価格が２あるため $\frac{1,170円+1,130円}{2}$ となる。

＜設例３＞

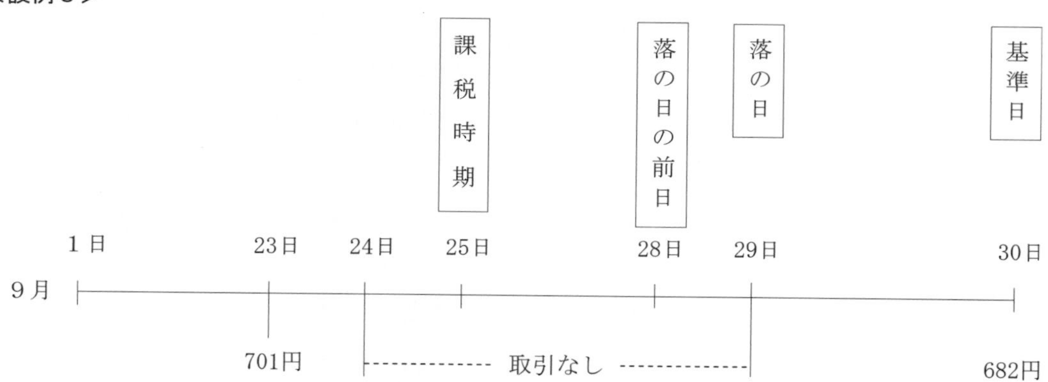


したがって、30日の682円は配当落の価額になっているため、23日の701円を課税時期の最終価格とする。なお、配当落の場合には月平均額の特例はなく、原則どおりその月の初日から末日までの平均額を用いる。

## 問題 3　課税時期が権利落等の日から基準日までの間にある場合

重要度　A

**次の各設例の場合において、相続税の課税価格に算入すべき上場株式の価額を求めなさい。**

**＜設例１＞**

G株式　　　　1,300株

この株式は、東京証券取引所に上場されている株式で、その株価等の状況は、次のとおりである。

株価の状況

課税時期（令和７年３月７日）前後の最終価格

３月４日取引なし　３月５日 708円　３月６日 508円　３月７日 510円

３月８日 509円　３月９日 511円　３月10日取引なし　３月11日取引なし

令和７年３月１日から同年３月５日までの毎日の最終価格の平均額　703円

令和７年３月６日から同年３月31日までの毎日の最終価格の平均額　511円

令和７年３月の毎日の最終価格の月平均額　584円

令和７年２月の毎日の最終価格の月平均額　671円

令和７年１月の毎日の最終価格の月平均額　675円

株式の割当ての基準日　令和７年３月７日

権利落の日　令和７年３月６日

株式の割当ての日　令和７年５月８日

株式の割当数　株式１株につき0.15株を割当て

払込金額　株式１株につき50円

**＜設例２＞**

H株式　　　　3,000株

この株式は、名古屋証券取引所に上場されている株式で、その株価等の状況は、次のとおりである。

株価の状況

課税時期（令和７年６月28日）前後の最終価格

６月26日 1,025円　６月27日 1,028円　６月28日 1,030円　６月29日 1,010円

６月30日 1,014円　７月１日 1,000円

令和７年６月１日から同年６月28日までの毎日の最終価格の平均額　1,036円

令和７年６月29日から同年６月30日までの毎日の最終価格の平均額　1,012円

令和７年６月の毎日の最終価格の月平均額　1,032円

令和７年５月の毎日の最終価格の月平均額　1,031円

令和７年４月の毎日の最終価格の月平均額　1,035円

配当金交付の基準日　　　　　令和７年６月30日

配当落の日　　　　　　　　　令和７年６月29日

配当金交付効力の発生日　　　令和７年９月30日

予想配当金額　　　　　　　　１株につき20円

＜設例３＞

Ｉ株式　　　　　5,000株

この株式は、東京証券取引所に上場されている株式で、その株価等の状況は、次のとおりである。

株価の状況

課税時期（令和７年８月１日）前後の最終価格

７月30日 1,530円　７月31日 1,300円　８月１日 1,280円　８月２日取引なし

８月３日取引なし　８月４日 1,240円　８月５日 1,270円　８月６日 1,230円

令和７年８月の毎日の最終価格の月平均額　　　　1,250円

令和７年７月１日から同年７月30日までの毎日の最終価格の平均額　　1,560円

令和７年６月の毎日の最終価格の月平均額　　　　1,510円

令和７年５月の毎日の最終価格の月平均額　　　　1,550円

株式の割当ての基準日　　　　令和７年８月１日

権利落の日　　　　　　　　　令和７年７月31日

株式の割当ての日　　　　　　令和７年10月15日

株式の割当数　　　　　　　　株式１株につき0.20株を割当て

払込金額　　　　　　　　　　株式１株につき50円

＜設例４＞

Ｊ株式　　　　　8,000株

この株式は、東京証券取引所に上場されている株式で、その株価等の状況は、次のとおりである。

株価の状況

課税時期（令和７年７月１日）前後の最終価格

６月28日　819円　６月29日取引なし　６月30日取引なし　７月１日　681円

７月２日　683円　７月３日　690円　７月４日　685円　７月５日　686円

令和７年７月の毎日の最終価格の月平均額　　　　680円

令和７年６月１日から同年６月28日までの毎日の最終価格の平均額　　820円

令和７年５月の毎日の最終価格の月平均額　　　　818円

令和７年４月の毎日の最終価格の月平均額　　　　811円

| | |
|---|---|
| 株式無償交付の基準日 | 令和７年７月２日 |
| 権利落の日 | 令和７年７月１日 |
| 株式無償交付の効力発生日 | 令和７年９月20日 |
| 株式の交付数 | 株式１株につき0.20株を交付 |

## 解　答

＜設例１＞

(1) 708円　(2) 703円　(3) 671円　(4) 675円

∴ (1)～(4)で最も低い金額　671円

671円×1,300株＝872.3千円

＜設例２＞

(1) 1,030円　(2) 1,032円　(3) 1,031円　(4) 1,035円

∴ (1)～(4)で最も低い金額　1,030円

1,030円×3,000株＝3,090千円

＜設例３＞

(1) 1,530円　(2) 1,250円×(1＋0.20)－50円×0.20＝1,490円

(3) 1,560円　(4) 1,510円

∴ (1)～(4)で最も低い金額　1,490円

1,490円×5,000株＝7,450千円

＜設例４＞

(1) 819円　(2) 680円×(1＋0.20)＝816円　(3) 820円　(4) 818円

∴ (1)～(4)で最も低い金額　816円

816円×8,000株＝6,528千円

## 解答への道

＜設例１＞

**《公式》 課税時期が権利落等の日から株式の割当て等の基準日までの間にある場合**（評通170）

| 課税時期の最終価格 | ⇨ | 権利落等の日の前日以前の最終価格のうち、課税時期に最も近い日の最終価格 |
|---|---|---|

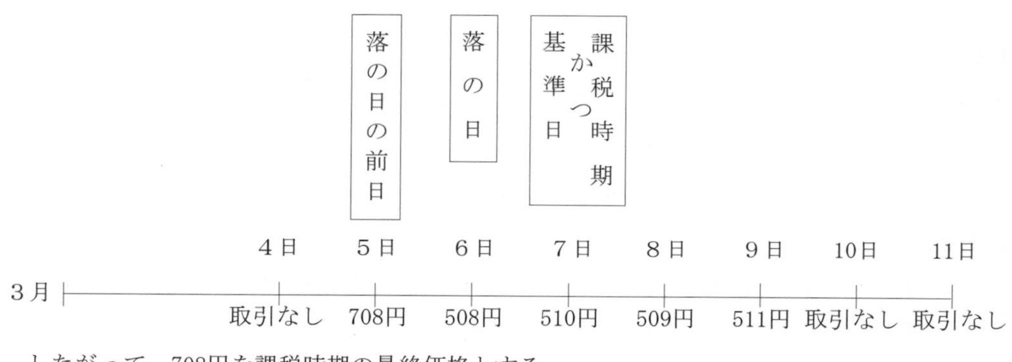


したがって、708円を課税時期の最終価格とする。

＜設例２＞

最終価格の月平均額の特例は、配当落があった場合には修正を行わない。これは、配当金交付の基準日は、通常月末であるため月初から配当落の前日までの平均額を求めてみても、その金額と月平均額との差はごく僅少のものとなるためである。

＜設例３＞

**《公式》 課税時期が株式の割当て等の基準日以前で、権利落等の日が課税時期の属する月の初日以前である場合**（評通172(2)）

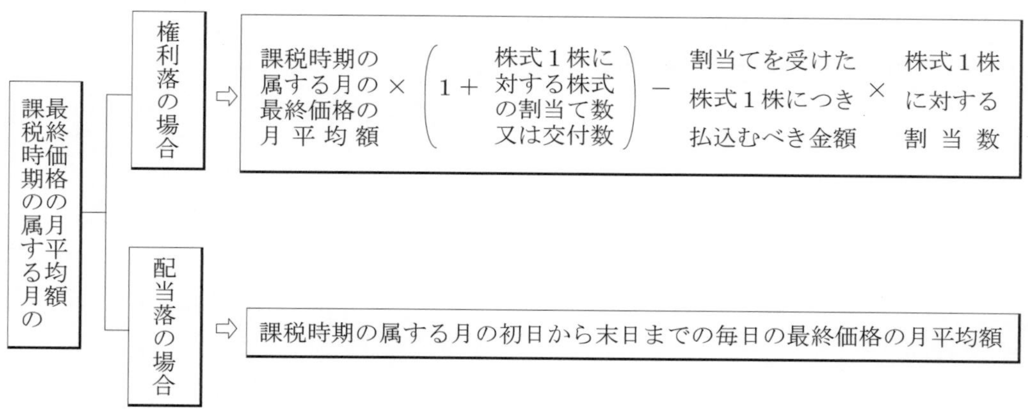

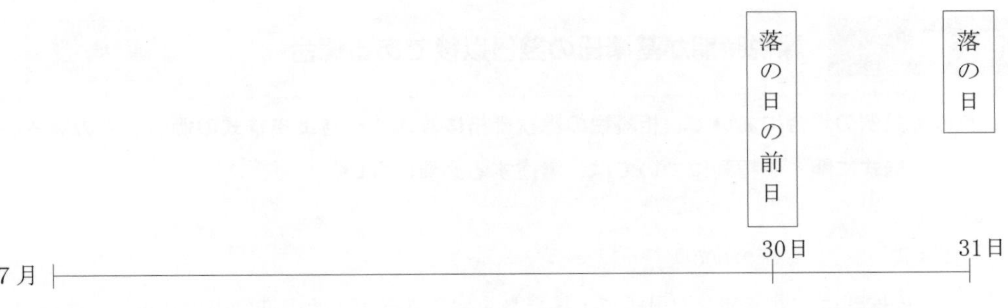


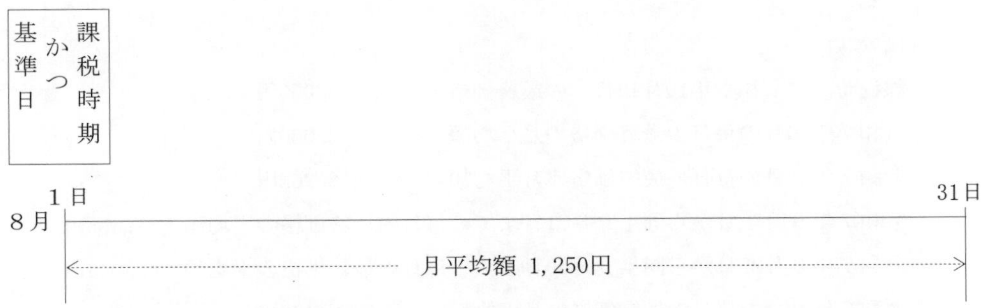


月平均額を求める場合に、権利落が課税時期の属する月以前3月以内に関わってきたときは、月平均額の評価は課税時期の最終価格の評価に合わせる。つまり、課税時期の最終価格の評価が含みでなされた場合には、月平均額も含みで、また、課税時期の最終価格の評価が落ちでなされた場合には、月平均額も落ちで評価する。

したがって、課税時期の属する月の月平均額（1,250円）は落ちになっているため、含みに修正しなければならない。

なお、配当落の場合は、権利落の評価とは異なり、単純な月平均額でよい。

**＜設例４＞**

設例３の公式を用いる。ただし、株式の無償交付は払込金を徴収しないため、次のようになる。

課税時期の属する月の最終価格の月平均額 ×（１＋株式１株に対する交付数）

## 問　題　4　課税時期が基準日の翌日以後である場合

重要度　A

次の各設例の場合において、相続税の課税価格に算入すべき上場株式の価額を求めなさい。

（注）株式に関する権利については、考慮する必要はない。

＜設例１＞

Ｋ株式　　2,000株

この株式は、東京証券取引所に上場されている株式で、その株価等の状況は、次のとおりである。

株価の状況

| | |
|---|---|
| 課税時期（令和７年10月12日）の最終価格 | 2,050円 |
| 令和７年10月の毎日の最終価格の月平均額 | 2,066円 |
| 令和７年９月の毎日の最終価格の月平均額 | 2,262円 |
| 令和７年９月１日から同年９月21日までの毎日の最終価格の平均額 | 2,465円 |
| 令和７年９月22日から同年９月30日までの毎日の最終価格の平均額 | 2,043円 |
| 令和７年８月の毎日の最終価格の月平均額 | 2,438円 |

| | |
|---|---|
| 株式の割当ての基準日 | 令和７年９月23日 |
| 権利落の日 | 令和７年９月22日 |
| 株式の割当ての日 | 令和７年11月30日 |
| 株式の割当数 | 株式１株につき0.20株を割当て |
| 払込金額 | 株式１株につき50円 |

＜設例２＞

Ｌ株式　　10,000株

この株式は、東京証券取引所に上場されている株式で、その株価等の状況は、次のとおりである。

株価の状況

| | |
|---|---|
| 課税時期（令和７年10月19日）の最終価格 | 1,340円 |
| 令和７年10月１日から同年10月８日までの毎日の最終価格の平均額 | 1,462円 |
| 令和７年10月９日から同年10月31日までの毎日の最終価格の平均額 | 1,336円 |
| 令和７年10月の毎日の最終価格の月平均額 | 1,373円 |
| 令和７年９月の毎日の最終価格の月平均額 | 1,463円 |
| 令和７年８月の毎日の最終価格の月平均額 | 1,474円 |

| | |
|---|---|
| 株式無償交付の基準日 | 令和７年10月10日 |
| 権利落の日 | 令和７年10月９日 |
| 株式無償交付の効力発生日 | 令和８年１月31日 |
| 株式の交付数 | 株式１株につき0.10株を交付 |

＜設例３＞

M株式　　　13,000株

この株式は、東京証券取引所に上場されている株式で、その株価等の状況は、次のとおりである。

株価の状況

課税時期（令和７年12月１日）の最終価格　963円

令和７年12月の毎日の最終価格の月平均額　961円

令和７年11月１日から同年11月24日までの毎日の最終価格の平均額　991円

令和７年11月25日から同年11月30日までの毎日の最終価格の平均額　952円

令和７年11月の毎日の最終価格の月平均額　983円

令和７年10月の毎日の最終価格の月平均額　992円

配当金交付の基準日　令和７年11月26日

配当落の日　令和７年11月25日

配当金交付効力の発生日　令和８年１月15日

予想配当金額　１株につき20円

＜設例４＞

N株式　　　9,000株

この株式は、名古屋証券取引所に上場されている株式で、その株価等の状況は、次のとおりである。

株価の状況　課税時期（令和７年10月10日）

令和７年10月２日の最終価格　865円

令和７年10月３日から同年10月11日までの各日における最終価格　取引なし

令和７年10月12日の最終価格　790円

令和７年10月の毎日の最終価格の月平均額　826円

令和７年10月１日から同年10月２日までの毎日の最終価格の平均額　866円

令和７年10月３日から同年10月31日までの毎日の最終価格の平均額　783円

令和７年９月の毎日の最終価格の月平均額　875円

令和７年８月の毎日の最終価格の月平均額　853円

株式の割当ての基準日　令和７年10月４日

権利落の日　令和７年10月３日

株式の割当ての日　令和７年12月20日

株式の割当数　株式１株につき0.10株を割当て

払込金額　株式１株につき50円

＜設例５＞

O株式　　20,000株

この株式は、東京証券取引所に上場されている株式で、その株価等の状況は、次のとおりである。

株価の状況

| | |
|---|---|
| 課税時期（令和７年１月21日）の最終価格 | 2,120円 |
| 令和７年１月の毎日の最終価格の月平均額 | 2,160円 |
| 令和６年12月の毎日の最終価格の月平均額 | 2,100円 |
| 令和６年11月の毎日の最終価格の月平均額 | 2,300円 |
| 令和６年11月１日から同年11月14日までの毎日の最終価格の平均額 | 2,490円 |
| 令和６年11月15日から同年11月30日までの毎日の最終価格の平均額 | 2,080円 |

| | |
|---|---|
| 株式の割当ての基準日 | 令和６年11月16日 |
| 権利落の日 | 令和６年11月15日 |
| 株式の割当ての日 | 令和７年１月20日 |
| 払込期日 | 令和７年２月５日 |
| 株式の割当数 | 株式１株につき0.20株を割当て |
| 払込金額 | 株式１株につき50円 |

## 解　答

＜設例１＞

(1) 2,050円　(2) 2,066円　(3) 2,043円　(4) $\frac{2,438円+50円\times0.20}{1+0.20}=2,040円$

∴　(1)～(4)で最も低い金額　2,040円

2,040円×2,000株＝4,080千円

＜設例２＞

(1) 1,340円　(2) 1,336円　(3) $\frac{1,463円}{1+0.10}=1,330円$

(4) $\frac{1,474円}{1+0.10}=1,340円$

∴　(1)～(4)で最も低い金額　1,330円

1,330円×10,000株＝13,300千円

＜設例３＞

(1) 963円　(2) 961円　(3) 983円　(4) 992円

∴　(1)～(4)で最も低い金額　961円

961円×13,000株＝12,493千円

＜設例４＞

(1) 790円　　(2) 783円　　(3) $\dfrac{875\text{円}+50\text{円}\times 0.10}{1+0.10}=800\text{円}$

(4) $\dfrac{853\text{円}+50\text{円}\times 0.10}{1+0.10}=780\text{円}$

∴　(1)～(4)で最も低い金額　　780円

780円×9,000株＝7,020千円

＜設例５＞

(1) 2,120円　　(2) 2,160円　　(3) 2,100円　　(4) 2,080円

∴　(1)～(4)で最も低い金額　　2,080円

2,080円×20,000株＝41,600千円

## 解答への道

＜設例１＞

**《公式》　最終価格の月平均額の特例**（評通172(3)、(4)）

＜課税時期が株式の割当て等の基準日の翌日以後である場合＞

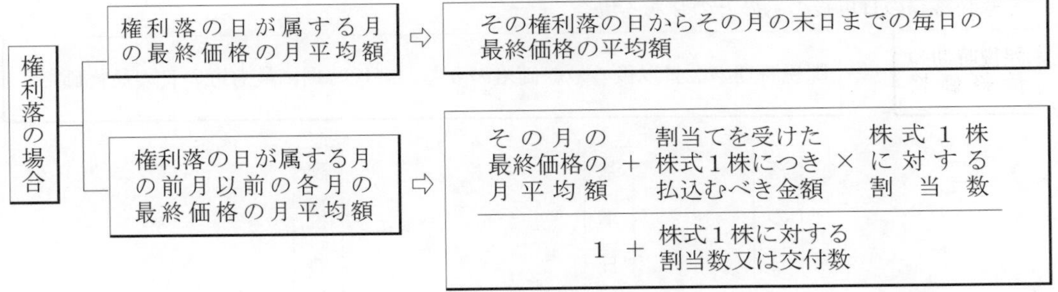


課税時期が基準日の翌日以後にあるため、課税時期の最終価格は落ちの価額となる。したがって、９月の月平均額は9/22から9/30までの平均額をとり、また、８月の月平均額は公式に代入して、含みから落ちに修正する。

＜設例２＞

10月の月平均額は10/9から10/31までの平均額をとり、また、９月、８月の月平均額は公式（設例１の公式）に代入して、含みから落ちに修正する。

＜設例３＞

**《公式》　最終価格の月平均額の特例**（評通172(3)、(4)）

＜課税時期が配当金交付の基準日の翌日以後である場合＞

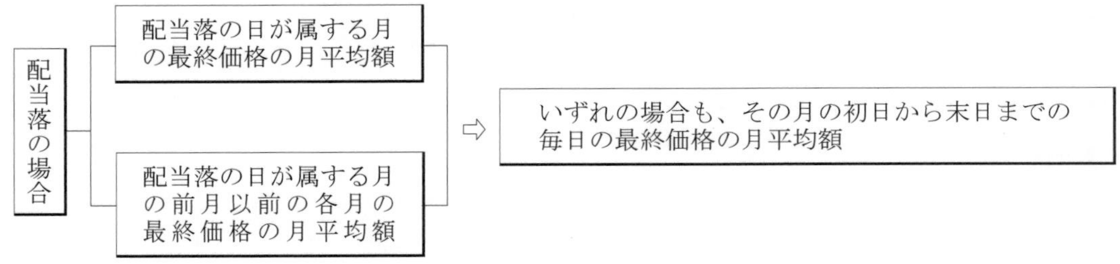


配当落であるため月平均額に関する修正は、一切行わない。単純にその月の初日から末日までの最終価格の月平均額をとることになる。

＜設例４＞

**《公式》　課税時期の最終価格の特例**（評通171(3)）

＜課税時期に最終価格がない場合＞

課税時期が株式の割当て等の基準日の翌日以後で、課税時期に最も近い日の最終価格がその基準日に係る権利落等の日の前日以前のもののみである場合又は権利落等の日の前日以前のものと権利落等の日以後のものとの２ある場合

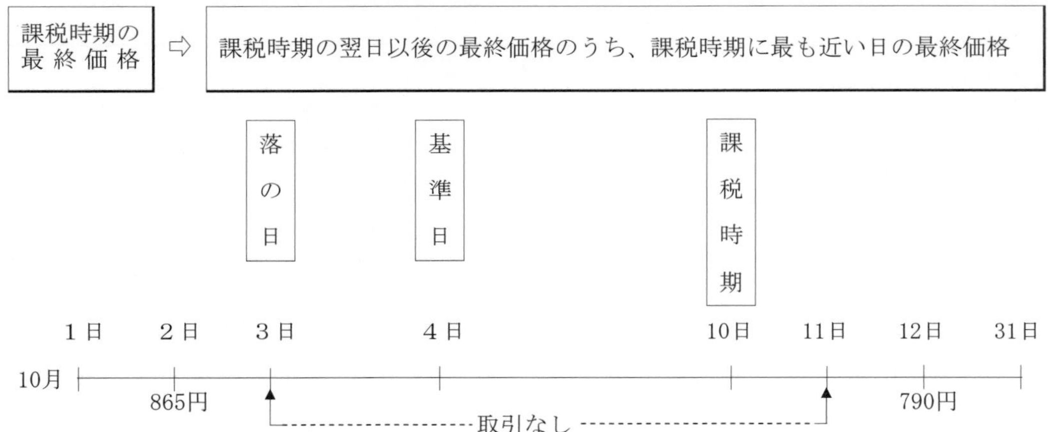


課税時期が基準日の翌日以後になるため、課税時期の最終価格は、12日の最終価格を使うことになる。また、10月の月平均額は10/3から10/31までの平均額となり、９月及び８月の月平均額は公式（設例１の公式）に代入して、含みから落ちに修正する。

＜設例５＞

課税時期が基準日の翌日以後になるため、課税時期の最終価格は落ちの価額となる。したがって、11月の月平均額は11/15から11/30までの平均額をとることになる。

## 問　題　5　株式に関する権利

| 重要度 | A |
|---|---|

次の各設例の場合において、相続税の課税価格に算入すべき財産の価額を求めなさい。

なお、株式を取得した者は、相続開始時においてその株式に関する権利が生じている場合、その権利も取得しているものとする。

（注）配当所得に係る源泉徴収されるべき税額を計算する必要がある場合には20.315%の率とする。

＜設例１＞

Ｐ株式　　12,000株

この株式は、東京証券取引所に上場されている株式で、その株価等の状況は、次のとおりである。

株価の状況

課税時期（令和７年８月13日）の最終価格　　1,330円
令和７年８月の毎日の最終価格の月平均額　　1,328円
令和７年７月の毎日の最終価格の月平均額　　1,460円
令和７年７月１日から同年７月９日までの毎日の最終価格の平均額　　1,570円
令和７年７月10日から同年７月31日までの毎日の最終価格の平均額　　1,330円
令和７年６月の毎日の最終価格の月平均額　　1,580円

株式の割当ての基準日　　令和７年７月11日
権利落の日　　令和７年７月10日
株式の割当ての日　　令和７年９月13日
株式の割当数　　株式１株につき0.20株を割当て
払込金額　　株式１株につき50円

＜設例２＞

Ｑ株式　　18,000株

この株式は、東京証券取引所に上場されている株式で、その株価等の状況は、次のとおりである。

株価の状況

課税時期（令和７年６月26日）の最終価格　　931円
令和７年６月の毎日の最終価格の月平均額　　1,020円
令和７年６月１日から同年６月11日までの毎日の最終価格の平均額　　1,116円
令和７年６月12日から同年６月30日までの毎日の最終価格の平均額　　927円
令和７年５月の毎日の最終価格の月平均額　　1,128円
令和７年４月の毎日の最終価格の月平均額　　1,134円

第13章　上場株式

株式無償交付の基準日　　　　令和７年６月13日

権利落の日　　　　　　　　　令和７年６月12日

株式無償交付の効力発生日　　令和７年９月15日

株式の交付数　　　　　　　　株式１株につき0.20株を交付

＜設例３＞

Ｒ株式　　　　15,000株

この株式は、東京証券取引所に上場されている株式で、その株価等の状況は、次のとおりである。

株価の状況

課税時期（令和７年10月３日）の最終価格　　612円

令和７年10月の毎日の最終価格の月平均額　　618円

令和７年９月の毎日の最終価格の月平均額　　631円

令和７年９月１日から同年９月25日までの毎日の最終価格の平均額　　653円

令和７年９月26日から同年９月30日までの毎日の最終価格の平均額　　610円

令和７年８月の毎日の最終価格の月平均額　　642円

配当金交付の基準日　　　　令和７年９月27日

配当落の日　　　　　　　　令和７年９月26日

配当金交付効力の発生日　　令和７年11月30日

予想配当金額　　　　　　　株式１株につき40円

＜設例４＞

Ｓ株式　　　　10,000株

この株式は、名古屋証券取引所に上場されている株式で、その株価等の状況は、次のとおりである。

株価の状況

課税時期（令和７年９月15日）の最終価格　　884円

令和７年９月の毎日の最終価格の月平均額　　879円

令和７年８月の毎日の最終価格の月平均額　　880円

令和７年７月の毎日の最終価格の月平均額　　926円

令和７年７月１日から同年７月６日までの毎日の最終価格の平均額　　963円

令和７年７月７日から同年７月31日までの毎日の最終価格の平均額　　890円

株式の割当ての基準日　　　令和７年７月８日

権利落の日　　　　　　　　令和７年７月７日

株式の割当ての日　　　　　令和７年９月10日

払込期日　　　　　　　　　令和７年９月20日

株式の割当数　　　　　　株式１株につき0.10株を割当て

払込金額　　　　　　　　株式１株につき50円

なお、払込金額は株式を取得した者が支払った。

＜設例５＞

Ｔ株式　　　　　20,000株

この株式は、東京証券取引所に上場されている株式で、その株価等の状況は、次のとおりである。

株価の状況

課税時期（令和７年10月31日）の最終価格　　　　1,310円

令和７年10月の毎日の最終価格の月平均額　　　　1,310円

令和７年９月の毎日の最終価格の月平均額　　　　1,298円

令和７年８月の毎日の最終価格の月平均額　　　　1,420円

令和７年８月１日から同年８月16日までの毎日の最終価格の平均額　　　1,550円

令和７年８月17日から同年８月31日までの毎日の最終価格の平均額　　　1,300円

株式の割当ての基準日　　　　令和７年８月18日

権利落の日　　　　　　　　　令和７年８月17日

株式の割当ての日　　　　　　令和７年10月20日

払込期日　　　　　　　　　　令和７年11月15日

株式の割当数　　　　　　　　株式１株につき0.20株を割当て

払込金額　　　　　　　　　　株式１株につき50円

なお、被相続人は既に株式１株につき払込むべき金額を払込済である。

＜設例６＞

Ｕ株式　　　　　19,500株

この株式は、東京証券取引所に上場されている株式で、その株価等の状況は、次のとおりである。

株価の状況

課税時期（令和７年10月23日）の最終価格　　　1,280円

令和７年10月の毎日の最終価格の月平均額　　　1,250円

令和７年９月の毎日の最終価格の月平均額　　　1,190円

令和７年８月の毎日の最終価格の月平均額　　　1,485円

令和７年８月１日から同年８月27日までの毎日の最終価格の平均額　　　1,530円

令和７年８月28日から同年８月31日までの毎日の最終価格の平均額　　　1,180円

令和７年７月の毎日の最終価格の月平均額　　　1,480円

株式の割当ての基準日　　　　令和７年８月29日

| | |
|---|---|
| 権利落の日 | 令和７年８月28日 |
| 株式の割当ての日 | 令和７年９月30日 |
| 払込期日 | 令和７年10月７日 |
| 株式の割当数 | 株式１株につき0.30株を割当て |
| 払込金額 | 株式１株につき50円 |

## 解　答

**＜設例１＞**

(1) 株　式

① 1,330円　② 1,328円　③ 1,330円　④ $\frac{1,580円＋50円×0.20}{1＋0.20}$＝1,325円

∴　①～④で最も低い金額　1,325円

1,325円×12,000株＝15,900千円

(2) 株式の割当てを受ける権利

(1,325円－50円)×12,000株×0.20＝3,060千円

**＜設例２＞**

(1) 株　式

① 931円　② 927円　③ $\frac{1,128円}{1＋0.20}$＝940円　④ $\frac{1,134円}{1＋0.20}$＝945円

∴　①～④で最も低い金額　927円

927円×18,000株＝16,686千円

(2) 株式無償交付期待権

927円×18,000株×0.20＝3,337.2千円

**＜設例３＞**

(1) 株　式

① 612円　② 618円　③ 631円　④ 642円

∴　①～④で最も低い金額　612円

612円×15,000株＝9,180千円

(2) 配当期待権

40円×15,000株×(1－20.315%)＝478.11千円

**＜設例４＞**

(1) 株　式

① 884円　② 879円　③ 880円　④ 890円

∴　①～④で最も低い金額　879円

879円×10,000株＝8,790千円

(2) 株主となる権利

(879円－50円)×10,000株×0.10＝829千円

＜設例５＞

(1) 株　式

① 1,310円　② 1,310円　③ 1,298円　④ 1,300円

∴ ①～④で最も低い金額　1,298円

1,298円×20,000株＝25,960千円

(2) 株主となる権利

1,298円×20,000株×0.20＝5,192千円

＜設例６＞

株　式

(1) 1,280円　(2) 1,250円　(3) 1,190円　(4) 1,180円

∴ (1)から(4)で最も低い金額　1,180円

1,180円×19,500株＝23,010千円



## 解答への道

＜設例１＞

**《公式》　株式の割当てを受ける権利**（評通190）

| 株式の評価額－割当てを受けた株式１株につき払込むべき金額 |
|---|

※ 株式の割当てを受ける権利の意義（評通168(4)）

株式の割当基準日の翌日から株式の割当ての日までの間における株式の割当てを受ける権利をいう。

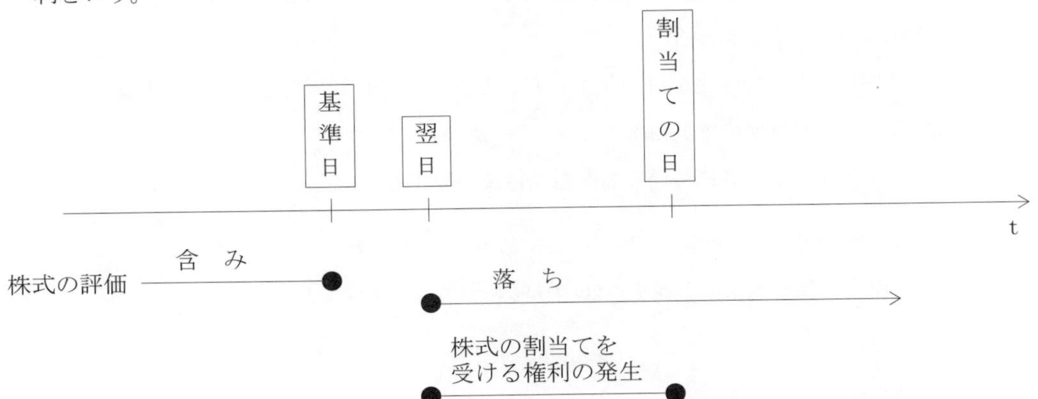


課税時期が基準日の翌日以後であるため７月の月平均額は7/10から7/31までの平均額となり、６月の月平均額については、含みとなっているため落ちに修正する。

また、問題４の設例１、設例４についても株式の割当てを受ける権利が発生している。

＜設例１＞（2,040円－50円）×2,000株×0.20＝796千円

＜設例４＞（780円－50円）×9,000株×0.10＝657千円

**＜設例２＞**

**《公式》　株式無償交付期待権**（評通192）

| 株式の評価額 |
|---|

※　株式無償交付期待権の意義（評通168(6)）

株式無償交付の基準日の翌日から株式無償交付の効力が発生する日までの間における株式の無償交付を受けることができる権利をいう。

課税時期6/26が、株式の無償交付の基準日6/13の翌日から株式の無償交付の効力発生日9/15までの間にあるため、株式無償交付期待権が発生する。

６月の月平均額は、6/12から6/30までの平均額となり、５月及び４月の月平均額は、含みとなっているため落ちに修正しなければならない。

また、問題４の設例２についても株式無償交付期待権が発生している。

＜設例２＞　1,330円×10,000株×0.10＝1,330千円

**＜設例３＞**

**《公式》　配当期待権**（評通193）

| （課税時期後に受けると見込まれる予想配当の金額）－（源泉徴収されるべき所得税の額相当額） |
|---|

※　配当期待権の意義（評通168(7)）

配当金交付の基準日の翌日から配当金交付の効力が発生する日までの間における配当金を受けることができる権利をいう。

配当落であるため月平均額に関する修正は一切行わない。単純にその月の１日から末日までの最終価格の月平均額をとる。

課税時期10/3が、配当金交付の基準日9/27の翌日から配当金交付の効力発生日11/30までの間にあるため、配当期待権が発生する。

また、問題４の設例３についても配当期待権が発生している。

＜設例３＞　20円×13,000株×（1－20.315%*）＝207.181千円

＊　配当所得に係る源泉徴収税率は20.315%とする。

<設例４>

《公式》　**株主となる権利**（評通191）

> (1) 会社設立の場合
>
> 課税時期以前にその株式１株につき払込んだ価額
>
> (2) 増資の場合
>
> 株式の評価額（課税時期の翌日以後その株主となる権利につき払込むべき金額がある場合には、その割当てを受けた株式１株につき払込むべき金額を控除した金額）

※　株主となる権利の意義（評通168(5)）

株式の申込みに対して割当てがあった日の翌日（会社の設立に際し発起人が引受けをする株式にあっては、その引受けの日）から会社の設立登記の日の前日（会社成立後の株式の割当ての場合にあっては払込期日）までの間における株式の引受けに係る権利をいう。

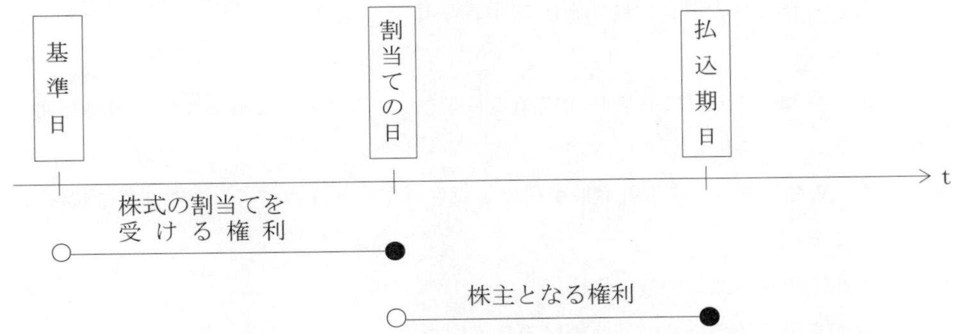


課税時期9/15が、株式の割当ての日9/10の翌日から株式払込期日9/20までの間にあるため、株主となる権利が発生する。また、７月の月平均額は、7/7から7/31までの平均額をとる。

株主となる権利については、被相続人が払込金を払込んでいないため、株式の評価額から、その割当てを受ける株式１株につき払込むべき金額を控除した金額となる。

また、問題４の設例５についても株主となる権利が発生している。

<設例５（被相続人が払込金を払込んでいない場合）>

(2,080円－50円)×20,000株×0.20＝8,120千円

<設例５>

課税時期10/31が、株式の割当ての日10/20の翌日から払込期日11/15までの間にあるため、株主となる権利が発生する。また、８月の月平均額は、8/17から8/31までの平均額となる。

株主となる権利については、被相続人が払込金を払込済であるため、株式の評価額がそのまま株主となる権利の評価額となる。

<設例６>

課税時期において既に払込期日を経過しているため、株式に関する権利は発生していない。

## 問題６　負担付贈与等により取得した上場株式

| 重要度 | B |
|---|---|

**次の各設例の場合において、贈与税の課税価格に算入すべき財産の価額を求めなさい。**

**＜設例１＞**

甲は、令和７年３月18日Ｖ社株式10,000株を乙に１株50円で譲渡した。

なお、Ｖ社株式は、東京証券取引所に上場されている株式で、その株価等の状況は、次のとおりである。

| | |
|---|---|
| 令和７年３月18日の最終価格 | 620円 |
| 令和７年３月の毎日の最終価格の月平均額 | 680円 |
| 令和７年２月の毎日の最終価格の月平均額 | 590円 |
| 令和７年１月の毎日の最終価格の月平均額 | 560円 |
| 令和６年12月の毎日の最終価格の月平均額 | 520円 |

**＜設例２＞**

甲は、令和７年６月22日Ｗ社株式20,000株を乙が丙に対して有している債権4,000千円を免除することを条件として乙に贈与した。

なお、Ｗ社株式は、東京証券取引所に上場されている株式で、その株価等の状況は、次のとおりである。

| | |
|---|---|
| 令和７年６月22日の最終価格 | 280円 |
| 令和７年６月の毎日の最終価格の月平均額 | 270円 |
| 令和７年５月の毎日の最終価格の月平均額 | 250円 |
| 令和７年４月の毎日の最終価格の月平均額 | 240円 |
| 令和７年３月の毎日の最終価格の月平均額 | 245円 |

### 解　答

**＜設例１＞**

(620円－50円)×10,000株＝5,700千円（低額譲受益）

**＜設例２＞**

乙　280円×20,000株－4,000千円＝1,600千円

丙　4,000千円（その他の利益の享受）

### 解答への道

**《公式》　負担付贈与又は個人間の対価を伴う取引により取得した上場株式**（評通169(2)）

| その株式が上場されている金融商品取引所の公表する課税時期の最終価格 |
|---|

# 第14章

# 気配相場等のある株式

| | | 重要度 |
|---|---|---|
| 問題１ | 登録銘柄及び店頭管理銘柄の評価 | C |
| 問題２ | 公開途上にある株式の評価 | B |
| 問題３ | 課税時期が権利落等の日の前日以前である場合 | C |
| 問題４ | 課税時期が権利落等の日から基準日までの間にある場合 | C |
| 問題５ | 課税時期が基準日の翌日以後である場合 | C |
| 問題６ | 負担付贈与等により取得した気配相場等のある株式 | C |

## 問題 1　登録銘柄及び店頭管理銘柄の評価

| 重要度 | C |
|---|---|

次の各設例の場合において、相続税の課税価格に算入すべき株式の価額を求めなさい。

＜設例１＞

A株式　　　10,000株

この株式は、日本証券業協会の内規によって登録銘柄として登録されている株式で、その株価の状況は、次のとおりである。

| | |
|---|---|
| 課税時期（令和７年２月２日）の取引価格 | 975円 |
| 令和７年２月の毎日の取引価格の月平均額 | 986円 |
| 令和７年１月の毎日の取引価格の月平均額 | 963円 |
| 令和６年12月の毎日の取引価格の月平均額 | 978円 |
| 令和６年11月の毎日の取引価格の月平均額 | 988円 |

＜設例２＞

B株式　　　80,000株

この株式は、日本証券業協会の内規によって店頭管理銘柄として指定されている株式で、その株価の状況は、次のとおりである。

| | |
|---|---|
| 課税時期（令和７年３月15日）の取引価格 | 高値 120円　安値 90円 |
| 令和７年３月の毎日の取引価格の月平均額 | 119円 |
| 令和７年２月の毎日の取引価格の月平均額 | 118円 |
| 令和７年１月の毎日の取引価格の月平均額 | 116円 |

＜設例３＞

C株式　　　15,000株

この株式は、日本証券業協会の内規によって登録銘柄として登録されている株式で、その株価の状況は、次のとおりである。

課税時期（令和７年４月19日）前後の取引価格

| | | | | | |
|---|---|---|---|---|---|
| ４月15日 | 1,220円 | ４月16日 | 取引なし | ４月17日 | 取引なし |
| ４月18日 | 取引なし | ４月19日 | 取引なし | ４月20日 | 1,210円 |

| | |
|---|---|
| 令和７年４月の毎日の取引価格の月平均額 | 1,230円 |
| 令和７年３月の毎日の取引価格の月平均額 | 1,226円 |
| 令和７年２月の毎日の取引価格の月平均額 | 1,228円 |

## 解　答

＜設例１＞

(1) 975円　　(2) 986円　　(3) 963円　　(4) 978円

∴　(1)～(4)で最も低い金額　963円

963円×10,000株＝9,630千円

＜設例２＞

(1) $\frac{120円＋90円}{2}$＝105円　　(2) 119円　　(3) 118円　　(4) 116円

∴　(1)～(4)で最も低い金額　105円

105円×80,000株＝8,400千円

＜設例３＞

(1) 1,220円　　(2) 1,230円　　(3) 1,226円　　(4) 1,228円

∴　(1)～(4)で最も低い金額　1,220円

1,220円×15,000株＝18,300千円

## 解答への道

＜設例１＞

**《公式》登録銘柄及び店頭管理銘柄の評価**（評通174(1)）

(1) 課税時期の取引価格（高値と安値の双方について公表されている場合には、その平均額）
(2) 課税時期の属する月の毎日の取引価格の月平均額
(3) 課税時期の属する月の前月の毎日の取引価格の月平均額
(4) 課税時期の属する月の前々月の毎日の取引価格の月平均額
　※　(1)～(4)のうち最も低い金額

※　気配相場等のある株式の意義（評通168(2)）

気配相場等のある株式とは、次に掲げる株式をいう。

①　登録銘柄（日本証券業協会の内規によって登録銘柄として登録されている株式をいう。以下同じ。）及び店頭管理銘柄（同協会の内規によって店頭管理銘柄として指定されている株式をいう。以下同じ。）

②　公開途上にある株式（金融商品取引所が内閣総理大臣に対して株式の上場の届出を行うことを明らかにした日から上場の日の前日までのその株式（登録銘柄を除く。）及び日本証券業協会が株式を登録銘柄として登録することを明らかにした日から登録の日の前日までのその株式（店頭管理銘柄を除く。）をいう。）

登録銘柄及び店頭管理銘柄の株式の評価は、課税時期の取引価格、その課税時期の属する月、前月、前々月の毎日の取引価格の月平均額を用いてその株式の１株当たりの評価額を求めるため、令和６年11月の毎日の取引価格の月平均額は、考慮しない。

**＜設例２＞**

課税時期の取引価格が高値と安値の双方について公表されている場合には、その平均額をとることとなる。

**＜設例３＞**

**《公式》　課税時期に取引価格がない場合**（評通176(1)）

| 課税時期の取引価格（原則） | ⇨ | 課税時期の前日以前の取引価格のうち課税時期に最も近い日の取引価格（課税時期の属する月以前３カ月以内のものに限る） |
|---|---|---|

上場株式と異なり、課税時期の翌日以後の取引価格はとれないことに留意する。

## 問　題　２　公開途上にある株式の評価

重要度　B

**次の設例の場合において、相続税の課税価格に算入すべき株式の価額を求めなさい。**

**なお、被相続人甲は令和７年８月15日に死亡している。**

**＜設　例＞**

Ｄ株式　　10,000株

この株式は、東京証券取引所が内閣総理大臣に対して株式の上場の届出を令和７年７月21日に行うことを明らかにしたものである。

| | |
|---|---|
| 上場の日 | 令和７年９月１日 |
| １株当たりの公開価格 | 6,910円 |
| １株当たりの類似業種比準価額 | 4,100円 |
| １株当たりの配当還元価額 | 200円 |

### 解　答

6,910円×10,000株＝69,100千円

### 解答への道

**《公式》　公開途上にある株式の評価**（評通174(2)）

| 公開価格 |
|---|

公開価格とは、金融商品取引所又は日本証券業協会の内規によって行われる入札により決定される入札後の公募等の価格をいう。

## 問題3　課税時期が権利落等の日の前日以前である場合　重要度 C

**次の各設例の場合において、相続税の課税価格に算入すべき株式の価額を求めなさい。**

**＜設例１＞**

G株式　　10,000株

この株式は、日本証券業協会の内規によって登録銘柄として登録されている株式で、その株価等の状況は、次のとおりである。

株価の状況

課税時期（令和７年10月５日）の取引価格　4,520円

令和７年10月の毎日の取引価格の月平均額　4,145円

令和７年10月１日から同年10月17日までの毎日の取引価格の平均額　4,510円

令和７年10月18日から同年10月31日までの毎日の取引価格の平均額　3,780円

令和７年９月の毎日の取引価格の月平均額　4,515円

令和７年８月の毎日の取引価格の月平均額　4,512円

令和７年７月の毎日の取引価格の月平均額　4,516円

株式の割当ての基準日　令和７年10月19日

株式の割当ての日　令和７年12月19日

払込金額　株式１株につき50円

株式の割当数　株式１株に対し0.20株を割当て

権利落の日　令和７年10月18日

**＜設例２＞**

H株式　　20,000株

この株式は、日本証券業協会の内規によって登録銘柄として登録されている株式で、その株価等の状況は、次のとおりである。

株価の状況

課税時期（令和７年７月１日）前後の取引価格

６月27日　3,630円　６月28日　3,650円　６月29日　取引なし

６月30日　取引なし　７月１日　取引なし　７月２日　取引なし

７月３日　3,610円　７月４日　3,630円

令和７年７月の毎日の取引価格の月平均額　3,620円

令和７年７月１日から同年７月27日までの毎日の取引価格の平均額　3,660円

令和７年７月28日から同年７月31日までの毎日の取引価格の平均額　3,580円

令和７年６月の毎日の取引価格の月平均額　3,670円

令和７年５月の毎日の取引価格の月平均額　3,680円

| | |
|---|---|
| 配当金交付の基準日 | 令和７年７月29日 |
| 配当落の日 | 令和７年７月28日 |
| 配当金交付効力の発生日 | 令和７年10月31日 |
| 予想配当金額 | １株につき10円 |

## 解　答

**＜設例１＞**

(1) 4,520円　　(2) 4,510円　　(3) 4,515円　　(4) 4,512円

∴　4,510円×10,000株＝45,100千円

**＜設例２＞**

(1) 3,650円　　(2) 3,620円　　(3) 3,670円　　(4) 3,680円

∴　3,620円×20,000株＝72,400千円

## 解答への道

**《公式》　取引価格の月平均額の特例**（評通177－２）

＜課税時期が株式の割当て等の基準日以前である場合＞

権利落等の日が属する月の取引価格の月平均額

原則として、その月の初日からその権利落等の日の前日（配当落の場合にあっては、その月の末日）までの毎日の取引価格の平均額

**＜設例１＞**

含みで評価するため、10月の月平均額は10/1から10/17までの取引価格の平均額をとることとなる。

**＜設例２＞**

最終価格の月平均額の特例は、配当落があった場合には修正を行わない。これは、配当落の場合においては、月初から配当落の前日までの平均額を求めてみても、その金額と月平均額との差はごく僅少のものとなるためである。

## 問題 4　課税時期が権利落等の日から基準日までの間にある場合

重要度　C

次の各設例の場合において、相続税の課税価格に算入すべき株式の価額を求めなさい。

＜設例１＞

Ｊ株式　　10,000株

この株式は、日本証券業協会の内規によって登録銘柄として登録されている株式で、その株価等の状況は、次のとおりである。

株価の状況

| | |
|---|---|
| 令和７年４月16日の取引価格 | 5,300円 |
| 令和７年４月17日の取引価格 | 4,700円 |
| 課税時期（令和７年４月18日）の取引価格 | 4,750円 |
| 令和７年４月の毎日の取引価格の月平均額 | 4,950円 |
| 令和７年４月１日から同年４月16日までの毎日の取引価格の平均額 | 5,380円 |
| 令和７年４月17日から同年４月30日までの毎日の取引価格の平均額 | 4,760円 |
| 令和７年３月の毎日の取引価格の月平均額 | 5,400円 |
| 令和７年２月の毎日の取引価格の月平均額 | 5,350円 |

| | |
|---|---|
| 株式の割当ての基準日 | 令和７年４月18日 |
| 権利落の日 | 令和７年４月17日 |
| 株式の割当ての日 | 令和７年６月18日 |
| 株式の割当数 | 株式１株につき0.15株を割当て |
| 払込金額 | 株式１株につき50円 |

＜設例２＞

Ｋ株式　　15,000株

この株式は、日本証券業協会の内規によって登録銘柄として登録されている株式で、その株価等の状況は、次のとおりである。

株価の状況

| | | |
|---|---|---|
| 令和７年３月28日の取引価格 | 高値 3,860円 | 安値 3,320円 |
| 令和７年３月29日の取引価格 | 高値 3,630円 | 安値 2,810円 |
| 令和７年３月30日の取引価格 | 高値 3,610円 | 安値 2,820円 |
| 令和７年３月31日の取引価格 | 高値 3,590円 | 安値 2,880円 |
| 課税時期（令和７年４月１日）の取引価格 | 高値 3,580円 | 安値 2,870円 |
| 令和７年４月の毎日の取引価格の月平均額 | 3,250円 | |
| 令和７年３月の毎日の取引価格の月平均額 | 3,470円 | |
| 令和７年３月１日から同年３月28日までの毎日の取引価格の平均額 | 3,610円 | |

令和７年３月29日から同年３月31日までの毎日の取引価格の平均額　3,240円

令和７年２月の毎日の取引価格の月平均額　3,580円

株式の割当ての基準日　令和７年４月１日

権利落の日　令和７年３月29日

株式の割当ての日　令和７年５月３日

株式の割当数　株式１株につき0.10株を割当て

払込金額　株式１株につき50円

＜設例３＞

Ｌ株式　20,000株

この株式は、日本証券業協会の内規によって登録銘柄として登録されている株式で、その株価等の状況は、次のとおりである。

株価の状況

課税時期（令和７年６月28日）前後の取引価格

| | | | | | |
|---|---|---|---|---|---|
| ６月25日 | 1,210円 | ６月26日 | 1,250円 | ６月27日 | 取引なし |
| ６月28日 | 取引なし | ６月29日 | 1,100円 | ６月30日 | 1,080円 |
| ７月１日 | 取引なし | ７月２日 | 取引なし | ７月３日 | 1,090円 |

令和７年６月の毎日の取引価格の月平均額　1,200円

令和７年６月１日から同年６月28日までの毎日の取引価格の平均額　1,240円

令和７年６月29日から同年６月30日までの毎日の取引価格の平均額　1,090円

令和７年５月の毎日の取引価格の月平均額　1,230円

令和７年４月の毎日の取引価格の月平均額　1,220円

配当金交付の基準日　令和７年６月30日

配当落の日　令和７年６月29日

配当金交付効力の発生日　令和７年７月31日

予想配当金額　１株につき20円

## 解　答

＜設例１＞

(1) 5,300円　(2) 5,380円　(3) 5,400円　(4) 5,350円

∴　5,300円×10,000株＝53,000千円

＜設例２＞

(1) $\frac{3,860円+3,320円}{2}$＝3,590円

(2) 3,250円×(１＋0.10)－50円×0.10＝3,570円

(3) 3,610円　　　　　　(4) 3,580円

∴　3,570円×15,000株＝53,550千円

＜設例３＞

(1) 1,250円　　　　(2) 1,200円　　　　(3) 1,230円　　　　(4) 1,220円

∴　1,200円×20,000株＝24,000千円

## 解答への道

＜設例１＞

**《公式》　課税時期が権利落等の日から株式の割当て等の基準日までの間にある場合**（評通175）

| 課税時期の取引価格 | ⇨ | 権利落等の日の前日以前の取引価格のうち、課税時期に最も近い日の取引価格 |
|---|---|---|

したがって、課税時期の取引価格は、4/16の5,300円となる。また、４月の月平均額は、4/1から4/16までの毎日の取引価格の平均額5,380円をとることとなる。

＜設例２＞

**《公式》　課税時期が株式の割当て等の基準日以前で、権利落等の日が課税時期の属する月の初日以前である場合の月平均額の特例**（評通177－２）

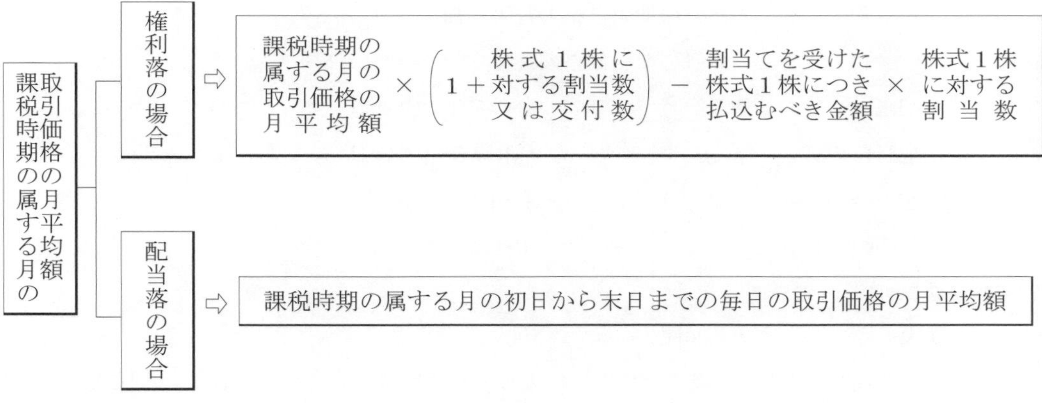


権利落等の日の前日以前の取引価格のうち、課税時期に最も近い日は3/28となるため、3/28の取引価格をとることとなる。また、3/28の取引価格については、高値と安値の双方が与えられているため、その平均額となる。

なお、３月の月平均額は、3/1から3/28までの毎日の取引価格の平均額をとることとなる。

＜設例３＞

権利含みで評価するため課税時期の取引価格については、配当落の日の前日以前の取引価格のうち課税時期に最も近い日の取引価格1,250円をとることとなるが、月平均額については修正を行わないということに注意する。

## 問　題　5　課税時期が基準日の翌日以後である場合

重要度　C

次の各設例の場合において、相続税の課税価格に算入すべき株式の価額及びその株式に関する権利の価額を求めなさい。

（注）配当に係る源泉徴収されるべき税額を計算する必要がある場合には、20.315％の率とする。

＜設例１＞

Ｎ株式　　5,000株

この株式は、日本証券業協会の内規によって登録銘柄として登録されている株式で、その株価等の状況は、次のとおりである。

株価の状況

課税時期（令和７年４月16日）の取引価格　　高値 1,860円　　安値 1,690円

令和７年４月の毎日の取引価格の月平均額　　1,780円

令和７年３月の毎日の取引価格の月平均額　　1,780円

令和７年３月１日から同年３月27日までの毎日の取引価格の平均額　　1,783円

令和７年３月28日から同年３月31日までの毎日の取引価格の平均額　　1,778円

令和７年２月の毎日の取引価格の月平均額　　1,782円

令和７年１月の毎日の取引価格の月平均額　　1,788円

配当金交付の基準日　　令和７年３月29日

配当落の日　　令和７年３月28日

配当金交付効力の発生日　　令和７年５月31日

予想配当金額　　１株につき40円

＜設例２＞

Ｏ株式　　10,000株

この株式は、日本証券業協会の内規によって登録銘柄として登録されている株式で、その株価等の状況は、次のとおりである。

株価等の状況

課税時期（令和７年５月16日）前後の取引価格

５月12日　2,360円　　５月13日　取引なし　　５月14日　取引なし

５月15日　取引なし　　５月16日　取引なし　　５月17日　取引なし

５月18日　2,320円　　５月19日　取引なし

令和７年５月の取引価格の月平均額　　2,343円

令和７年４月の取引価格の月平均額　　2,347円

令和７年４月１日から同年４月12日までの毎日の取引価格の平均額　　2,350円

令和７年４月13日から同年４月30日までの毎日の取引価格の平均額　　2,320円

令和７年３月の取引価格の月平均額　　2,762円

株式の割当ての基準日　　令和７年４月14日

権利落の日　　令和７年４月13日

株式の割当ての日　　令和７年６月14日

株式の割当数　　株式１株につき0.20株を割当て

払込金額　　株式１株につき50円

＜設例３＞

Ｐ株式　　15,000株

この株式は、日本証券業協会の内規によって登録銘柄として登録されている株式で、その株価等の状況は、次のとおりである。

株価の状況（課税時期令和７年６月14日）

令和７年６月11日の取引価格　　3,650円

令和７年６月12日から同年６月15日の取引価格　　取引なし

令和７年６月16日の取引価格　　3,600円

令和７年６月の毎日の取引価格の月平均額　　3,790円

令和７年６月１日から同年６月４日までの毎日の取引価格の平均額　　4,000円

令和７年６月５日から同年６月30日までの毎日の取引価格の平均額　　3,625円

令和７年５月の毎日の取引価格の月平均額　　4,004円

令和７年４月の毎日の取引価格の月平均額　　3,982円

株式無償交付の基準日　　令和７年６月６日

権利落の日　　令和７年６月５日

株式無償交付の効力発生日　　令和７年８月６日

株式の交付数　　株式１株につき0.10株を交付

＜設例４＞

Ｑ株式　　20,000株

この株式は、日本証券業協会の内規によって登録銘柄として登録されている株式で、その株価等の状況は、次のとおりである。

株価の状況（課税時期令和７年７月７日）

令和７年６月20日の取引価格　　高値　3,820円　　安値　3,600円

令和７年６月21日から同年７月８日までの取引価格　　取引なし

令和７年７月９日の取引価格　　高値　3,800円　　安値　3,560円

令和７年７月の毎日の取引価格の月平均額　　3,720円

令和７年６月の毎日の取引価格の月平均額　　3,740円

令和７年５月の毎日の取引価格の月平均額　　3,730円

株式の割当ての基準日　　令和７年４月26日

権利落の日　　　　　　　　　　令和７年４月25日

株式の割当ての日　　　　　　　令和７年６月30日

払込期日　　　　　　　　　　　令和７年７月10日

株式の割当数　　　　　　　　　株式１株につき0.20株を割当て

払込金額　　　　　　　　　　　株式１株につき50円

なお、払込金額は株式を取得した者が支払った。

＜設例５＞

Ｒ株式　　　　　　25,000株

この株式は、日本証券業協会の内規によって登録銘柄として登録されている株式で、その株価等の状況は、次のとおりである。

株価の状況（課税時期令和７年８月10日）

令和７年７月25日の取引価格　　　高値　5,130円　　　安値　5,010円

令和７年７月26日から同年８月10日までの取引価格　　　取引なし

令和７年８月11日の取引価格　　　高値　5,080円　　　安値　4,970円

令和７年８月の毎日の取引価格の月平均額　　5,150円

令和７年７月の毎日の取引価格の月平均額　　5,570円

令和７年７月１日から同年７月26日までの毎日の取引価格の平均額　　5,570円

令和７年７月27日から同年７月31日までの毎日の取引価格の平均額　　取引なし

令和７年６月の毎日の取引価格の月平均額　　5,360円

配当金交付の基準日　　　　　　令和７年７月28日

配当落の日　　　　　　　　　　令和７年７月27日

配当金交付効力の発生日　　　　令和７年９月30日

予想配当金額　　　　　　　　　株式１株につき20円

## 解　答

＜設例１＞

(1)　株　式

①　$\frac{1,860円＋1,690円}{2}$＝1,775円　　②　1,780円　　③　1,780円　　④　1,782円

∴　1,775円×5,000株＝8,875千円

(2)　配当期待権

40円×5,000株×（１－20.315％）＝159.370千円

<設例２>

(1) 株　式

① 2, 360円　② 2, 343円　③ 2, 320円　④ $\frac{2,762円+50円\times0.20}{1+0.20}$＝2, 310円

∴ 2, 310円×10, 000株＝23, 100千円

(2) 株式の割当てを受ける権利

(2, 310円－50円)×10, 000株×0. 20＝4, 520千円

<設例３>

(1) 株　式

① 3, 650円　② 3, 625円　③ $\frac{4,004円}{1+0.10}$＝3, 640円　④ $\frac{3,982円}{1+0.10}$＝3, 620円

∴ 3, 620円×15, 000株＝54, 300千円

(2) 株式無償交付期待権

3, 620円×15, 000株×0. 10＝5, 430千円

<設例４>

(1) 株　式

① $\frac{3,820円+3,600円}{2}$＝3, 710円　② 3, 720円　③ 3, 740円　④ 3, 730円

∴ 3, 710円×20, 000株＝74, 200千円

(2) 株主となる権利

(3, 710円－50円)×20, 000株×0. 20＝14, 640千円

<設例５>

(1) 株　式

① $\frac{5,130円+5,010円}{2}$＝5, 070円　5, 070円－20円＝5, 050円

② 5, 150円　③ 5, 570円　④ 5, 360円

∴ 5, 050円×25, 000株＝126, 250千円

(2) 配当期待権

20円×25, 000株×（１－20. 315%）＝398. 425千円

## 解答への道

**＜設例１＞**

**《公式》　取引価格の月平均額**（評通177－２）

＜課税時期が配当金交付の基準日の翌日以後である場合＞

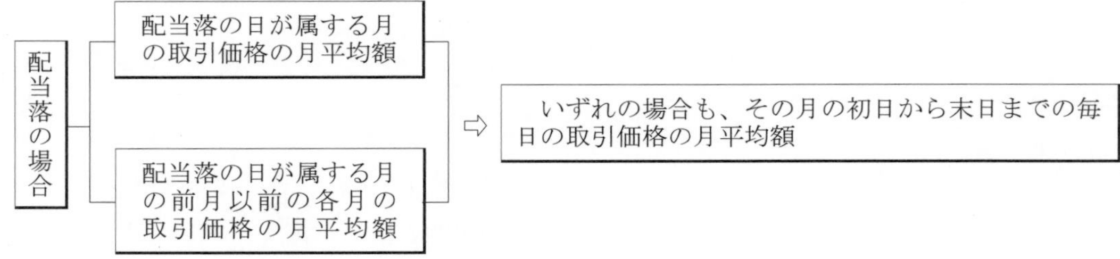


**《公式》　配当期待権**（評通193）

（課税時期後に受けると見込まれる予想配当の金額）－（源泉徴収されるべき所得税の額相当額）

※　配当期待権の意義（評通168(7)）

配当金交付の基準日の翌日から配当金交付の効力が発生する日までの間における配当金を受けることができる権利をいう。

配当落であるため月平均額に関する修正は、一切行わない。単純にその月の初日から末日までの取引価格の月平均額をとることとなる。

課税時期4/16が、配当金交付の基準日3/29の翌日から配当金交付の効力発生日5/31までの間にあるため、配当期待権が発生する。

＜設例２＞

**《公式》　取引価格の月平均額の特例**（評通177－２）

＜課税時期が株式の割当て等の基準日の翌日以後である場合＞

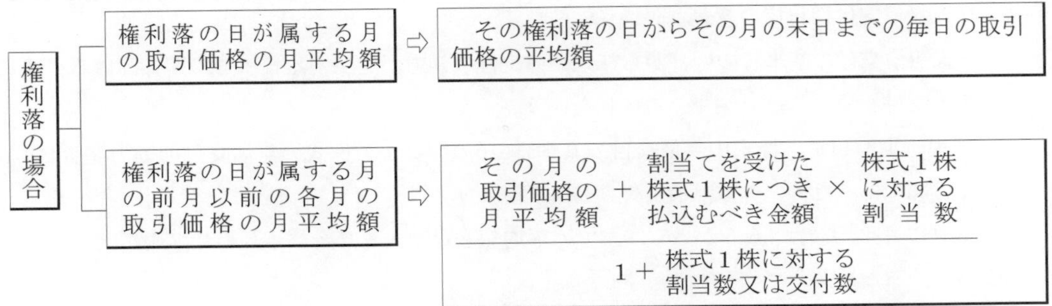


**《公式》　株式の割当てを受ける権利**（評通190）

| 株式の評価額－割当てを受ける株式１株につき払込むべき金額 |
|---|

※　株式の割当てを受ける権利（評通168(4)）

株式の割当基準日の翌日から株式の割当ての日までの間における株式の割当てを受ける権利をいう。

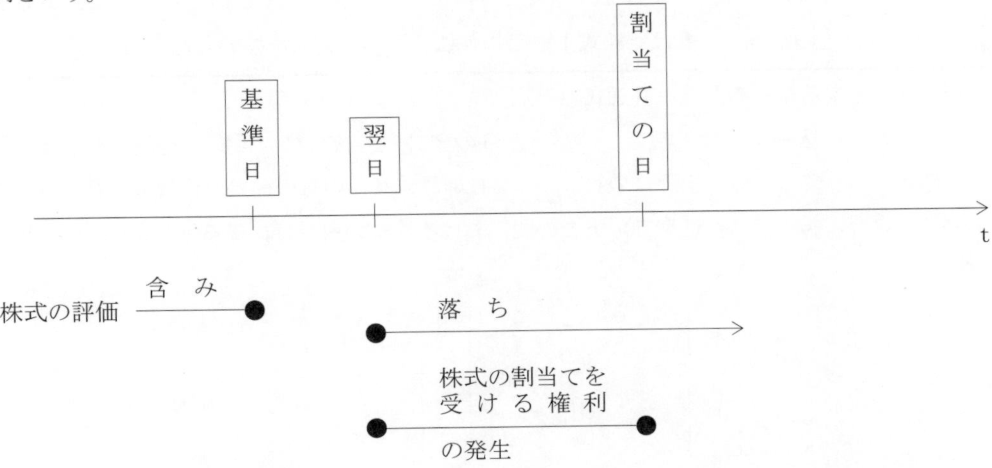


課税時期が基準日の翌日以後であるため４月の月平均額は4/13 から4/30 までの平均額となり、３月の月平均額については、含みとなっているため落ちに修正する。

＜設例３＞

**《公式》　株式無償交付期待権**（評通192）

| 株式の評価額 |
|---|

※　株式無償交付期待権の意義（評通168(6)）

株式無償交付の基準日の翌日から株式無償交付の効力が発生する日までの間における、株式の無償交付を受けることができる権利をいう。

課税時期6/14が、株式の無償交付の基準日6/6の翌日から株式の無償交付の効力発生日8/6までの間にあるため、株式無償交付期待権が発生する。

６月の月平均額は、6/5から6/30までの平均額となり、５月及び４月の月平均額は、含みとなっているため落ちに修正する。

＜設例４＞

**《公式》　株主となる権利**（評通191）

| (1)　会社設立の場合<br>　課税時期以前にその株式１株につき払込んだ価額<br>(2)　増資の場合<br>　株式の評価額（課税時期の翌日以後その株主となる権利につき払込むべき金額がある場合には、その割当てを受けた株式１株につき払込むべき金額を控除した金額） |
|---|

※　株主となる権利の意義（評通168(5)）

株式の申込みに対して割当てがあった日の翌日（会社の設立に際し発起人が引受けをする株式にあっては、その引受けの日）から会社の設立登記の日の前日（会社成立後の株式の割当ての場合にあっては払込期日）までの間における株式の引受けに係る権利をいう。

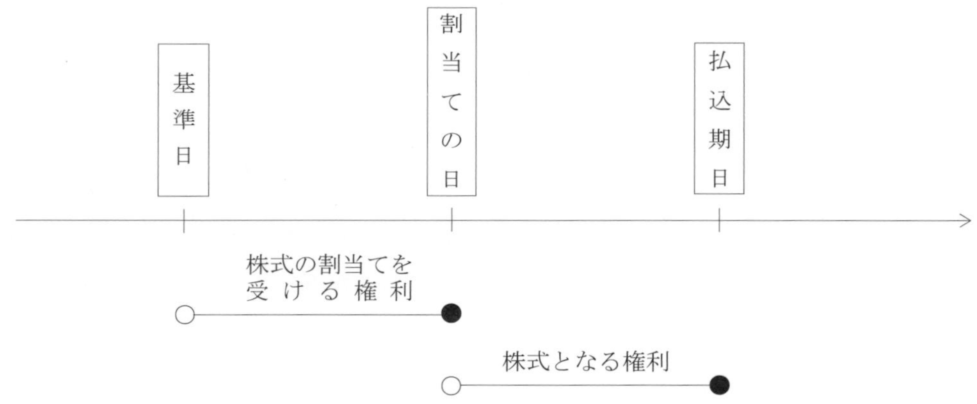


課税時期7/7が、株式の割当ての日6/30の翌日から払込期日7/10までの間にあるため、株主となる権利が発生する。

株主となる権利については、被相続人が払込金を払込んでいないため、株式の評価額から、その株式１株につき払込むべき金額を控除した金額となる。

＜設例５＞

**《公式》　課税時期に取引価格がない場合**（評通176(2)）

＜課税時期が基準日の翌日以後で課税時期の前日以前の取引価格のうち課税時期に最も近い日の取引価格が権利落の日の前日以前のものである場合＞

課税時期に最も近い日の取引価格を次の(1)又は(2)の算式によって修正した価格

(1)　権利落の場合

$$\frac{\text{課税時期に最も近い日の取引価格} + \text{割当てを受けた株式１株につき払込むべき金額} \times \text{株式１株に対する割当数}}{１＋\text{株式１株に対する割当数又は交付数}}$$

(2)　配当落の場合

課税時期に最も近い日の取引価格 － 株式１株に対する予想配当の金額

上場株式と異なり、課税時期の翌日以後の株価からとることができないため、課税時期に最も近い日の株価（含みの株価）を修正して、落ちの株価を求めることとなる。

**《公式》　配当期待権**（評通193）

（課税時期後に受けると見込まれる予想配当の金額）－（源泉徴収されるべき所得税の額相当額）

※　配当期待権の意義（評通168(7)）

配当金交付の基準日の翌日から配当金交付の効力が発生する日までの間における配当金を受けることができる権利をいう。

## 問　題　6　負担付贈与等により取得した気配相場等のある株式　重要度　C

次の設例の場合において、贈与税の課税価格に算入すべき財産の価額を求めなさい。

＜設　例＞

令和７年５月10日甲は乙に次の株式を、甲の銀行借入金15,000千円（元利合計額）を引き受けることを条件に贈与した。

Ｘ株式　　　　5,000株

この株式は、日本証券業協会の内規によって登録銘柄として登録されている株式で、その株価等の状況は、次のとおりである。

株価の状況

| | |
|---|---|
| 課税時期（令和７年５月10日）の取引価格 | 3,520円 |
| 令和７年５月の毎日の取引価格の月平均額 | 3,510円 |
| 令和７年４月の毎日の取引価格の月平均額 | 3,515円 |
| 令和７年３月の毎日の取引価格の月平均額 | 3,512円 |
| 令和７年２月の毎日の取引価格の月平均額 | 3,509円 |

### 解　答

3,520円×5,000株－15,000千円＝2,600千円

### 解答への道

**《公式》　負担付贈与又は低額譲受により取得した登録銘柄及び店頭管理銘柄の評価**

（評通174(1)ロ）

| 日本証券業協会の公表する課税時期の取引価格 |
|---|

# 第15章

# 取引相場のない株式

| 問題 | 内容 | 重要度 |
|---|---|---|
| 問題１ | 株式取得者の態様に応じた評価方式の判定 | A |
| 問題２ | 株式の発行会社の規模に応じた株式の評価　－大会社－ | A |
| 問題３ | 株式の発行会社の規模に応じた株式の評価　－中会社－ | A |
| 問題４ | 株式の発行会社の規模に応じた株式の評価　－小会社－ | A |
| 問題５ | 類似業種比準価額 | A |
| 問題６ | 類似業種比準価額の修正等　－その１－ | A |
| 問題７ | 類似業種比準価額の修正等　－その２－ | C |
| 問題８ | １株当たりの純資産価額　－その１－ | A |
| 問題９ | １株当たりの純資産価額　－その２－ | A |
| 問題10 | 配当還元価額　－その１－ | A |
| 問題11 | 配当還元価額　－その２－ | B |
| 問題12 | 特定の評価会社の判定 | A |
| 問題13 | 比準要素数１の会社の株式の評価 | A |
| 問題14 | 株式等保有特定会社の株式の評価　－その１－ | A |
| 問題15 | 株式等保有特定会社の株式の評価　－その２－ | C |
| 問題16 | 土地保有特定会社又は開業後３年未満の会社等の株式の評価 | A |
| 問題17 | 開業前又は休業中の会社の株式の評価 | C |
| 問題18 | 清算中の会社の株式の評価 | C |

## 問題 1　株式取得者の態様に応じた評価方式の判定

| 重要度 | A |
|---|---|

次の各設例に基づいて、株式取得者ごとに評価方式を判定しなさい。なお、株式は、すべて評価区分上取引相場のない株式（普通株式）に該当するものとする。

＜設例１＞

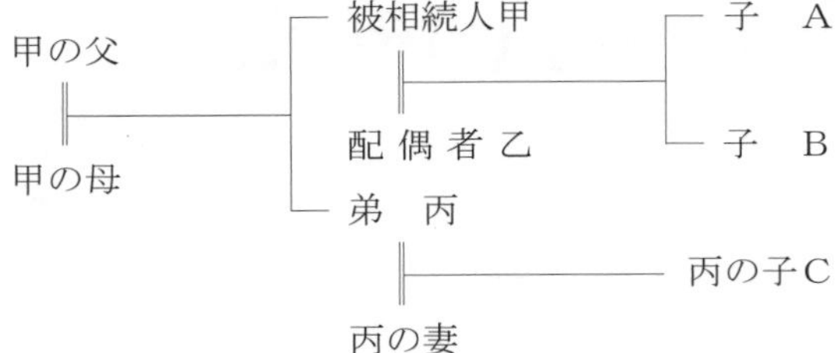


被相続人甲は、遺言により甲社株式を次のとおり遺贈した。

| | | | |
|---|---|---|---|
| 甲の父 | 5,000株（5個） | 甲の子B | 12,000株（12個） |
| 甲の配偶者乙 | 50,000株（50個） | 甲の弟丙の子C | 6,000株（6個） |
| 甲の子A | 12,000株（12個） | 甲の友人Z | 10,000株（10個） |

(注) カッコ内は、議決権数を示す。

なお、相続開始直前における甲社株式の保有数等は、次のとおりである。

(1) 保有株式数等

| 株　主 | 保有株式数（議決権数） |
|---|---|
| 甲 | 95,000株（ 95個） |
| 甲の父 | 22,000株（ 22個） |
| 甲の配偶者乙 | 58,000株（ 58個） |
| 甲の弟丙 | 15,000株（ 15個） |
| 甲の友人Z | 83,000株（ 83個） |
| その他の株主 | 27,000株（ 27個） |
| 発行済株式数等 | 300,000株（300個） |

(2) 甲社の役員

| | |
|---|---|
| 甲 | 社　長 |
| Z | 専　務 |
| A | 常　務 |

＜設例２＞

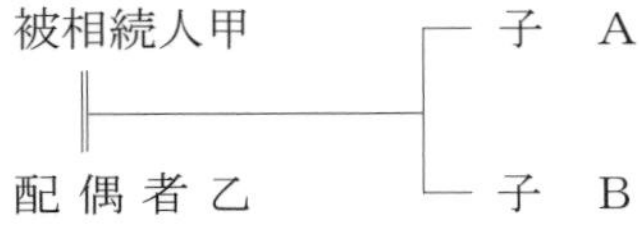


被相続人甲は、遺言によりY社株式を次のとおり遺贈した。

| | | | |
|---|---|---|---|
| 甲の配偶者乙 | 100,000株（100個） | 甲の友人Cの子E | 30,000株（30個） |
| 甲の子A | 150,000株（150個） | 甲の友人Cの子F | 30,000株（30個） |
| 甲の子B | 150,000株（150個） | 甲の友人D | 10,000株（10個） |

(注) カッコ内は、議決権数を示す。

なお、相続開始直前におけるＹ社株式の保有数等は、次のとおりである。

(1) 保有株式数等

| 株　　　主 | 保有株式数（議決権数） |
|---|---|
| 甲 | 470,000株（　470個） |
| 甲の友人Ｃ | 390,000株（　390個） |
| 甲の友人Ｄ | 140,000株（　140個） |
| 発行済株式数等 | 1,000,000株（1,000個） |

(2) Ｙ社の役員

甲　　社　長
Ｃ　　専　務
Ｅ　　常　務

**＜設例３＞**

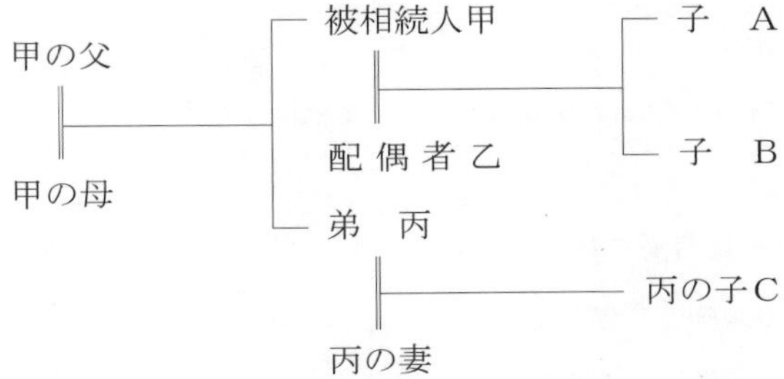


被相続人甲は、遺言によりＸ社株式を次のとおり遺贈した。

| | | | |
|---|---|---|---|
| 甲の子Ａ | 20,000株（20個） | 甲の友人Ｗ | 10,000株（10個） |
| 甲の子Ｂ | 20,000株（20個） | 甲の友人Ｖ | 10,000株（10個） |
| 甲の弟丙の子Ｃ | 5,000株（５個） | | |

(注) カッコ内は、議決権数を示す。

なお、相続開始の直前におけるＸ社株式の保有数等は、次のとおりである。

(1) 保有株式数等

| 株　　　主 | 保有株式数（議決権数） |
|---|---|
| 甲 | 65,000株（ 65個） |
| 甲の母 | 50,000株（ 50個） |
| 甲の弟丙 | 50,000株（ 50個） |
| 甲の子Ａ | 30,000株（ 30個） |
| 甲の弟丙の子Ｃ | 15,000株（ 15個） |
| 甲の友人Ｗ | 90,000株（ 90個） |
| Ｗの子Ｕ | 75,000株（ 75個） |
| 甲の友人Ｖ | 25,000株（ 25個） |
| その他の株主 | 100,000株（100個） |
| 発行済株式数等 | 500,000株（500個） |

(2) Ｘ社の役員

Ｗ　　社　長
Ｕ　　専　務
Ｂ　　常　務

＜設例４＞

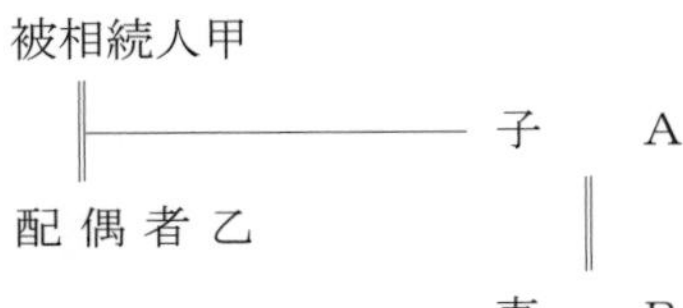


被相続人甲は、遺言によりＴ社株式を次のとおり遺贈した。

| | | | |
|---|---|---|---|
| 甲の配偶者乙 | 1,500株（ 15個） | 甲の友人Ｃ | 3,000株（30個） |
| 甲の子Ａ | 12,000株（120個） | Ｃの妻Ｄ | 3,000株（30個） |
| Ａの妻Ｂ | 7,500株（ 75個） | | |

（注）カッコ内は、議決権数を示す。

なお、相続開始の直前におけるＴ社株式の保有数等は、次のとおりである。

(1) 保有株式数等

| 株　　主 | 保有株式数（議決権数） |
|---|---|
| 甲 | 27,000株（　270個） |
| 甲の配偶者乙 | 12,000株（　120個） |
| 甲の子Ａ | 24,000株（　240個） |
| Ａの妻Ｂ | 18,000株（　180個） |
| 甲の友人Ｃ | 21,000株（　210個） |
| Ｃの妻Ｄ | 9,000株（　 90個） |
| その他の株主 | 189,000株（1,890個） |
| 発行済株式数等 | 300,000株（3,000個） |

(2) Ｔ社の役員

| | |
|---|---|
| 甲 | 社　長 |
| Ｃ | 専　務 |

＜設例５＞

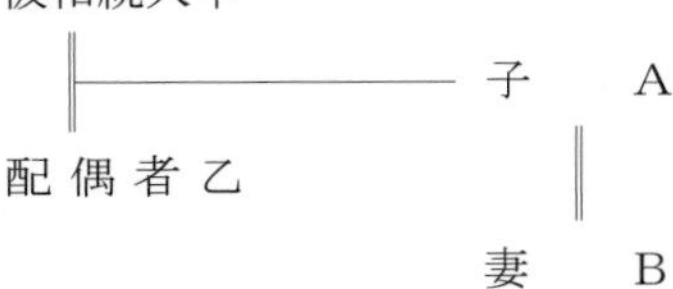


被相続人甲は、遺言によりＳ社株式を次のとおり遺贈した。

| | | | |
|---|---|---|---|
| 甲の子Ａ | 22,500株（225個） | Ｃの子Ｅ | 2,500株（25個） |
| Ａの妻Ｂ | 20,000株（200個） | 甲の友人Ｆ | 2,500株（25個） |
| 甲の友人Ｃ | 2,500株（ 25個） | | |

（注）カッコ内は、議決権数を示す。

なお、相続開始の直前におけるＳ社株式の保有数等は、次のとおりである。

(1) 保有株式数等

| 株　　主 | 保有株式数（議決権数） |
|---|---|
| 甲 | 50,000株（　500個） |
| 甲の友人C | 7,500株（　75個） |
| Cの子D | 20,000株（　200個） |
| Cの子E | 7,500株（　75個） |
| 甲の友人F | 27,500株（　275個） |
| その他の株主 | 137,500株（1,375個） |
| 発行済株式数等 | 250,000株（2,500個） |

(2) S社の役員

甲　　社　長

C　　専　務

F　　常　務

## 解　答

**＜設例１＞**

(1) 各同族関係者のグループの議決権数の計算

甲グループ　(22個＋５個)＋(58個＋50個)＋12個＋12個＋15個＋６個＝180個

Ｚグループ　83個＋10個＝93個

(2) 同族株主の有無の判定

$\frac{180個}{300個}=60\%>50\%$　　∴　同族株主のいる会社に該当する。

(3) 取得者が同族株主に該当するか否かの判定

甲の父、甲の配偶者乙、甲の子A、甲の子B、甲の弟丙の子Cは、同族株主に該当する。

→(4)へ

甲の友人Ｚは、議決権割合が50%未満であるため、同族株主には該当しない。よって、友人Ｚは、特例的評価方式により評価する。

※　Ｚの議決権割合　$\frac{93個}{300個}=31\%<50\%$

(4) 各同族株主の議決権割合が５%以上であるか否かの判定

甲の父　$\frac{22個+5個}{300個}=9\%\geqq 5\%$　　∴ 原則的評価方式

甲の配偶者乙　$\frac{58個+50個}{300個}=36\%\geqq 5\%$　　∴ 原則的評価方式

甲の子A及びB　$\frac{12個}{300個}=4\%<5\%$　　→(5)へ

甲の弟丙の子C　$\frac{6個}{300個}=2\%<5\%$　　→(5)へ

第15章　取引相場のない株式

(5) (4)で５％未満であった者が役員であるか否かの判定

役員である者　　　甲の子Ａ　　∴ 原則的評価方式

役員でない者　　　甲の子Ｂ、甲の弟丙の子Ｃ　→(6)へ

(6) 中心的な同族株主が存在するか否かの判定

同族株主である甲の配偶者乙が単独で36%の議決権を有していることから、中心的な同族株主が存在することは明らかである。　→(7)へ

(7) (5)で役員でない者が中心的な同族株主に該当するか否かの判定

甲の子Ｂ　12個＋(22個＋５個)＋(58個＋50個)＋12個＝159個

$$\frac{159個}{300個}=53\%\geqq 25\%$$ ∴ 中心的な同族株主に該当する。→原則的評価方式

甲の弟丙の子Ｃ　６個＋(22個＋５個)＋15個＝48個

$$\frac{48個}{300個}=16\%<25\%$$ ∴ 中心的な同族株主に該当しない。→特例的評価方式

(8) 各人の評価方式

原則的評価方式　甲の父、甲の配偶者乙、甲の子Ａ、甲の子Ｂ

特例的評価方式　甲の友人Ｚ、甲の弟丙の子Ｃ

＜設例２＞

(1) 各同族関係者のグループの議決権数の計算

甲グループ　　100個＋150個＋150個＝400個

Ｃグループ　　390個＋30個＋30個＝450個

Ｄグループ　　140個＋10個＝150個

(2) 同族株主の有無の判定

$$\frac{450個}{1,000個}=45\%\geqq 30\%$$ ∴ 同族株主のいる会社に該当する。

(3) 取得者が同族株主に該当するか否かの判定

甲グループ　$\frac{400個}{1,000個}=40\%\geqq 30\%$

Ｄグループ　$\frac{150個}{1,000個}=15\%<30\%$

∴ 甲の配偶者乙、甲の子Ａ、甲の子Ｂ、甲の友人Ｃの子Ｅ、甲の友人Ｃの子Ｆは、同族株主に該当する。　→(4)へ

甲の友人Ｄは、同族株主に該当しない。よって、友人Ｄは特例的評価方式により評価する。

(4) 各同族株主の議決権割合が５％以上であるか否かの判定

甲の配偶者乙　$\dfrac{100個}{1,000個}$＝10％≧５％　∴ 原則的評価方式

甲の子Ａ　$\dfrac{150個}{1,000個}$＝15％≧５％　∴ 原則的評価方式

甲の子Ｂ　$\dfrac{150個}{1,000個}$＝15％≧５％　∴ 原則的評価方式

甲の友人Ｃの子Ｅ　$\dfrac{30個}{1,000個}$＝３％＜５％　→(5)へ

甲の友人Ｃの子Ｆ　$\dfrac{30個}{1,000個}$＝３％＜５％　→(5)へ

(5) (4)で５％未満であった者が役員であるか否かの判定

役員である者　甲の友人Ｃの子Ｅ　∴ 原則的評価方式

役員でない者　甲の友人Ｃの子Ｆ　→(6)へ

(6) 中心的な同族株主が存在するか否かの判定

同族株主である甲の友人Ｃが単独で39％の議決権を有していることから、中心的な同族株主が存在することは明らかである。　→(7)へ

(7) (5)で役員でない者が中心的な同族株主に該当するか否かの判定

甲の友人Ｃの子Ｆ　30個＋390個＋30個＝450個

$\dfrac{450個}{1,000個}$＝45％≧25％　∴ 中心的な同族株主に該当する。

→原則的評価方式

(8) 各人の評価方式

原則的評価方式　甲の配偶者乙、甲の子Ａ、甲の子Ｂ、甲の友人Ｃの子Ｅ、甲の友人Ｃの子Ｆ

特例的評価方式　甲の友人Ｄ

**<設例３>**

(1) 各同族関係者のグループの議決権数の計算

甲グループ　50個＋50個＋(30個＋20個)＋20個＋(15個＋５個)＝190個

Ｗグループ　(90個＋10個)＋75個＝175個

Ｖグループ　25個＋10個＝35個

(2) 同族株主の有無の判定

$\dfrac{190個}{500個}$＝38％≧30％　∴ 同族株主のいる会社に該当する。

甲の母は、中心的な同族株主に該当する（38％≧25％）ため、中心的な同族株主が存在する。

(3) 取得者が同族株主に該当するか否かの判定

Wグループ　$\frac{175個}{500個}$＝35％≧30％

Vグループ　$\frac{35個}{500個}$＝７％＜30％

∴　甲の子Ａ、甲の子Ｂ、甲の弟丙の子Ｃ、甲の友人Ｗは、同族株主に該当する。→(4)へ

甲の友人Ｖは、同族株主に該当しない。よって、友人Ｖは特例的評価方式により評価する。

(4) 各同族株主の議決権割合が５％以上であるか否かの判定

甲の子Ａ　$\frac{30個＋20個}{500個}$＝10％≧５％　∴　原則的評価方式

甲の子Ｂ　$\frac{20個}{500個}$＝４％＜５％　→(5)へ

甲の弟丙の子Ｃ　$\frac{15個＋５個}{500個}$＝４％＜５％　→(5)へ

甲の友人Ｗ　$\frac{90個＋10個}{500個}$＝20％≧５％　∴　原則的評価方式

(5) (4)で５％未満であった者が役員であるか否かの判定

役員である者　甲の子Ｂ　∴　原則的評価方式

役員でない者　甲の弟丙の子Ｃ　→(6)へ

(6) (5)で役員でない者が中心的な同族株主に該当するか否かの判定

甲の弟丙の子Ｃ　(15個＋５個)＋50個＋50個＝120個

$\frac{120個}{500個}$＝24％＜25％

∴　中心的な同族株主に該当しない。　→特例的評価方式

(7) 各人の評価方式

原則的評価方式　甲の子Ａ、甲の子Ｂ、甲の友人Ｗ

特例的評価方式　甲の弟丙の子Ｃ、甲の友人Ｖ

**＜設例４＞**

(1) 各同族関係者のグループの議決権数の計算

甲グループ　(120個＋15個)＋(240個＋120個)＋(180個＋75個)＝750個

Ｃグループ　(210個＋30個)＋(90個＋30個)＝360個

(2) 同族株主の有無の判定

$\frac{750個}{3,000個}$＝25％＜30％　∴　同族株主のいない会社に該当する。

(3) 取得者が議決権割合の合計が15%以上のグループに属するか否かの判定

Cグループ　$\frac{360個}{3,000個}$＝12%＜15%

∴　甲の配偶者乙、甲の子A、Aの妻Bは、15%以上のグループに該当する。　→(4)へ

甲の友人C、Cの妻Dは、15%未満のグループに該当する。よって、友人C及びCの妻Dは特例的評価方式により評価する。

(4) 15%以上のグループに属する各株主の議決権割合が5%以上であるか否かの判定

甲の配偶者乙　$\frac{120個+15個}{3,000個}$＝4.5%＜5%　→(5)へ

甲の子A　$\frac{240個+120個}{3,000個}$＝12%≧5%　∴　原則的評価方式

Aの妻B　$\frac{180個+75個}{3,000個}$＝8.5%≧5%　∴　原則的評価方式

(5) (4)で5%未満であった者が役員に該当するか否かの判定

配偶者乙は、役員でない。　→(6)へ

(6) 中心的な株主が存在するか否かの判定

単独で10%以上の議決権を有している株主で議決権割合の合計が15%以上のグループに属する株主（甲の子A）が存在する。よって、配偶者乙は、特例的評価方式により評価する。

(7) 各人の評価方式

原則的評価方式　甲の子A、Aの妻B

特例的評価方式　甲の配偶者乙、甲の友人C、Cの妻D

**＜設例5＞**

(1) 各同族関係者のグループの議決権数の計算

甲グループ　225個＋200個＝425個

Cグループ　(75個＋25個)＋200個＋(75個＋25個)＝400個

Fグループ　275個＋25個＝300個

(2) 同族株主の有無の判定

$\frac{425個}{2,500個}$＝17%＜30%　∴　同族株主のいない会社に該当する。

(3) 取得者が議決権割合の合計が15%以上のグループに属するか否かの判定

Cグループ　$\frac{400個}{2,500個}$＝16%≧15%

Fグループ　$\frac{300個}{2,500個}$＝12%＜15%

∴　甲の子Ａ、Ａの妻Ｂ、甲の友人Ｃ、Ｃの子Ｅは、15%以上のグループに該当する。

→(4)へ

甲の友人Ｆは、15%未満のグループに該当する。よって、友人Ｆは特例的評価方式により評価する。

(4)　15%以上のグループに属する各株主の議決権割合が５%以上であるか否かの判定

甲の子Ａ　$\frac{225個}{2,500個}$＝９%≧５%　∴　原則的評価方式

Ａの妻Ｂ　$\frac{200個}{2,500個}$＝８%≧５%　∴　原則的評価方式

甲の友人Ｃ　$\frac{75個＋25個}{2,500個}$＝４%＜５%　→(5)へ

Ｃの子Ｅ　$\frac{75個＋25個}{2,500個}$＝４%＜５%　→(5)へ

(5)　(4)で５%未満である者が役員に該当するか否かの判定

役員である者　甲の友人Ｃ　∴ 原則的評価方式

役員でない者　Ｃの子Ｅ　→(6)へ

(6)　中心的な株主が存在するか否かの判定

単独で10%以上の議決権を有している株主で議決権割合の合計が15%以上のグループに属するものは存在しない。よって、Ｃの子Ｅは原則的評価方式により評価する。

(7)　各人の評価方式

原則的評価方式　甲の子Ａ、Ａの妻Ｂ、甲の友人Ｃ、Ｃの子Ｅ

特例的評価方式　甲の友人Ｆ

## 解答への道

評価方式の判定は、次の手順により行う。

〔第一段階〕

(1) 筆頭株主グループの議決権割合を求めることにより、同族株主のいる会社か否かを調べる。

(2) 取得者及びその同族関係者グループの議決権割合を求め、(1)の割合との関係により、特例的評価方式となるか、第二段階に進むかを決定する。

| (1) 筆頭株主グループの議決権割合 | 50％超の場合 | 30％以上<br>50％以下の場合 | 30％未満の場合 | |
|---|---|---|---|---|
| (2) 取得者の属する同族関係者グループの議決権割合の合計 | 50%超 | 30%以上 | 15%以上 | 第二段階に進む |
| | 50%未満 | 30%未満 | 15%未満 | 特例的評価方式に決定 |

〔第二段階〕

(3) 取得者の取得後の議決権割合が５％以上であるか否かを調べる。

(4) 取得者が役員であるか否かを調べる。

(5) 中心的な同族株主又は中心的な株主が存在するか否かを調べる。

(6) 取得者が中心的な同族株主であるか否かを調べる。

<table>
<tr><th>(3)取得後の議決権割合</th><th>(4)役員</th><th>(5)中心的な同族株主又は株主が存在</th><th>(6)取得者が中心的な同族株主又は株主</th><th>評価方式の判定</th></tr>
<tr><td>５％以上</td><td></td><td rowspan="2"></td><td rowspan="3"></td><td rowspan="4">原則的評価方式</td></tr>
<tr><td rowspan="4">５％未満</td><td>である</td></tr>
<tr><td rowspan="3">でない</td><td>しない</td></tr>
<tr><td rowspan="2">する</td><td>である</td></tr>
<tr><td>でない</td><td>特例的評価方式</td></tr>
</table>

<用語の意義>

1　同族株主（評通188(1)）

同族株主とは課税時期における評価会社の株主のうち、株主の１人及びその同族関係者の有する議決権の合計数がその会社の議決権総数の30％以上（その評価会社の株主のうち、株主の１人及びその同族関係者の有する議決権の合計数が最も多いグループの有する議決権の合計数が、その会社の議決権総数の50％超である会社にあっては、50％超）である場合におけるその株主及びその同族関係者をいう。

※　同族関係者となる個人の範囲（法人に関しては省略。法人税法施行令４①）

(1)　株主等の親族（配偶者、６親等内の血族、３親等内の姻族）

(2)　株主等とまだ婚姻の届出をしないが事実上婚姻関係と同様の事情にある者（いわゆる内縁関係者）

(3)　個人である株主等の使用人

(4)　(1)～(3)以外の者で個人である株主等から受ける金銭その他の資産によって生計を維持しているもの

(5)　(2)～(4)に掲げる者と生計を一にするこれらの者の親族

2　中心的な同族株主（評通188(2)）

中心的な同族株主とは、課税時期において同族株主の１人並びにその株主の配偶者、直系血族、兄弟姉妹及び１親等の姻族の有する議決権の合計数がその会社の議決権総数の25％以上である場合におけるその株主をいう。

3　中心的な株主（評通188(4)）

中心的な株主とは、課税時期において株主の１人及びその同族関係者の有する議決権の合計数がその会社の議決権総数の15％以上である株主グループのうち、いずれかのグループに単独でその会社の議決権総数の10％以上の議決権を有している株主がいる場合におけるその株主をいう。

なお、評価会社が自己株式を有する場合には、その自己株式に係る議決権の数は０として計算した議決権の数をもって評価会社の議決権総数となる。（評通188－３）

## 問題 2　株式の発行会社の規模に応じた株式の評価 －大会社－

重要度　A

次の各設例に基づいて、各人の取得した株式の価額を求めなさい。

＜設例１＞

Ｚ株式会社の筆頭株主（議決権総数の65％）である被相続人甲は、令和７年８月２日に死亡した。Ｚ社株式（普通株式）は、被相続人甲の作成した遺言書に基づいて、配偶者乙が120,000株（議決権総数の60％）、友人丙が10,000株（議決権総数の５％）取得した。

(1) 取得相場のない株式（大会社）

(2) １株当たりの類似業種比準価額　　1,980円

(3) １株当たりの純資産価額（相続税評価額）　　2,200円

(4) １株当たりの配当還元価額　　500円

＜設例２＞

Ｙ株式会社の株主である甲は、令和７年５月15日にＹ社株式（普通株式）20,000株（議決権総数の10％）を甲の配偶者である乙に贈与した。なお、甲及び甲の同族関係者のＹ社株式の議決権総数の合計は35％であり、同社の筆頭株主グループである丙及び丙の同族関係者の議決権総数の合計は45％である。

(1) 取得相場のない株式（大会社）

(2) １株当たりの類似業種比準価額　　2,300円

(3) １株当たりの純資産価額（相続税評価額）　　2,100円

(4) １株当たりの配当還元価額　　400円

### 解　答

＜設例１＞

(1) 評価方式の判定

配偶者乙　　60％＞50％≧25％

∴ 配偶者乙は、同族株主であり、かつ、中心的な同族株主であるため、原則的評価方式を用いる。

友人丙　　配偶者乙が60％の議決権を有しているため、友人丙の議決権割合は最大でも40％である。したがって、友人丙は、同族株主がいる会社の同族株主以外の株主であるため、特例的評価方式を用いる。

(2) 評価額

配偶者乙　① 1,980円

② 2,200円

③ ①＜②　∴ 1,980円

∴ 1,980円×120,000株＝237,600,000円

友人丙　① 500円

② 1,980円

③ ①＜②　∴ 500円

∴ 500円×10,000株＝5,000,000円

**＜設例２＞**

(1) 評価方式の判定

35%≧30%、10%≧５%

∴ 配偶者乙は、同族株主であり、かつ取得後の議決権割合が５%以上であるため、原則的評価方式を用いる。

(2) 評価額

① 2,300円

② 2,100円

③ ①＞②　∴ 2,100円

∴ 2,100円×20,000株＝42,000,000円

## 解答への道

**《公式》　大会社の原則的評価方式**（評通179(1)）

(1) 類似業種比準価額

(2) １株当たりの純資産価額（相続税評価額によって計算した金額）

(3) (1)、(2)いずれか低い金額

**《公式》　特例的評価方式**（評通188－２）

(1) 配当還元価額

(2) 発行会社の規模に応じた原則的評価方式による評価額

(3) (1)、(2)いずれか低い金額

## 問題3　株式の発行会社の規模に応じた株式の評価 －中会社－

重要度　A

次の各設例に基づいて、各人の取得した株式の価額を求めなさい。

＜設例１＞

Ｘ株式会社のオーナーである被相続人甲は、令和７年４月25日に死亡した。Ｘ社株式（普通株式）は、同社の株式を100％保有していた甲の作成した遺言書に基づいて、友人丙が、5,000株（議決権５個）取得したほかは、相続人が分割協議を行って次のとおり取得した。

| | |
|---|---|
| 被相続人甲の配偶者である乙 | 50,000株（議決権50個） |
| 被相続人甲及び乙の長男であるＡ | 20,000株（議決権20個） |
| 被相続人甲及び乙の長女であるＢ | 15,000株（議決権15個） |
| 被相続人甲及び乙の二男であるＣ | 10,000株（議決権10個） |

(1)　取引相場のない株式（中会社）

(2)　１株当たりの類似業種比準価額　5,100円

(3)　１株当たりの純資産価額（相続税評価額）　6,400円

(4)　１株当たりの配当還元価額　300円

(5)　Ｌの割合　0.60

＜設例２＞

Ｗ株式会社の株式（普通株式）40,000株（議決権総数の40％）を所有する甲は、令和７年11月18日に同社の株式5,000株（議決権総数の５％）を甲の長女Ｄに贈与した。なお、同社の筆頭株主グループは、他人乙及びその同族関係者であり、同グループの所有株式数は45,000株（議決権総数の45％）である。

(1)　取引相場のない株式（中会社）

(2)　１株当たりの類似業種比準価額　6,500円

(3)　１株当たりの純資産価額（相続税評価額）　5,900円

(4)　１株当たりの配当還元価額　350円

(5)　Ｌの割合

総資産価額に応ずる場合　0.75

取引金額に応ずる場合　0.90

## 解　答

**＜設例１＞**

(1) 評価方式の判定

$$\frac{50個(乙)+20個(A)+15個(B)+10個(C)}{5個+50個+20個+15個+10個(=100個)}=95\%>50\%\geqq 25\%$$

∴　配偶者乙、長男Ａ、長女Ｂ及び二男Ｃは、同族株主であり、かつ、中心的な同族株主であるため、原則的評価方式を用いる。

友人丙　$\frac{5個}{100個}=5\%<50\%$

∴　友人丙は、同族株主のいる会社の同族株主以外の株主であるため、特例的評価方式を用いる。

(2) 評価額

配偶者乙　5,100円*×0.60＋6,400円×（１－0.60）＝5,620円

＊　5,100円＜6,400円　　∴ 5,100円

∴　5,620円×50,000株＝281,000,000円

長男Ａ　5,620円×20,000株＝112,400,000円

長女Ｂ　5,620円×15,000株＝ 84,300,000円

二男Ｃ　5,620円×10,000株＝ 56,200,000円

友人丙　①　300円

②　5,100円*×0.60＋6,400円×$\frac{80}{100}$×（１－0.60）＝5,108円

＊　5,100円＜6,400円　　∴ 5,100円

③　①＜②　　∴ 300円

∴　300円×5,000株＝1,500,000円

**＜設例２＞**

(1) 評価方式の判定

５％＋35％＝40％≧30％

５％≧５％

∴　長女Ｄは、同族株主であり、かつ取得後の議決権割合が５％以上であるため、原則的評価方式を用いる。

(2) 評価額

長女D　　5,900円[*1]×0.90[*2]＋5,900円× $\frac{80}{100}$ ×(1－0.90)＝5,782円

＊1　6,500円＞5,900円　　∴ 5,900円

＊2　0.90＞0.75　　∴ 0.90

∴　5,782円×5,000株＝28,910,000円

## 解答への道

**《公式》　中会社の原則的評価方式**（評通179(2)）

| | |
|---|---|
| 類似業種比準価額<br>1株当たりの純資産価額<br>(相続税評価額) | 低い方× Lの割合[*1] ＋ 1株当たりの純資産価額[*2](相続税評価額) ×(1－Lの割合[*1]) |

＊1　Lの割合（評通179(2)）

直前期末における総資産価額（帳簿価額）及び従業員数に応ずる割合、又は直前期末以前1年間における取引金額に応ずる割合のいずれか大きい方による。

＊2　1株当たりの純資産価額（相続税評価額）（評通185）

株式の取得者とその同族関係者の議決権割合の合計が50%以下である場合には、＊2の部分に限り $\frac{80}{100}$ を乗じて計算する。

**《公式》　特例的評価方式**（評通188－2）

(1) 配当還元価額

(2) 発行会社の規模に応じた原則的評価方式による評価額

(3) (1)、(2)いずれか低い金額

## 問題 4　株式の発行会社の規模に応じた株式の評価 －小会社－

重要度　A

**次の各設例に基づいて、各人の取得した株式の価額を求めなさい。**

＜設例１＞

友人乙と資本金を50%ずつ出資（議決権数は、被相続人甲50個、友人乙50個）してＶ株式会社を営んでいた被相続人甲は、令和７年６月22日に死亡した。被相続人甲が保有していた同社の株式については、甲の遺言に基づいて、友人乙が5,000株（議決権数５個）、甲の長男Ｅが45,000株（議決権数45個）取得した。なお、Ｖ株式会社の株式は、すべて普通株式である。

(1) 取引相場のない株式（小会社）

(2) １株当たりの類似業種比準価額　2,850円

(3) １株当たりの純資産価額（相続税評価額）　5,400円

(4) １株当たりの配当還元価額　250円

＜設例２＞

甲は、令和７年７月３日に甲が保有していたＵ社株式40,000株を甲の長男Ｆに贈与した。Ｕ株式会社の発行済株式数は200,000株（すべて普通株式であり、議決権は1,000株につき１個とする。）であり、同社の筆頭株主グループの議決権割合は30%未満である。

(1) 取引相場のない株式（小会社）

(2) １株当たりの類似業種比準価額　890円

(3) １株当たりの純資産価額（相続税評価額）　950円

(4) １株当たりの配当還元価額　25円

## 解答

＜設例１＞

(1) 評価方式の判定

友人乙　$\dfrac{50個＋５個}{50個＋50個}$ ＝55%＞50%≧25%

∴　友人乙は、同族株主であり、かつ、中心的な同族株主であるため、原則的評価方式を用いる。

長男Ｅ　$\dfrac{45個}{100個}$ ＝45%＜50%

∴　長男Ｅは、同族株主以外の株主であるため、特例的評価方式を用いる。

(2) 評価額

友人乙　①　5,400円

②　2,850円×0.50＋5,400円×0.50＝4,125円

③　①＞②

∴　4,125円×5,000株＝20,625,000円

長男Ｅ　①　250円

②イ　$5,400円\times\frac{80}{100}=4,320円$

ロ　$2,850円\times0.50+5,400円\times\frac{80}{100}\times0.50=3,585円$

ハ　イ＞ロ　　∴ 3,585円

③　①＜②

∴　250円×45,000株＝11,250,000円

**＜設例２＞**

(1) 評価方式の判定

$\frac{40個}{200個}=20\%\geqq15\%\geqq5\%$

∴　長男Ｆは、同族株主がいない会社の議決権割合の合計が15％以上のグループに属する株主で、かつ、取得後の議決権割合が５％以上であるため、原則的評価方式を用いる。

(2) 評価額

長男Ｆ　①　$950円\times\frac{80}{100}=760円$

②　$890円\times0.50+950円\times\frac{80}{100}\times0.50=825円$

③　①＜②

∴　760円×40,000株＝30,400,000円

## 解答への道

**《公式》　小会社の原則的評価方式**（評通179(3)）

(1) １株当たりの純資産価額※（相続税評価額によって計算した金額）

(2) 類似業種比準価額 × 0.50 ＋ １株当たりの純資産価額※（相続税評価額によって計算した金額） × 0.50

(3) (1)、(2)いずれか低い金額

第15章　取引相場のない株式

※　１株当たりの純資産価額（相続税評価額によって計算した金額）（評通185）

株式の取得者とその同族関係者の議決権割合の合計が50％以下である場合には、１株当たりの純資産価額に $\frac{80}{100}$ を乗ずる（円未満切捨）。

**《公式》　特例的評価方式**（評通188－２）

| |
|---|
| (1)　配当還元価額 |
| (2)　発行会社の規模に応じた原則的評価方式による評価額 |
| (3)　(1)、(2)いずれか低い金額 |

## 問題５　類似業種比準価額

重要度　A

**次の各設例の場合における取引相場のない株式の相続税評価額を求めなさい。**

**＜設例１＞**

被相続人甲の死亡（令和７年４月25日）により配偶者乙はＴ社株式120,000株を相続により取得した。

（評価資料）

(1)　Ｔ社株式は取引相場のない株式（評価区分上「小会社」）に該当する。

Ｔ社の直前期末における資本金等の額は10,000,000円、発行済株式数は200,000株（すべて普通株式であり、議決権は1,000株につき１個とする。）であった。

(2)　Ｔ社の比準要素

| | |
|---|---|
| １株当たりの配当金額 | ３円 |
| １株当たりの利益金額 | 87円 |
| １株当たりの純資産価額（帳簿価額） | 136円 |

(3)　類似業種の比準要素

株　価

| | | | |
|---|---|---|---|
| 令和７年４月 | 212円 | 令和７年２月 | 231円 |
| 令和７年３月 | 206円 | 課税時期の属する年の前年平均 | 225円 |
| 令和７年４月以前２年間の平均 | 221円 | | |

| | |
|---|---|
| 令和７年の１株当たりの配当金額 | 3.5円 |
| 令和７年の１株当たりの年利益金額 | 62円 |
| 令和７年の１株当たりの純資産価額（帳簿価額） | 147円 |

(4)　Ｔ社の１株当たりの純資産価額（相続税評価額）　240円

(5)　Ｔ社の１株当たりの配当還元価額　30円

＜設例２＞

被相続人甲の死亡（令和７年６月20日）により長男ＡはＵ社株式52,000株を遺贈により取得した。

（評価資料）

(1) Ｕ社株式は取引相場のない株式（評価区分上「大会社」）に該当する。

Ｕ社の直前期末における資本金等の額は50,000,000円、発行済株式数は100,000株（すべて普通株式であり、議決権は100株につき１個とする。）であった。

(2) Ｕ社の比準要素

| | |
|---|---|
| 直前期末以前１年間における年配当金額 | 無　配 |
| 直前々期末以前１年間における年配当金額 | 2,400,000円 |
| （創立10周年の記念配当が200,000円含まれている。） | |
| 直前期末以前１年間における利益金額 | 42,300,000円 |
| 直前々期末以前１年間における利益金額 | 44,200,000円 |
| 直前期末における純資産価額（帳簿価額） | 250,000,000円 |

(3) 類似業種の比準要素

株　価

| | | | |
|---|---|---|---|
| 令和７年６月 | 436円 | 令和７年４月 | 429円 |
| 令和７年５月 | 431円 | 課税時期の属する年の前年平均 | 443円 |
| 令和７年６月以前２年間の平均 | 440円 | | |

| | |
|---|---|
| 令和７年の１株当たりの配当金額 | 2.5円 |
| 令和７年の１株当たりの年利益金額 | 40円 |
| 令和７年の１株当たりの純資産価額（帳簿価額） | 240円 |

(4) Ｕ社の１株当たりの純資産価額（相続税評価額）　3,236円

＜設例３＞

被相続人甲の死亡（令和７年８月17日）により長女ＢはＶ社株式150,000株を遺贈により取得した。

（評価資料）

(1) Ｖ社株式は取引相場のない株式（評価区分上「中会社」（Ｌの割合0.60））に該当する。

Ｖ社の直前期末における資本金等の額は100,000,000円、発行済株式数は200,000株（すべて普通株式であり、議決権は100株につき１個とする。）であった。

(2) Ｖ社の比準要素

| | |
|---|---|
| 直前期末以前１年間における年配当金額 | 無　配 |
| 直前々期末以前１年間における年配当金額 | 1,800,000円 |
| 直前期末以前１年間における利益金額 | △ 6,000,000円 |
| 直前々期末以前１年間における利益金額 | 42,000,000円 |

直前期末における純資産価額（帳簿価額）　260,000,000円

(3) 類似業種の比準要素

株　価

令和７年８月　275円　　令和７年６月　250円

令和７年７月　252円　　課税時期の属する年の前年平均　260円

令和７年８月以前２年間の平均　255円

令和７年の１株当たりの配当金額　3.3円

令和７年の１株当たりの利益金額　14円

令和７年の１株当たりの純資産価額（帳簿価額）　194円

(4) Ｖ社の１株当たりの純資産価額（相続税評価額）　735円

## 解　答

**＜設例１＞**

(1) 評価方式の判定

配偶者乙のＴ社株式取得後の議決権割合は少なくとも60% $\left[\dfrac{120個}{200個}\right]$ 以上であるため、配偶者乙は同族株主であり、かつ、中心的な同族株主に該当する。したがって、原則的評価方式で評価する。

(2) 評価額

① $\overset{*1}{206円}\times\left(\dfrac{\dfrac{3円}{3.5円}\overset{*2}{(0.85)}+\dfrac{87円}{62円}\overset{*2}{(1.40)}+\dfrac{136円}{147円}\overset{*2}{(0.92)}}{3}\right)\overset{*2}{(1.05)}\times0.5=\overset{*3}{108.1円}$

＊１　212円、206円、231円、225円、221円のうち最も低い金額　∴ 206円

＊２　小数点以下第２位未満切捨

＊３　10銭未満切捨

② $108.1円\times\dfrac{\overset{*4}{50円}}{50円}=\overset{*5}{108円}$

＊４　１株当たりの資本金等の額　10,000,000円÷200,000株＝50円

＊５　円未満切捨

＜原則的評価方式＞

① 240円

② 108円×0.50＋240円×0.50＝174円

③ ①＞②

∴ 174円×120,000株＝20,880,000円

**＜設例２＞**

(1) 評価方式の判定

長男ＡのＵ社株式取得後の議決権割合は少なくとも52% $\left(\dfrac{520個}{1,000個}\right)$ 以上であるため、長男Ａは同族株主であり、かつ、中心的な同族株主に該当する。したがって、原則的評価方式で評価する。

(2) 評価額

$$① \quad \overset{*1}{429円}\times\left(\frac{\dfrac{\overset{*2}{1.1円}}{2.5円}(0.44)+\dfrac{\overset{*3}{42円}}{40円}(1.05)+\dfrac{\overset{*4}{250円}}{240円}(\overset{*5}{1.04})}{3}\right)(\overset{*5}{0.84})\times 0.7=\overset{*6}{252.2円}$$

＊１　436円、431円、429円、443円、440円のうち最も低い金額　　∴　429円

$$＊２ \quad \frac{(0円+2,400,000円-200,000円)\div 2}{\dfrac{50,000,000円}{50円}(=1,000,000株)}=1.1円$$

＊３　(42,300,000円＋44,200,000円)÷２＝43,250,000円＞42,300,000円

$$\therefore \quad \frac{42,300,000円}{1,000,000株}=42円 \text{（円未満切捨）}$$

$$＊４ \quad \frac{250,000,000円}{1,000,000株}=250円$$

＊５　小数点以下第２位未満切捨

＊６　10銭未満切捨

$$② \quad 252.2円\times\frac{\overset{*7}{500円}}{50円}=2,522円$$

＊７　１株当たりの資本金等の額　50,000,000円÷100,000株＝500円

＜原則的評価方式＞

2,522円＜3,236円

∴　2,522円×52,000株＝131,144,000円

**＜設例３＞**

(1) 評価方式の判定

長女ＢのＶ社株式取得後の議決権割合は少なくとも75% $\left(\dfrac{1,500個}{2,000個}\right)$ 以上であるため、長女Ｂは同族株主であり、かつ、中心的な同族株主に該当する。したがって、原則的評価方式で評価する。

(2) 評価額

① $250円^{*1} \times \left( \dfrac{\dfrac{0.4円^{*2}}{3.3円}(0.12)^{*5} + \dfrac{0円^{*3}}{14円}(0) + \dfrac{130円^{*4}}{194円}(0.67)^{*5}}{3} \right)(0.26)^{*5} \times 0.6 = 39円$

＊1　275円、252円、250円、260円、255円のうち最も低い金額　　∴ 250円

＊2　$\dfrac{(0円+1,800,000円)\div 2}{\dfrac{100,000,000円}{50円}(=2,000,000株)} = 0.4円$（10銭未満切捨）

＊3　（△6,000,000円＋42,000,000円）÷２＝18,000,000円＞△6,000,000円

∴　負数のため０

＊4　$\dfrac{260,000,000円}{2,000,000株} = 130円$

＊5　小数点以下第２位未満切捨

② $39円 \times \dfrac{500円^{*6}}{50円} = 390円$

＊6　１株当たりの資本金等の額 100,000,000円÷200,000株＝500円

＜原則的評価方式＞

$390円^{*7} \times 0.60 + 735円 \times (1 - 0.60) = 528円$

＊7　390円＜735円　　∴　390円

∴　528円×150,000株＝79,200,000円

## 解答への道

**《公式》　類似業種比準価額**（評通180、182）

(1) $A \times \left( \dfrac{\dfrac{Ⓑ}{B} + \dfrac{Ⓒ}{C} + \dfrac{Ⓓ}{D}}{3} \right) \times \begin{cases} 大会社 & 0.7 \\ 中会社 & 0.6 \\ 小会社 & 0.5 \end{cases} =$（10銭未満切捨）

(2) $(1) \times \dfrac{1株当たりの資本金等の額}{50円} =$（円未満切捨）

※1　比準割合の端数処理

$$\frac{Ⓑ}{B}、\frac{Ⓒ}{C}、\frac{Ⓓ}{D}、\frac{\frac{Ⓑ}{B}+\frac{Ⓒ}{C}+\frac{Ⓓ}{D}}{3}$$ の割合は、それぞれ小数点以下第２位未満切捨。

※2　符号の意味

A＝類似業種の株価

次に掲げる金額のうち最も低い金額

①　課税時期の属する月の類似業種の株価

②　課税時期の属する月の前月の類似業種の株価

③　課税時期の属する月の前々月の類似業種の株価

④　類似業種の前年平均株価

⑤　課税時期の属する月以前２年間の類似業種の平均株価

B＝課税時期の属する年の類似業種の１株当たりの配当金額

C＝課税時期の属する年の類似業種の１株当たりの年利益金額

D＝課税時期の属する年の類似業種の１株当たりの純資産価額（帳簿価額によって計算した金額）

Ⓑ＝評価会社の１株当たりの配当金額

Ⓒ＝評価会社の１株当たりの利益金額

Ⓓ＝評価会社の１株当たりの純資産価額（帳簿価額によって計算した金額）

※3　１株当たりの資本金等の額＝$\frac{\text{評価会社の直前期末における資本金等の額}}{\text{評価会社の直前期末における発行済株式数}}$

類似業種比準価額を求める上で、Ⓑ、Ⓒ、Ⓓの金額は、それぞれ次による。（評通183）

Ⓑ　評価会社の１株当たりの配当金額（10銭未満切捨）

$$\frac{\text{直前期末以前２年間における配当金額}^{※}\text{の合計額÷２}}{\text{直前期末における発行済株式数（１株当たりの資本金等の額を50円とした場合）}}$$

※　無配は０円とし、特別配当、記念配当等、毎期継続することが予想できない金額を除く。

Ⓒ　評価会社の１株当たりの利益金額（円未満切捨）

$$\frac{\text{直前期末以前１年間における利益金額}^{※}}{\text{直前期末における発行済株式数（１株当たりの資本金等の額を50円とした場合）}}$$

※1　直前期末以前２年間における利益金額の合計額÷２とすることができる。

※2　その金額又はその合計額が負数の場合は０とする。

Ⓓ　評価会社の１株当たりの純資産価額（円未満切捨）

$$\frac{\text{直前期末における資本金等の額及び利益積立金額の合計額}^{※}}{\text{直前期末における発行済株式数（１株当たりの資本金等の額を50円とした場合）}}$$

※　その金額が負数の場合は０とする。

第15章　取引相場のない株式

## 問題6　類似業種比準価額の修正等　－その1－

重要度　A

次の各設例の場合において、被相続人甲から相続又は遺贈により取得した株式の相続税評価額を求めなさい。

なお、課税時期において株式に関する権利が発生している場合には、その権利は株式の取得者が取得したものとする。

＜設例1＞

令和7年7月5日に死亡した被相続人甲から配偶者乙は、A社株式10,000株を取得し、これにより乙のA社株式の保有株式数は120,000株（議決権総数の60%）となった。また、他人丙は、A社株式5,000株を取得し、これにより丙のA社株式の保有株式数は30,000株（議決権総数の15%）となった。

（評価資料）

(1) A社株式に関する資料

| | | |
|---|---|---|
| ① | 取引相場のない株式（評価区分「大会社」） | |
| ② | 課税時期における発行済株式数（すべて普通株式である。） | 200,000株 |
| ③ | 課税時期における資本金等の額 | 100,000,000円 |
| ④ | 直前期末（令和7年3月31日）における1株当たりの配当金額等 | |
| | 1株当たり（50円換算後）の配当金額 | 5.5円 |
| | 1株当たり（50円換算後）の利益金額 | 74円 |
| | 1株当たり（50円換算後）の純資産価額（帳簿価額） | 84円 |
| ⑤ | 課税時期における1株当たりの純資産価額（相続税評価額） | 5,443円 |
| ⑥ | 1株当たりの配当還元価額 | 550円 |

(2) 類似業種の株価等

| | | |
|---|---|---|
| ① | 株　価 | 207円 |
| ② | 1株当たりの配当金額 | 4円 |
| ③ | 1株当たりの利益金額 | 65円 |
| ④ | 1株当たりの純資産価額（帳簿価額） | 102円 |

(3) A社は、令和7年3月31日を基準日として、令和7年5月25日の株主総会で1株に対して50円の配当金を交付することを決定した。

<設例2>

令和7年6月20日に死亡した被相続人甲から配偶者乙は、B社株式2,000株を取得し、これにより乙のB社株式の保有株式数は26,000株（議決権総数の52%）となった。また、他人丙は、B社株式10,000株を取得し、これにより丙のB社株式の保有株式数は15,000株（議決権総数の30%）となった。

（評価資料）

(1) 取引相場のない株式（評価区分「小会社」）

(2) 課税時期における発行済株式数（すべて普通株式である。）　50,000株

(3) 課税時期における資本金等の額　25,000,000円

(4) 直前期末における類似業種比準価額　7,170円

(5) 課税時期における1株当たりの純資産価額（相続税評価額）　7,300円

(6) 配当還元価額　600円

(7) B社の課税時期直前の事業年度

令和6年4月1日～令和7年3月31日

(8) B社は、次のとおり株主割当増資をしている。

| | |
|---|---|
| 株式の割当て数 | 株式1株につき0.5株を割当て |
| 払込金額 | 株式1株につき500円 |
| 株式の割当ての基準日 | 令和7年5月5日 |
| 株式の割当ての日 | 令和7年7月15日 |
| 払込期日 | 令和7年8月5日 |

## 解　答

<設例1>

(1) 評価方式の判定

配偶者乙は、A社株式取得後の議決権割合（60%）が50%超であるため、同族株主に該当し、かつ、議決権割合が5%以上であるため、原則的評価方式を適用する。

他人丙は、A社株式取得後の議決権割合（15%）が50%未満であることから同族株主以外の株主に該当するため、特例的評価方式を適用する。

(2) 配偶者乙が取得した株式の評価額

① 類似業種比準価額

$$イ\quad 207円\times\left(\frac{\frac{5.5円}{4円}\left(\overset{*1}{1.37}\right)+\frac{74円}{65円}\left(\overset{*1}{1.13}\right)+\frac{84円}{102円}\left(\overset{*1}{0.82}\right)}{3}\right)\left(\overset{*1}{1.10}\right)\times 0.7$$

$$=\overset{*2}{159.3円}$$

$$159.3円 \times \frac{\overset{*3}{500円}}{50円} = 1,593円$$

＊１　小数点以下第２位未満切捨

＊２　10銭未満切捨

＊３　100,000,000円÷200,000株＝500円

ロ　配当金交付の効力が発生したことによる修正

1,593円－50円＝1,543円

②　１株当たりの純資産価額

5,443円

③　①＜②

∴ 1,543円×10,000株＝15,430,000円

(3) 他人丙が取得した株式の評価額

550円＜1,543円

∴　550円×5,000株＝2,750,000円

**＜設例２＞**

(1) 評価方式の判定

配偶者乙は、Ｂ社株式取得後の議決権割合（52%）が50%超であるため、同族株主に該当し、かつ、議決権割合が５%以上であるため、原則的評価方式を適用する。

他人丙は、Ｂ社株式取得後の議決権割合（30%）が50%未満であることから同族株主以外の株主に該当するため、特例的評価方式を適用する。

(2) 配偶者乙が取得した株式等の評価額

①　株　式

イ　7,300円

ロ　7,170円×0.50＋7,300円×0.50＝7,235円

ハ　イ＞ロ　∴　7,235円

$$\frac{7,235円+500円\times 0.5}{1+0.5} = 4,990円$$

4,990円×2,000株＝9,980,000円

②　株式の割当てを受ける権利

(4,990円－500円)×2,000株×0.5＝4,490,000円

(3) 他人丙が取得した株式等の評価額

①　株　式

イ　600円

ロ（イ）$7,300円 \times \frac{80}{100} = 5,840円$

（ロ）7,170円×0.50＋7,300円×$\frac{80}{100}$×0.50＝6,505円

（ハ）（イ）＜（ロ）　∴　5,840円

$$\frac{5,840円＋500円×0.5}{1＋0.5}＝4,060円$$

ハ　イ＜ロ

∴　600円×10,000株＝6,000,000円

②　株式の割当てを受ける権利

(600円－500円)×10,000株×0.5＝500,000円

## 解答への道

**＜設例１＞**

類似業種比準価額の修正（評通184）

類似業種比準価額を計算する場合の評価会社の比準要素は、課税時期を基準としているのではなく、直前期末を基準としているため、直前期末の翌日から課税時期までの間に配当金支払いが確定（配当金交付の効力が発生）した場合には、類似業種比準価額を配当落後の価額に修正しなければならない。

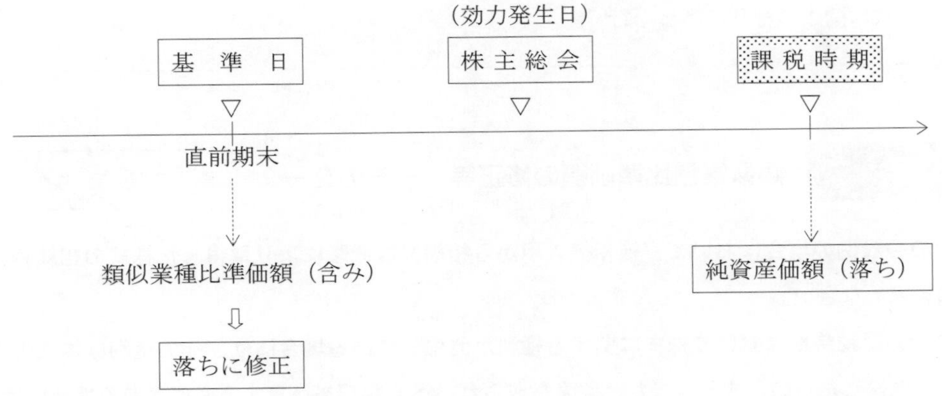


〈計算パターン〉

(1) 類似業種比準価額を落ちに修正する。

(2) (1)で修正した後の類似業種比準価額とそのままの純資産価額で株式の評価を行う。

<設例２>

原則的評価方式の修正（評通187）

課税時期が株式の割当ての基準日の翌日から株式の効力が発生する日までの間にある場合には、原則的評価方式による価額を権利落後の価額に修正した上で、株式の割当てを受ける権利の価額を評価しなければならない。なお、配当還元価額については、権利落後の修正は行わない。

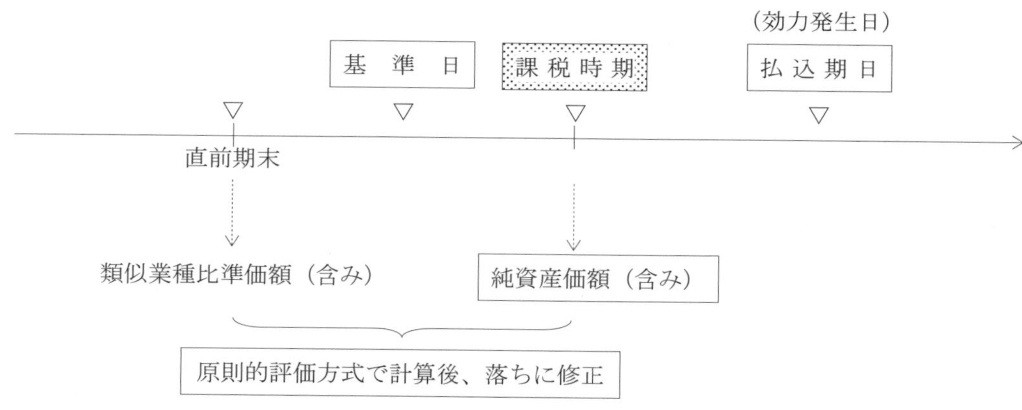


〈計算パターン〉

(1) 類似業種比準価額、純資産価額ともにそのままの状態で株式の評価を行う。
(2) (1)で算出された評価額を落ちに修正する。
(3) 株式に関する権利の評価を行う。

## 問題７　類似業種比準価額の修正等　－その２－

| 重要度 | C |
|---|---|

**次の各設例の場合において、被相続人甲から相続又は遺贈により取得した株式の相続税評価額を求めなさい。**

**なお、課税時期において株式に関する権利が発生している場合には、その権利は株式の取得者が取得したものとする。また、源泉徴収されるべき税額を計算する必要がある場合には、20.42％の率とする。**

<設例１>

令和７年７月15日に死亡した被相続人甲から配偶者乙は、Ｃ社株式18,000株を取得し、これにより乙のＣ社株式の保有株式数は198,000株（議決権総数の55％）となった。また、他人丙は、Ｃ社株式9,000株を取得し、これにより丙のＣ社株式の保有株式数は54,000株（議決権総数の15％）となった。

（評価資料）

(1) Ｃ社株式に関する資料

① 取引相場のない株式（評価区分「大会社」）

② 課税時期における発行済株式数（すべて普通株式である。） 360,000株

③ １株当たりの資本金等の額 500円

④ 課税時期における資本金等の額 180,000,000円

⑤ 直前期末（令和７年３月31日）における１株当たりの配当金額等

１株当たり（50円換算後）の配当金額 ３円

１株当たり（50円換算後）の利益金額 69円

１株当たり（50円換算後）の純資産価額（帳簿価額） 260円

⑥ 課税時期における１株当たりの純資産価額（相続税評価額） 3,740円

⑦ １株当たりの配当還元価額 300円

(2) 類似業種の株価等

① 株 価

令和７年７月 612円

令和７年６月 615円

令和７年５月 620円

課税時期の属する年の前年平均額 500円

令和７年７月以前２年間の平均額 608円

② １株当たりの配当金額 ５円

③ １株当たりの利益金額 60円

④ １株当たりの純資産価額（帳簿価額） 250円

(3) Ｃ社は、令和７年３月31日を基準日として、令和７年５月19日の株主総会で１株に対して25円の配当金を交付することを決定した。

(4) Ｃ社は、令和７年５月９日を基準日として、令和７年４月11日の取締役会で１株に対して0.2株を割り当てることを決定した。なお、払込期日は令和７年７月２日であり、割り当てられる株式１株についての払込金額は500円である。また、株式の割当ての日は令和７年６月27日である。

**＜設例２＞**

令和７年５月16日に死亡した被相続人甲から配偶者乙は、Ｄ社株式120,000株を取得し、これにより乙のＤ社株式の保有株式数は480,000株（議決権総数の40％）となった。また、他人丙は、Ｄ社株式60,000株を取得し、これにより丙のＤ社株式の保有株式数は240,000株（議決権総数の20％）となった。なお、配偶者乙及び他人丙の同族関係者でＤ社株式を保有している者はいない。

（評価資料）

(1) Ｄ社株式に関する資料

① 取引相場のない株式（評価区分「中会社」　Ｌの割合0.60）

| | |
|---|---|
| ② 発行済株式数（すべて普通株式である。） | 1,200,000株 |
| ③ １株当たりの資本金等の額 | 50円 |
| ④ 資本金等の額 | 60,000,000円 |
| ⑤ 直前期末（令和７年３月31日）における１株当たりの配当金額等 | |
| １株当たりの配当金額 | ６円 |
| １株当たりの利益金額 | 38円 |
| １株当たりの純資産価額（帳簿価額） | 312円 |
| ⑥ 課税時期における１株当たりの純資産価額（相続税評価額） | 350円 |
| ⑦ １株当たりの配当還元価額 | 60円 |

(2) 類似業種の株価等

| | |
|---|---|
| ① 株　価 | |
| 令和７年５月 | 505円 |
| 令和７年４月 | 510円 |
| 令和７年３月 | 508円 |
| 令和６年の平均額 | 450円 |
| 令和７年５月以前２年間の平均額 | 498円 |
| ② １株当たりの配当金額 | 4.8円 |
| ③ １株当たりの利益金額 | 40円 |
| ④ １株当たりの純資産価額（帳簿価額） | 300円 |

(3) Ｄ社は、令和７年３月31日を基準日として、令和７年５月19日の株主総会で１株に対して６円の配当金を交付することを決定した。

(4) Ｄ社は、令和７年５月２日を基準日として、令和７年４月11日の取締役会で１株に対して0.1株を割当てることを決定した。なお、払込期日は令和７年６月９日であり、割当てられる株式１株についての払込金額は50円である。また、株式の割当ての日は令和７年６月２日である。

## 解　答

＜設例１＞

(1) 評価方式の判定

配偶者乙は、Ｃ社株式取得後の議決権割合（55％）が50％超であるため、同族株主に該当し、かつ、議決権割合が５％以上であるため、原則的評価方式を適用する。

他人丙は、Ｃ社株式取得後の議決権割合（15％）が50％未満であることから同族株主以外の株主に該当するため、特例的評価方式を適用する。

(2) 配偶者乙が取得した株式の評価額

①　類似業種比準価額

イ　$500円^{*} \times \left( \dfrac{\dfrac{3円}{5円}(0.60) + \dfrac{69円}{60円}(1.15) + \dfrac{260円}{250円}(1.04)}{3} \right)(0.93) \times 0.7$

＝325.5円

$325.5円 \times \dfrac{500円}{50円} = 3,255円$

＊　612円、615円、620円、500円、608円　　∴　最低額 500円

ロ　配当金交付の効力が発生したことによる修正

3,255円－25円＝3,230円

ハ　株式発行の効力が発生したことによる修正

$\dfrac{3,230円 + 500円 \times 0.2}{1 + 0.2} = 2,775円$

②　１株当たりの純資産価額

3,740円

③　①＜②

∴ 2,775円×18,000株＝49,950,000円

(3) 他人丙が取得した株式の評価額

300円＜2,775円

∴ 300円×9,000株＝2,700,000円

＜設例２＞

(1) 評価方式の判定

配偶者乙は、Ｄ社株式取得後の議決権割合（40％）が30％以上であるため同族株主に該当し、かつ、議決権割合が５％以上であるため、原則的評価方式を適用する。

他人丙は、Ｄ社株式取得後の議決権割合（20％）が30％未満であることから同族株主以外の株主に該当するため、特例的評価方式を適用する。

(2) 配偶者乙が取得した株式等の評価額

① 株　式

イ　類似業種比準価額

$$450\text{円}^{*}\times\left(\frac{\frac{6\text{円}}{4.8\text{円}}(1.25)+\frac{38\text{円}}{40\text{円}}(0.95)+\frac{312\text{円}}{300\text{円}}(1.04)}{3}\right)(1.08)\times0.6$$

＝291.6円

$$291.6\text{円}\times\frac{50\text{円}}{50\text{円}}=291\text{円}$$（円未満切捨）

＊　505円、510円、508円、450円、498円　∴　最低額 450円

ロ　１株当たりの純資産価額

350円

ハ　原則的評価方式による評価額

$$291\text{円}^{*}\times0.60+350\text{円}\times\frac{80}{100}\times(1-0.60)=286\text{円}$$（円未満切捨）

＊　291円＜350円　∴　291円

ニ　配当落による修正

286円－６円＝280円

ホ　新株権利落による修正

$$\frac{280\text{円}+50\text{円}\times0.1}{1+0.1}=259\text{円}$$（円未満切捨）

ヘ　259円×120,000株＝31,080,000円

② 配当期待権

６円×（１－20.42％＊）×120,000株＝573,600円

＊　源泉徴収税額銭未満切捨

③ 株式の割当てを受ける権利

(259円－50円)×120,000株×0.1＝2,508,000円

(3) 他人丙が取得した株式等の評価額

① 株　式

60円＜259円

∴　60円×60,000株＝3,600,000円

② 配当期待権

６円×（１－20.42%*）×60,000株＝286,800円

＊　源泉徴収税額銭未満切捨

③ 株式の割当てを受ける権利

(60円－50円)×60,000株×0.1＝60,000円

## 解答への道

**＜設例１＞**

類似業種比準価額の修正（評通184）

類似業種比準価額を計算する場合の評価会社の比準要素は、課税時期を基準としているのではなく、課税時期の直前期末を基準としているため、直前期末の翌日から課税時期までの間に配当金支払いの確定（配当金交付の効力が発生）又は増資（株式発行の効力が発生）した場合には、類似業種比準価額を配当落後又は権利落後の価額に修正しなければならない。

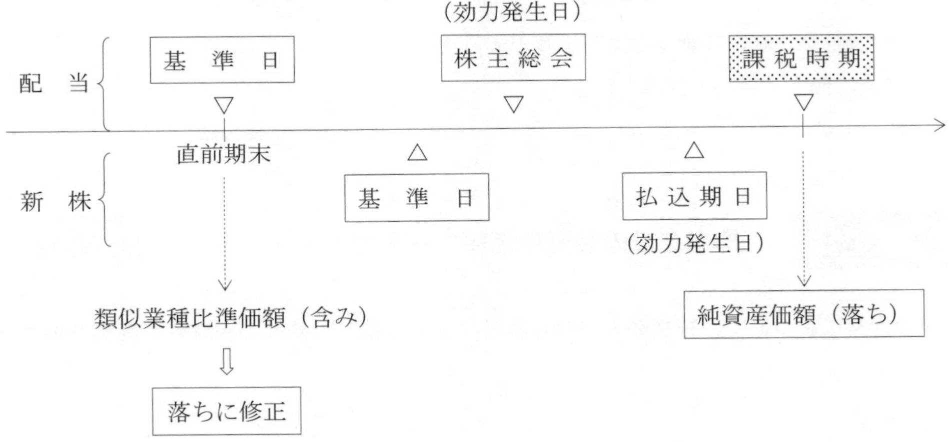


〈計算パターン〉

(1) 類似業種比準価額を落ちに修正する。

(2) (1)で修正した後の類似業種比準価額とそのままの純資産価額で株式の評価を行う。

第15章 取引相場のない株式

＜設例２＞

原則的評価方式の修正（評通187）

課税時期が配当金交付の基準日の翌日から配当金交付の効力が発生する日までの間にある、又は、課税時期が株式の割当ての基準日の翌日から株式の効力が発生する日までの間にある場合には、原則的評価方式による価額を配当落後又は権利落後の価額に修正した上で、配当期待権又は株式の割当てを受ける権利の価額を評価しなければならない。なお、配当還元価額については、配当落後又は権利落後の修正は行わない。

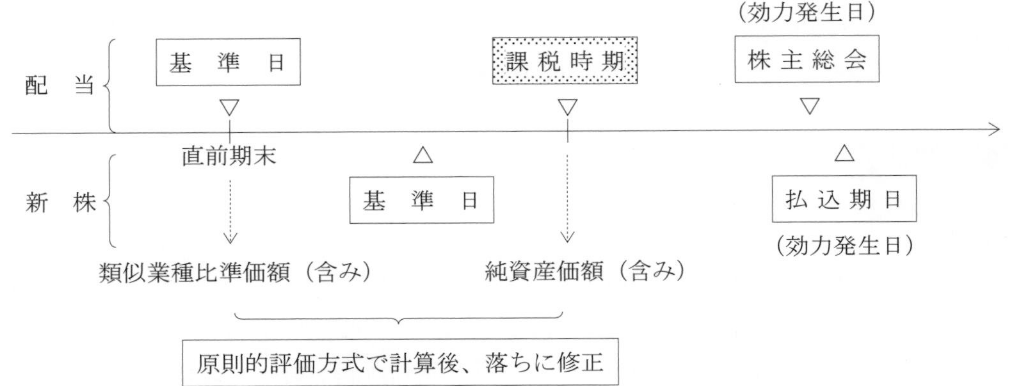


〈計算パターン〉

(1) 類似業種比準価額、純資産価額ともにそのままの状態で株式の評価を行う。

(2) (1)で算出された評価額を落ちに修正する。

(3) 株式に関する権利の評価を行う。

## 問題８　１株当たりの純資産価額　－その１－

重要度　A

**次の資料に基づいて、被相続人甲から相続により取得した株式の相続税評価額を求めなさい。**

**〔資　料〕**

Ｎ社の筆頭株主グループ（議決権総数の25%を有する。）に属する被相続人甲は、令和７年４月19日に死亡した。被相続人甲の死亡により、長女Ａは、同社の株式40,000株（議決権総数の20%）を相続により取得した。なお、評価に必要な資料は、次のとおりである。

| | | |
|---|---|---|
| 1 | 取引相場のない株式（小会社） | |
| 2 | １株当たりの類似業種比準価額 | 340円 |
| 3 | 相続税評価額による純資産価額 | 80,000千円 |

| | | |
|---|---|---|
| 4 | 帳簿価額による純資産価額 | 60,000千円 |
| 5 | 評価差額に対する法人税額等相当額を計算する場合の率 | 37% |
| 6 | １株当たりの配当還元価額 | 40円 |
| 7 | N社の発行済株式総数は200,000株（すべて普通株式である。）である。 | |

## 解　答

(1) 評価方式の判定

長女Aは、議決権割合が15%以上のグループに属する株主であり、かつ、取得後の議決権割合が５%以上であるため、原則的評価方式を適用する。

(2) 評価額

$$\frac{80,000\text{千円}-(80,000\text{千円}-60,000\text{千円})\times 37\%}{200,000\text{株}}=363\text{円}$$

① $363\text{円}\times\frac{80}{100}=290\text{円}$（円未満切捨）

② $340\text{円}\times 0.50+363\text{円}\times\frac{80}{100}$(円未満切捨)$\times 0.50=315\text{円}$

③ ①<②

$\therefore$ 290円×40,000株＝11,600千円

## 解答への道

**《公式》　１株当たりの純資産価額（相続税評価額）**（評通185、186－２）

$$\frac{\text{A}-(\text{A}-\text{B})\times 37\%}{\text{課税時期における発行済株式数（自己株式を除く。）}}$$

A＝課税時期における相続税評価額による純資産価額

＝相続税評価額による総資産価額－相続税評価額による負債の金額の合計額（千円未満切捨）

B＝課税時期における帳簿価額による純資産価額（マイナスの場合は０）

＝帳簿価額による総資産価額－帳簿価額による負債の金額の合計額（千円未満切捨）

※　端数処理

①　(A－B)（マイナスの場合は０）×37%の計算上、千円未満の端数切捨

②　最終値は円未満の端数切捨

## 問題 9　1株当たりの純資産価額　－その2－

重要度　A

**次の資料に基づいて、被相続人甲から遺贈により取得した株式の相続税評価額を求めなさい。**

**〔資　料〕**

被相続人甲の長男Gは、令和7年4月6日の甲の死亡により、取引相場のない株式であるS社株式50,000株を遺贈により取得した。これによりGのS社株式の保有株式数は54,000株（議決権割合60%）となった。

1　S社は、評価区分上「中会社」に該当している。

2　S社の発行済株式総数（すべて普通株式である。）　90,000株

3　S社の類似業種比準価額　2,890円

4　S社の課税時期における資産及び負債の内容は、次のとおりである。

| 資　産 | 相続税評価額 | 帳簿価額 | 負　債 | 相続税評価額 | 帳簿価額 |
|---|---|---|---|---|---|
| | 千円 | 千円 | | 千円 | 千円 |
| 現金・預金 | 61,680 | 61,680 | 支払手形 | 48,000 | 48,000 |
| 受取手形 | 56,000 | 56,000 | 買掛金 | 180,000 | 180,000 |
| 売掛金 | 240,000 | 240,000 | 借入金 | 83,800 | 83,800 |
| 貸付金 | 83,200 | 83,200 | 貸倒引当金 | ――― | 3,760 |
| 商品 | 142,000 | 142,000 | 未納法人税 | 46,000 | 46,000 |
| 建物 | 116,000 | 123,640 | 未納固定資産税 | 4,102 | 4,102 |
| 車両運搬具 | 10,000 | 11,000 | 未納住民税 | 7,378 | 7,378 |
| 機械装置 | 23,000 | 23,000 | 未納事業税 | 8,280 | 8,280 |
| 土地 | 168,000 | 176,360 | 未払退職金 | 50,000 | 50,000 |
| 有価証券 | 各自計算 | 10,000 | | | |
| 合計 | 各自計算 | 926,880 | 合計 | 427,560 | 431,320 |

※1　建物及び土地は、令和7年3月1日に購入したものであり、帳簿価額が課税時期における通常の取引価額に相当するものと認められる。

※2　S社は同社の営業所の敷地について被相続人甲から相当の地代を継続的に支払って借り受けていた。なお、この営業所の敷地の課税時期における自用地としての価額は120,000千円である。

※3　未払退職金50,000千円は、被相続人甲（S社の役員であった。）の死亡によりS社から遺族に支払われることとなった退職手当金の額である。遺族にはこのほか、弔慰金として3,000千円が支払われている。なお、甲の死亡は業務上の死亡ではなく、甲の役員報酬は、月額700千円であった。

※4　有価証券はS社が発行済株式の100%を保有するT社の株式であり、その評価に必要な資料は次の通りである。

(1)　T社は、評価区分上「小会社」に該当している。

(2) T社の発行済株式数　10,000株

(3) T社の類似業種比準価額　2,000円

(4) T社の課税時期における資産及び負債

| | 資産の部 | 負債の部 |
|---|---|---|
| 帳簿価額 | 50,000千円 | 30,000千円 |
| 相続税評価額 | 80,000千円 | 30,000千円 |

5　S社の配当還元価額　500円

6　Lの割合　0.75

7　評価差額に対する法人税額等相当額を控除する場合の率　37%

## 解　答

(1) 評価方式の判定

長男Gは、議決権割合が60%であることから、同族株主であり、かつ、中心的な同族株主であるため、原則的評価方式を適用する。

(2) 評価額

A＝61,680千円＋56,000千円＋240,000千円＋83,200千円＋142,000千円
＋123,640千円＋10,000千円＋23,000千円＋176,360千円
$+120,000千円\times\frac{20}{100}$＋35,000千円[*1]－427,560千円＝547,320千円

B＝926,880千円－(431,320千円－3,760千円)＝499,320千円

＊1① $\frac{80,000千円-30,000千円}{10,000株}$＝5,000円

②イ　5,000円

ロ　2,000円×0.50＋5,000円×0.50＝3,500円

ハ　イ>ロ

∴　3,500円×10,000株＝35,000千円

$\frac{A-(A-B)\times37\%}{90,000株}$＝5,884円

2,890円[*2]×0.75＋5,884円×(1－0.75)＝3,638円（円未満切捨）

＊2　5,884円>2,890円　　∴ 2,890円

3,638円×50,000株＝181,900千円

## 解答への道

1　相続税評価額による負債の金額の合計額の算出（帳簿価額の場合も同様）に当たっては、次の取扱いに注意すること。（評通186）

| 負債に含まれないもの | 負債に含まれるもの |
|---|---|
| 次に掲げるものに相当する金額<br>(1) 貸倒引当金<br>(2) 納税引当金<br>(3) その他の引当金<br>(4) その他の準備金 | (1) 課税時期の属する事業年度に係る法人税額、消費税額、事業税額及び住民税額のうち、その事業年度開始の日から課税時期までの期間に対応する金額（課税時期において未払いのものに限る。）<br>(2) 課税時期以前に賦課期日のあった固定資産税の税額のうち、課税時期において未払いの金額<br>(3) 被相続人の死亡により、相続人その他の者に支給することが確定した退職手当金、功労金その他これらに準ずる給与の金額 |

2　相当の地代を収受している貸宅地の評価については、第５章で学習したとおり自用地としての価額から、その価額の20%に相当する金額（借地権の価額）を控除した金額により評価することになる。

この場合において、前記の借地権の価額は、被相続人所有の同族会社の株式評価上、同社の純資産価額に算入する。（相当の地代通達）

なお、この取扱いは、「土地の無償返還に関する届出書」が提出されている場合についても同様である。

3　負債に含まれるものとして認識することができる退職手当金等の額は、相続税法第３条第１項第２号により相続又は遺贈により取得したものとみなされる退職手当金等に該当する部分である。したがって、弔慰金等のうち、退職手当金等とみなされない部分については負債として取り扱わない。本問では、下記の算式より弔慰金等については負債として取り扱われないこととなる。

3,000千円≦700千円×６月＝4,200千円　∴　退職手当金等とみなされる部分はない。

4　評価会社が課税時期前３年以内に不動産等を取得又は新築した場合におけるその不動産等の価額は、課税時期における通常の取引価額に相当する金額によって評価するものとし、その不動産等の帳簿価額が課税時期における通常の取引価額に相当するものと認められる場合には、その帳簿価額に相当する金額によって評価することができる。

5　評価会社の資産のうちに、取引相場のない株式がある場合には、その取引相場のない株式の１株当たりの純資産価額の計算上、評価差額に対する法人税等相当額を控除しない。

## 問題 10 配当還元価額 －その１－

重要度 A

次の資料に基づいて、贈与により取得した株式の価額を求めなさい。

〔資　料〕

Ａは、Ｂに対して令和７年８月17日にＣ社株式5,000株を贈与した。これにより、Ｂ及びその同族関係者の議決権割合は３％となった（同社の筆頭株主は他人Ｄ及びその同族関係者で、その議決権割合は30％である。）。

なお、Ｂは、Ｃ社の役員であり、評価に必要な資料は、次のとおりである。

| | | |
|---|---|---|
| 1 | 取引相場のない株式（中会社　Ｌの割合0.60） | |
| 2 | １株当たりの資本金等の額 | 500円 |
| 3 | 類似業種比準価額 | 3,500円 |
| 4 | １株当たりの純資産価額（相続税評価額） | 5,500円 |
| 5 | １株当たりの資本金等の額が50円であるとした場合の１株当たりの配当金額（直前期末以前２年間の平均額） | 10円 |

### 解　答

(1) 評価方式の判定

取得者及びその同族関係者の議決権割合が30％未満であるので、特例的評価方式を適用する。

(2) 評価額

① $\frac{10円^{*}}{10\%} \times \frac{500円}{50円} = 1,000円$

＊　10円≧2.5円　　∴ 10円

② $3,500円^{*} \times 0.60 + 5,500円 \times \frac{80}{100} \times (1 - 0.60) = 3,860円$

＊　3,500円＜5,500円　　∴ 3,500円

③ ①＜②

∴ 1,000円×5,000株＝5,000,000円

第15章 取引相場のない株式

## 解答への道

**《公式》　配当還元価額**（評通188－２、183(1)）

$$\frac{\text{その株式に係る年配当金額}}{10\%} \times \frac{\text{その株式の１株当たりの資本金等の額}}{50\text{円}}$$

①　その株式に係る年配当金額（銭未満切捨）

$$\frac{\text{直前期末以前２年間における配当金額}^{*}\text{の合計額} \div 2}{\text{直前期末における発行済株式数（１株当たりの資本金等の額を50円とした場合）}}$$

＊　無配は０円とし、特別配当、記念配当等、毎期継続することが予想できない金額を除く。

②　年配当金額の特例

上記①により計算した金額が２円50銭未満となる場合又は無配の場合は、２円50銭とする。

## 問　題　11　配当還元価額　－その２－

重要度　B

**次の設例の場合において、被相続人甲から相続又は遺贈により取得した株式の相続税評価額を求めなさい。**

**＜設　例＞**

被相続人甲の死亡（令和７年６月20日）によりＴ社株式を長男Ａが20,000株、弟の妻Ｂが15,000株それぞれ相続又は遺贈により取得した。

長男Ａ及び弟の妻ＢはＴ社の筆頭株主グループ（株式取得後の議決権割合65%）に該当し、Ａは中心的な同族株主であるが、Ｂは中心的な同族株主ではない。また、弟の妻Ｂの株式取得後の議決権割合は2.5%であり、かつ、役員でもない。

（評価資料）

１　Ｔ社株式は取引相場のない株式（評価区分上「中会社」）に該当する。

Ｔ社の直前期は令和６年４月１日から令和７年３月31日まで、直前々期は令和５年４月１日から令和６年３月31日まででであった。

Ｔ社の令和７年３月31日における資本金等の額は70,000,000円、発行済株式数（すべて普通株式である。）は1,400,000株であった。

２　Ｔ社の比準要素

| | | |
|---|---|---|
| １株当たりの配当金額 | 直前期 | ２円 |
| | 直前々期 | ３円（このうち１円は記念配当である。） |
| １株当たりの利益金額 | | 12円 |
| １株当たりの純資産価額（帳簿価額） | | 238円 |

3　類似業種の比準要素

株　価

令和７年６月　415円　　令和７年４月　421円

令和７年５月　410円　課税時期の属する年の前年平均　388円

令和７年６月以前２年間の平均　409円

１株当たりの配当金額　５円

１株当たりの利益金額　62円

１株当たりの純資産価額（帳簿価額）　175円

4　Ｔ社の１株当たりの純資産価額（相続税評価額）　511円

5　Ｔ社は直前期に係る配当金として１株当たり２円を支払うことを令和７年５月25日に開催された株主総会で決定している。

6　Ｌの割合

総資産価額（帳簿価額）及び従業員数に応ずる割合　0.75

取引金額に応ずる割合　0.60

## 解　答

(1) 評価方式の判定

長男Ａは中心的な同族株主に該当するため、原則的評価方式を適用する。

妻Ｂは同族株主に該当するが、３要件①株式取得後の議決権割合2.5％＜５％、②役員でない、③中心的な同族株主でない、に該当し、他に中心的な同族株主（Ａ）がいるため、特例的評価方式を適用する。

(2) 評価額

①　配当還元価額

$$\{2円+(3円-1円)\}\times\frac{1}{2}=2円$$

$$\frac{\overset{*1}{2.5円}}{10\%}\times\frac{\overset{*2}{50円}}{50円}=25円$$

＊１　年配当金額

２円＜2.5円　∴ 2.5円

＊２　１株当たりの資本金等の額

70,000,000円÷1,400,000株＝50円

② 類似業種比準価額

(イ) $388円^{*3} \times \left( \dfrac{\dfrac{2円}{5円}(0.40) + \dfrac{12円}{62円}(0.19)^{*4} + \dfrac{238円}{175円}(1.36)}{3} \right)(0.65) \times 0.6 = 151.3円^{*5}$

＊3　415円、410円、421円、388円、409円のうち最も低い金額　　∴ 388円

＊4　小数点以下第２位未満切捨

＊5　10銭未満切捨

(ロ) $151.3円 \times \dfrac{50円^{*2}}{50円} = 151円$

(ハ) 配当金支払の効力が発生したことによる修正

151円－２円＝149円

＜原則的評価方式＞

$149円^{*6} \times 0.75^{*7} + 511円 \times (1-0.75) = 239円$（円未満切捨）

＊6　149円＜511円　　∴ 149円

＊7　Ｌの割合　　0.75＞0.60　　∴ 0.75

＜特例的評価方式＞

①　25円　　②　239円

③　①＜②　　∴　25円

∴　長 男 Ａ　　239円×20,000株＝4,780,000円

　　弟の妻Ｂ　　25円×15,000株＝　375,000円

## 解答への道

直前期末の翌日から課税時期までの間に配当金交付の効力が発生した場合には、類似業種比準価額を配当落後の価額に修正しなければならない（評通184）が、配当還元価額の計算には影響を与えない。

## 問題 12 特定の評価会社の判定

重要度 A

次に掲げる各会社が株式等保有特定会社又は土地保有特定会社に該当するかどうかを判定しなさい。

1　A会社（大会社）の課税時期における資産及び負債の状況は、次のとおりである。

| 区　　分 | 資産の価額の合計額 | 負債の金額の合計額 |
|---|---|---|
| 帳簿価額 | 千円<br>4,500,000 | 千円<br>2,500,000 |
| (内土地の価額) | (3,900,000) | |
| 相続税評価額 | 5,500,000 | 2,500,000 |

2　B会社（従業員数136人）の課税時期における資産及び負債の状況は、次のとおりである。

| 区　分 | 資産の価額 | | | | 負債の金額 |
|---|---|---|---|---|---|
| | 土　地 | 株式・出資 | その他の資産 | 計 | |
| 帳簿価額 | 千円<br>1,070,000 | 千円<br>380,000 | 千円<br>70,000 | 千円<br>1,520,000 | 千円<br>700,000 |
| 相続税評価額 | 1,750,000 | 630,000 | 120,000 | 2,500,000 | 700,000 |

3　C会社（中会社）の課税時期における資産及び負債の状況は、次のとおりである。

| 区　分 | 資産の価額 | | | | 負債の金額 |
|---|---|---|---|---|---|
| | 土　地 | 株式・出資 | その他の資産 | 計 | |
| 帳簿価額 | 千円<br>140,000 | 千円<br>220,000 | 千円<br>40,000 | 千円<br>400,000 | 千円<br>200,000 |
| 相続税評価額 | 200,000 | 250,000 | 50,000 | 500,000 | 200,000 |

4　D会社（小会社）の課税時期における資産及び負債の状況は、次のとおりである。

| 区　分 | 資産の価額 | | | | 負債の金額 |
|---|---|---|---|---|---|
| | 土　地 | 株式・出資 | その他の資産 | 計 | |
| 帳簿価額 | 千円<br>30,000 | 千円<br>15,000 | 千円<br>25,000 | 千円<br>70,000 | 千円<br>20,000 |
| 相続税評価額 | 50,000 | 20,000 | 30,000 | 100,000 | 20,000 |

5　E会社（中会社）の課税時期における資産及び負債の状況は、次のとおりである。

| 区　　分 | 資産の価額の合計額 | 負債の金額の合計額 |
|---|---|---|
| 帳簿価額 | 千円<br>150,000 | 千円<br>50,000 |
| (内土地の価額) | (750,000) | |
| 相続税評価額 | 800,000 | 50,000 |

## 解　答

1　A会社

$$\frac{3,900,000\text{千円}}{5,500,000\text{千円}} ≒ 70.909\% \geqq 70\%$$

∴　土地保有特定会社に該当する。

2　B会社

(1) 136人≧70人　　　∴　大会社

(2) $$\frac{1,750,000\text{千円}}{2,500,000\text{千円}} = 70\% \geqq 70\%$$

∴　土地保有特定会社に該当する。

3　C会社

(1) $$\frac{200,000\text{千円}}{500,000\text{千円}} = 40\% < 90\%$$

∴　土地保有特定会社に該当しない。

(2) $$\frac{250,000\text{千円}}{500,000\text{千円}} = 50\% \geqq 50\%$$

∴　株式等保有特定会社に該当する。

4　D会社

$$\frac{20,000\text{千円}}{100,000\text{千円}} = 20\% < 50\%$$

∴　株式等保有特定会社に該当しない。

5　E会社

$$\frac{750,000\text{千円}}{800,000\text{千円}} = 93.75\% \geqq 90\%$$

∴　土地保有特定会社に該当する。

## 解答への道

1　株式等保有特定会社の判定（評通189(2)）

| 課税時期において評価会社の有する各資産の相続税評価額の合計額のうちに占める株式及び出資の相続税評価額の合計額の割合が50%以上である場合には、その評価会社は株式等保有特定会社に該当する。 |
|---|

2　土地保有特定会社の判定（評通189(3)）

> 課税時期において評価会社の有する各資産の相続税評価額の合計額のうちに占める土地及び土地の上に存する権利の相続税評価額の合計額の割合が次に掲げる評価会社の規模に応じてそれぞれに掲げる割合以上である場合には、その評価会社は土地保有特定会社に該当する。
>
> 評価会社の規模が大会社である場合　　70％
>
> 評価会社の規模が中会社である場合　　90％
>
> 評価会社の規模が小会社で一定のものである場合　　70％又は90％
>
> ※　小会社で一定のものとは、次のいずれかに該当する小会社をいう。なお、土地保有特定会社に該当するかどうかの判定割合は、(1)の小会社に該当する場合には70％以上、(2)の小会社に該当する場合には90％以上とする。
>
> (1) 総資産価額（帳簿価額）が、卸売業にあっては20億円以上、卸売業以外の業種にあっては15億円以上の会社
>
> (2) 総資産価額（帳簿価額）が、卸売業にあっては7,000万円以上20億円未満、小売・サービス業にあっては4,000万円以上15億円未満、卸売業、小売・サービス業以外の業種にあっては5,000万円以上15億円未満

株式等保有特定会社又は土地保有特定会社の判定をする場合においては、評価会社の規模に応じて定められている割合の違いに注意し、また、用いる価額は、すべて相続税評価額であるという点に注意すること。

《参　考》　会社規模の判定（評通178）

1　従業員数が70人以上の会社は、大会社となる。

2　従業員数が70人未満の会社は、それぞれ次の区分による。

(1) 卸売業の場合

| 取引金額 ／ 総資産価額及び従業員数 | 2億円未満 | 2億円以上3億5,000万円未満 | 3億5,000万円以上7億円未満 | 7億円以上30億円未満 | 30億円以上 |
|---|---|---|---|---|---|
| 7,000万円未満又は5人以下 | 小　会　社 | | | | |
| 7,000万円以上（5人以下を除く） | | 中　会　社（Lの割合0.60） | | | |
| 2億円以上（20人以下を除く） | | | 中　会　社（Lの割合0.75） | | |
| 4億円以上（35人以下を除く） | | | | 中　会　社（Lの割合0.90） | |
| 20億円以上（35人以下を除く） | | | | | 大　会　社 |

※　総資産価額は、帳簿価額によって計算した金額とする。

(2) 小売・サービス業の場合

| 取引金額 ／ 総資産価額及び従業員数 | 6,000万円未満 | 6,000万円以上2億5,000万円未満 | 2億5,000万円以上5億円未満 | 5億円以上20億円未満 | 20億円以上 |
|---|---|---|---|---|---|
| 4,000万円未満又は5人以下 | 小　会　社 | | | | |
| 4,000万円以上（5人以下を除く） | | 中　会　社（Lの割合0.60） | | | |
| 2億5,000万円以上（20人以下を除く） | | | 中　会　社（Lの割合0.75） | | |
| 5億円以上（35人以下を除く） | | | | 中　会　社（Lの割合0.90） | |
| 15億円以上（35人以下を除く） | | | | | 大　会　社 |

※　総資産価額は、帳簿価額によって計算した金額とする。

(3) 卸売業、小売・サービス業以外の業種の場合

| 取引金額<br>総資産価額及び従業員数 | 8,000万円未満 | 8,000万円以上2億円未満 | 2億円以上4億円未満 | 4億円以上15億円未満 | 15億円以上 |
|---|---|---|---|---|---|
| 5,000万円未満又は5人以下 | 小会社 | | | | |
| 5,000万円以上（5人以下を除く） | | 中会社（Lの割合0.60） | | | |
| 2億5,000万円以上（20人以下を除く） | | | 中会社（Lの割合0.75） | | |
| 5億円以上（35人以下を除く） | | | | 中会社（Lの割合0.90） | |
| 15億円以上（35人以下を除く） | | | | | 大会社 |

※ 総資産価額は、帳簿価額によって計算した金額とする。

## 問題 13　比準要素数1の会社の株式の評価

| 重要度 | A |
|---|---|

次の設例に基づいて、被相続人甲から相続により取得した株式の相続税評価額を求めなさい。

＜設　例＞

被相続人甲の死亡（令和７年８月４日）により、Ｙ株式会社（以下「Ｙ社」という。）の株式を配偶者乙が相続により80,000株取得した。これにより、乙及びその同族関係者の株式取得後の議決権割合は23％となった。なお、Ｙ社の筆頭株主は、他人丙及びその同族関係者で同社の議決権総数の26％を所有している。

(1) 取引相場のない株式（小会社）

(2) Ｙ社の資本金等の額は20,000,000円、発行済株式数（すべて普通株式である。）は400,000株である。

| | | |
|---|---|---|
| (3) | 直前期における年配当金額 | 0円 |
| (4) | 直前々期における年配当金額 | 0円 |
| (5) | 直前々期の前期における年配当金額 | 0円 |
| (6) | 直前期における利益金額 | △　2,000,000円 |
| (7) | 直前々期における利益金額 | △　2,800,000円 |
| (8) | 直前々期の前期における利益金額 | △　4,000,000円 |
| (9) | 直前期末における純資産価額（帳簿価額） | 4,800,000円 |
| (10) | 直前々期末における純資産価額（帳簿価額） | △　600,000円 |
| (11) | 課税時期における相続税評価額による純資産価額 | 6,400,000円 |
| (12) | 課税時期における帳簿価額による純資産価額 | 5,000,000円 |
| (13) | 類似業種の比準要素 | |
| | 類似業種の株価 | 440円 |
| | 令和７年の１株当たりの配当金額 | 2.9円 |
| | 令和７年の１株当たりの利益金額 | 13円 |
| | 令和７年の１株当たりの純資産価額（帳簿価額） | 234円 |
| (14) | 評価差額に対する法人税額等相当額を計算する場合の率 | 37％ |

## 解　答

(1) 評価方式の判定

Ｙ社は、同族株主のいない会社であり、配偶者乙は、15%以上の株主グループに該当し、取得後の議決権割合が５%以上であるため、原則的評価方式を適用する。

Ｙ社は、類似業種比準価額の計算上、直前期末を基準とした場合における「１株当たりの配当金額」及び「１株当たりの利益金額」が０であり、かつ、直前々期末を基準とした場合において、「１株当たりの配当金額」、「１株当たりの利益金額」及び「１株当たりの純資産価額（帳簿価額によって計算した金額）」が０であるため、比準要素数１の会社に該当する。

(2) 原則的評価方式

① $\dfrac{6,400,000円-(6,400,000円-5,000,000円)\times37\%}{400,000株}=14円$（円未満切捨）

$14円\times\dfrac{80}{100}=11円$（円未満切捨）

② $2\overset{※}{円}\times0.25+14円\times\dfrac{80}{100}$（円未満切捨）$\times0.75=8円$（円未満切捨）

※イ　$440円\times\left(\dfrac{\dfrac{\overset{*1}{0円}}{2.9円}(0)+\dfrac{\overset{*2}{0円}}{13円}(0)+\dfrac{\overset{*3}{12円}}{234円}\overset{*4}{(0.05)}}{3}\overset{*4}{(0.01)}\right)\times0.5=2.2円$

ロ　$2.2円\times\dfrac{\overset{*5}{50円}}{50円}=2円$（円未満切捨）

＊1　$\dfrac{(0円+0円)\div2}{\dfrac{20,000,000円}{50円}(=400,000株)}=0円$

＊2　△2,000,000＞(△2,000,000＋△2,800,000)÷２＝△2,400,000

∴ 負数のため０

＊3　$\dfrac{4,800,000円}{400,000株}=12円$

＊4　小数点以下第２位未満切捨

＊5　１株当たりの資本金等の額　20,000,000円÷400,000株＝50円

③　①＞②　∴　８円

(3) 配偶者乙が取得した株式

８円×80,000株＝640,000円

## 解答への道

1　比準要素数１の会社の株式の判定（評通189(1)）

> 類似業種比準価額の計算上、「１株当たりの配当金額」、「１株当たりの利益金額」及び「１株当たりの純資産価額（帳簿価額によって計算した金額）」のそれぞれの金額のうちいずれか２が０であり、かつ、直前々末を基準にして、それぞれの金額のうち、いずれか２以上が０であるものをいう。

2　評価方法（評通189－２）

**《公式》比準要素数１の会社の株式**

| 評　価　区　分 | 評　　価　　方　　法 | |
|---|---|---|
| 同　族　株　主　等 | 原則 | １株当たりの純資産価額※ |
| | 選択できる評価 | １株当たりの類似業種比準価額×0.25＋１株当たりの純資産価額※×0.75 |
| 同族株主等以外の株主 | 配当還元価額（この金額が上記同族株主等として評価した金額を超える場合には、上記の定めにより評価した金額） | |

※　取得者及びその同族関係者の議決権割合の合計が50％以下の場合には、１株当たりの純資産価額に $\frac{80}{100}$ を乗ずる（円未満切捨）。

## 問題 14 株式等保有特定会社の株式の評価 －その１－

重要度 A

次の各設例に基づいて、相続もしくは遺贈又は贈与により取得した株式の相続税評価額を求めなさい。

＜設例１＞

Ｚ株式会社の筆頭株主である被相続人甲は、令和７年８月12日に死亡した。被相続人甲の作成した遺言書に基づいて、Ｚ社株式55,000株（議決権総数の55％）を配偶者乙が、Ｚ社株式5,000株（議決権総数の５％）を他人丙が取得した。なお、Ｚ株式会社は、株式等保有特定会社に該当している。

(1) 取引相場のない株式（中会社）

(2) １株当たりの類似業種比準価額　　1,890円

(3) １株当たりの純資産価額（相続税評価額）　　4,600円

(4) １株当たりの配当還元価額　　500円

(5) $S_1$の金額　　2,650円

(6) $S_2$の金額　　1,900円

(7) Ｌの割合　　0.60

＜設例２＞

被相続人甲の死亡（令和７年９月３日）により、Ｘ株式会社の株式14,000株（議決権総数の14％）を配偶者乙が取得した。これにより、配偶者乙及びその同族関係者の議決権数は同社の議決権総数の36％（同社の筆頭株主グループは他人丁及びその同族関係者で、その議決権数は同社の議決権総数の42％である。）になった。

(1) 取引相場のない株式（小会社）

(2) 発行済株式総数　　100,000株（１株当たりの資本金等の額 500円）

(3) 類似業種比準価額　　290円

(4) １株当たりの純資産価額（相続税評価額）　　470円

(5) Ｘ株式会社の１株当たりの$S_1$の金額の計算の基礎となる金額

① 資産から株式等を除外する等して求めた修正後の類似業種比準価額　　68円

② 資産から株式等を除外する等して求めた修正後の純資産価額（相続税評価額）　　97円

(6) 課税時期におけるＸ株式会社の資産及び負債の状況は、次のとおりである。

| 区　分 | 資産の価額 | | | | 負債の金額 |
|---|---|---|---|---|---|
| | 土　地 | 株式等 | その他の資産 | 計 | |
| 帳簿価額 | 千円<br>14,000 | 千円<br>19,000 | 千円<br>12,000 | 千円<br>45,000 | 千円<br>20,000 |
| 相続税評価額 | 20,000 | 48,000 | 12,000 | 80,000 | 20,000 |

(7) 評価差額に対する法人税額等相当額を計算する場合の率　37％

## 解　答

**<設例１>**

(1) 評価方式の判定

配偶者乙は、議決権総数の50%超を有していることから、同族株主であり、かつ、中心的な同族株主であるため、原則的評価方式を用いる。

他人丙は、配偶者乙が議決権総数の55%を有していることから、同族株主以外の株主に該当するため、特例的評価方式を用いる。

(2) 評価額

配偶者乙　①　4,600円

②　2,650円＋1,900円＝4,550円

③　①＞②

∴　4,550円×55,000株＝250,250千円

他人丙　①　500円

②　イ　4,600円× $\frac{80}{100}$ ＝3,680円

ロ　2,650円＋1,900円＝4,550円

ハ　イ＜ロ　　∴　3,680円

③　①＜②

∴　500円×5,000株＝2,500千円

**<設例２>**

(1) 評価方式の判定

乙は、同族株主に該当し、かつ、取得後の議決権割合が５%以上であるため、原則的評価方式を用いる。

$\frac{48,000千円}{80,000千円}$ ＝60%≧50%

∴　株式等保有特定会社

(2) 評価額

①　470円× $\frac{80}{100}$ ＝376円

②イ　$S_1$の金額

(ｲ)　97円

(ﾛ)　68円×0.50＋97円×0.50＝82円（円未満切捨）

(ﾊ)　(ｲ) ＞ (ﾛ)　∴　82円

ロ　$S_2$の金額

$$\frac{48,000千円-(48,000千円-19,000千円)\times 37\%}{100,000株}=372円（円未満切捨）$$

ハ　イ＋ロ＝454円

③　①＜②

∴　376円×14,000株＝5,264千円

## 解答への道

**《公式》　株式等保有特定会社の株式**（評通189－3）

| 評価区分 | | 評価方法 |
|---|---|---|
| 同族株主等 | 原則 | 1株当たりの純資産価額※ |
| | 選択できる評価 | $S_1$の金額 ＋ $S_2$の金額 |
| 同族株主等以外の株主 | | 配当還元価額（この金額が上記同族株主等として評価した金額を超える場合には、上記の定めにより評価した金額） |

※　取得者及びその同族関係者の議決権割合の合計が50%以下の場合には、1株当たりの純資産価額に $\frac{80}{100}$ を乗ずる（円未満切捨）。

前頁表中の$S_1$の金額及び$S_2$の金額を簡単に説明すれば、次のとおりである。

(1)　［$S_1$の金額］―［株式等以外の資産］―［評価会社の規模（大会社、中会社又は小会社）に応じた原則的評価方式により計算した金額※］

※　評価会社の規模に応じた原則的評価方式により計算した金額

| | |
|---|---|
| 大会社 | ①　評価会社の資産から株式等を除外する等して求めた修正後の1株当たりの類似業種比準価額<br>②　評価会社の資産から株式等を除外する等して求めた修正後の1株当たりの純資産価額<br>（①②の）低い方 |
| 中会社 | ①、②いずれか低い方 × L ＋ 上記修正後の1株当たりの純資産価額 ×（1－L）<br>①　上記修正後の1株当たりの類似業種比準価額<br>②　上記修正後の1株当たりの純資産価額 |
| 小会社 | ①　上記修正後の1株当たりの純資産価額<br>②　上記修正後の1株当たりの類似業種比準価額 × 0.50 ＋ 上記修正後の1株当たりの純資産価額 × 0.50<br>（①②の）低い方 |

（注１） $S_1$の金額における純資産価額の計算上、純資産価額の特例 $\left(\times \frac{80}{100}\right)$ の適用はない。

（注２）評価会社が、比準要素数１の会社の株式にも該当する場合には、評価会社の規模に関係なく、比準要素数１の会社の株式の評価に準じて計算した金額により計算する。

(2) [ $S_2$の金額 ]―[ 株　式　等 ]―[ 評価会社が有する資産を株式等のみと仮定した場合に計算した１株当たりの純資産価額（相続税評価額）※ ]

※　具体的には、下記の算式による。

$$\frac{A-(A-B)\times 37\%}{\text{課税時期における発行済株式数}}$$

Ａ＝評価会社の総資産のうちの株式等の相続税評価額の合計額

Ｂ＝評価会社の総資産のうちの株式等の帳簿価額の合計額

（注１） $S_2$の金額における純資産価額の計算上、純資産価額の特例 $\left(\times \frac{80}{100}\right)$ の適用はない。

（注２）負債は一切考慮しない。

## 問　題　15　株式等保有特定会社の株式の評価　－その２－　　重要度　C

**次の設例に基づいて、被相続人甲から取得した株式の相続税評価額を求めなさい。**

＜設　例＞

被相続人甲の死亡（令和７年11月３日）により、Ａ株式会社の筆頭株主であった甲所有のＡ株式会社の株式500,000株（議決権総数の10％）を配偶者乙が取得した。この取得により、配偶者乙及びその同族関係者の議決権数は同社の議決権総数の55％になった。

(1) 取引相場のない株式（大会社）

(2) Ａ株式会社に関する資料

| | | |
|---|---|---|
| ① | 発行済株式総数　5,000,000株（１株当たりの資本金等の額50円） | |
| ② | 直前期末における１株当たりの配当金額 | 5円 |
| ③ | 直前期末における１株当たりの年利益金額 | 2円 |
| ④ | 直前期末における１株当たりの純資産価額（帳簿価額） | 140円 |
| ⑤ | 直前期末以前２年間の営業利益金額の合計額 | 30,000千円 |
| | （上記⑤のうち受取配当金額の合計額 | 18,000千円） |
| ⑥ | 直前期末における総資産価額（帳簿価額） | 1,100,000千円 |
| | （上記⑥のうち株式及び出資の金額 | 550,000千円） |
| ⑦ | 直前期末における利益積立金額 | 10,000千円 |

⑧　課税時期における資産及び負債の状況

| 区　分 | 資産の価額 | | | | 負債の金額 |
|---|---|---|---|---|---|
| | 土　地 | 株式等 | その他の資産 | 計 | |
| 帳簿価額 | 千円<br>270,000 | 千円<br>500,000 | 千円<br>230,000 | 千円<br>1,000,000 | 千円<br>200,000 |
| 相続税評価額 | 500,000 | 1,350,000 | 250,000 | 2,100,000 | 200,000 |

(3) 類似業種に関する資料

①　類似業種の株価　250円

②　１株当たりの配当金額　４円

③　１株当たりの利益金額　10円

④　１株当たりの純資産価額（帳簿価額）　150円

(4) 評価差額に対する法人税額等相当額を計算する場合の率　37%

## 解　答

(1) 評価方式の判定

配偶者乙は、同族株主に該当し、かつ、取得後の議決権割合が５％以上であるため、原則的評価方式を用いる。

$$\frac{1,350,000\text{千円}}{2,100,000\text{千円}}=0.64\cdots \geqq 50\%$$

∴　株式等保有特定会社

(2) 評価額

①　１株当たりの純資産価額

イ　2,100,000千円－200,000千円＝1,900,000千円

ロ　1,000,000千円－200,000千円＝　800,000千円

$$\frac{\text{イ}-(\text{イ}-\text{ロ})\times 37\%}{5,000,000\text{株}}=298\text{円（円未満切捨）}$$

②　$S_1$の金額＋$S_2$の金額

イ　$S_1$の金額

(イ) １株当たりの類似業種比準価額

㋑　受取配当金収受割合

$$\frac{18,000\text{千円}}{30,000\text{千円}}=60\%$$

㋺　ⓑの金額　５円×60%＝３円

㋩　ⓒの金額　２円×60%＝１円（円未満切捨）



第15章 取引相場のない株式

㊁　ⓓの金額　$140円\times\frac{550,000千円}{1,100,000千円}+\frac{10,000千円}{5,000,000株}\times60\%$（円未満切捨）＝71円

㊄　$250円\times\left(\frac{\frac{5円-3円}{4円}(0.50)+\frac{2円-1円}{10円}(0.10)+\frac{140円-71円}{150円}(0.46)}{3}\right)(0.35^{*})$

$\times0.7=61.2円$（10銭未満切捨）

＊　小数点以下第２位未満切捨

$61.2円\times\frac{50円}{50円}=61円$（円未満切捨）

(ロ)　１株当たりの純資産価額

㋑　2,100,000千円－1,350,000千円－200,000千円＝550,000千円

㋺　1,000,000千円－500,000千円－200,000千円＝300,000千円

㋩　$\frac{㋑-(㋑-㋺)\times37\%}{5,000,000株}=91円$（円未満切捨）

(ハ)　(イ)＜(ロ)　　∴　61円

ロ　$S_2$の金額

$\frac{1,350,000千円-(1,350,000千円-500,000千円)\times37\%}{5,000,000株}=207円$（円未満切捨）

ハ　イ＋ロ＝268円

③　①>②

∴　268円×500,000株＝134,000千円

## 解答への道

$S_1$の金額の算出方法（評通189－３(1)）

> 次に掲げる類似業種比準価額と純資産価額を用いて、発行会社の規模に応じた原則的評価方式の規定により評価した価額

(1)　類似業種比準価額（※１～７は通常と全く同じ。）

$$A\times\left(\frac{\frac{Ⓑ-ⓑ}{B}+\frac{Ⓒ-ⓒ}{C}+\frac{Ⓓ-ⓓ}{D}}{3}\right)\times\begin{cases}大会社\ 0.7\\中会社\ 0.6\\小会社\ 0.5\end{cases}$$

※１　A＝類似業種の株価

類似業種の株価とは、次に掲げる株価のうち最も低い金額をいう。

①　課税時期の属する月の類似業種の株価

②　課税時期の属する月の前月の類似業種の株価

③ 課税時期の属する月の前々月の類似業種の株価

④ 類似業種の前年平均株価

⑤ 課税時期の属する月以前2年間の類似業種の平均株価

※2 B＝課税時期の属する年の類似業種の1株当たりの配当金額

※3 C＝課税時期の属する年の類似業種の1株当たりの年利益金額

※4 D＝課税時期の属する年の類似業種の1株当たりの純資産価額（帳簿価額）

※5 Ⓑ＝評価会社の1株当たりの配当金額（10銭未満切捨）

※6 Ⓒ＝評価会社の1株当たりの利益金額（円未満切捨）

※7 Ⓓ＝評価会社の1株当たりの純資産価額（帳簿価額）（円未満切捨）

※8 ⓑ＝評価会社の1株当たりの配当金額 × 受取配当金収受割合（10銭未満切捨）

受取配当金収受割合は、次の算式により求める。

$$\text{受取配当金収受割合} = \frac{\text{直前期末以前2年間の受取配当金額の合計額}}{\text{直前期末以前2年間の受取配当金額の合計額} + \text{直前期末以前2年間の営業利益の金額の合計額}^{*1}}$$

＊1 合計額に受取配当金額が含まれている場合には、受取配当金額の合計額を控除した金額。

＊2 上記の割合が1を超える場合には1を限度とする。

※9 ⓒ ＝ 評価会社の1株当たりの年利益金額×受取配当金収受割合（円未満切捨）

※10 ⓓ ＝ イ＋ロ（上記Ⓓの金額を限度とする。）

イ ＝ 評価会社の1株当たりの純資産価額（帳簿価額）

$$\times \frac{\text{分母のうちの株式及び出資の帳簿価額の合計額}}{\text{評価会社の直前期末における総資産価額（帳簿価額）}}$$

$$\text{ロ} = \frac{\text{利益積立金額（＜0の場合は0）}}{\text{1株当たりの資本金等の額が50円であるものとした場合の評価会社の発行済株式数}} \times \text{受取配当金収受割合}$$

＊ イ、ロの金額は各円未満切捨

(2) 純資産価額（評通189－3(1)）

$$\frac{\text{A}-(\text{A}-\text{B})\times 37\%}{\text{課税時期における発行済株式数}}$$

A＝株式及び出資以外の資産の課税時期における相続税評価額の合計額 － 課税時期における各負債の相続税評価額の合計額

B＝株式及び出資以外の資産の課税時期における帳簿価額の合計額 － 課税時期における各負債の帳簿価額の合計額（この負債には、評通186で負債に含まれるものとした金額を含む。）

第15章 取引相場のない株式

## 問題 16 土地保有特定会社又は開業後3年未満の会社等の株式の評価

重要度 A

次の各設例に基づいて、各人の取得した株式の相続税評価額を求めなさい。なお、評価差額に対する法人税額等相当額を計算する必要がある場合の率は37%とする。

＜設例1＞

W株式会社の株主である被相続人甲は、令和7年5月25日に死亡した。被相続人甲が作成した遺言書に基づいて、W社株式を各人が次のとおり取得した。

配偶者乙　60,000株（議決権総数の30%）
長男A　40,000株（議決権総数の20%）
長女B　20,000株（議決権総数の10%）
他人丙　20,000株（議決権総数の10%）

(1) 取引相場のない株式（大会社）

(2) 発行済株式総数　200,000株

(3) 類似業種比準価額　4,480円

(4) 配当還元価額　250円

(5) 課税時期におけるW社の資産及び負債の状況は、次のとおりである。

| 区　分 | 資産の価額の合計額 | 負債の金額の合計額 |
|---|---|---|
| 帳簿価額 | 千円<br>1,500,000 | 千円<br>400,000 |
| (内土地の価額) | ( 1,600,000) | |
| 相続税評価額 | 2,000,000 | 400,000 |

＜設例2＞

V株式会社の代表取締役社長である甲は、令和7年11月18日にV社株式200株（議決権総数の10%）を甲の長男A（A及びその同族関係者（筆頭株主）の株式取得後の議決権割合は40%であり、Aは中心的な同族株主に該当している。）に対して贈与した。なお、V株式会社は令和6年7月1日に設立及び開業した会社である。

(1) 取引相場のない株式（小会社）

(2) 発行済株式総数　2,000株

(3) 類似業種比準価額　36,000円

(4) 課税時期におけるＶ社の資産及び負債の状況は、次のとおりである。

| 区　　分 | 資産の価額の合計額 | 負債の金額の合計額 |
|---|---|---|
| 帳 簿 価 額 | 千円<br>75,000 | 千円<br>10,000 |
| 相続税評価額<br>（内土地の価額） | 100,000<br>（　30,000　） | 10,000 |

＜設例３＞

被相続人甲の死亡により、配偶者乙はＺ株式会社の株式200,000株を取得した。Ｚ社株式に関する資料は次のとおりであり、Ｚ社株式取得後の配偶者乙及び同族関係者の議決権割合は50％となった。

(1) 取引相場のない株式（中会社）

(2) 発行済株式総数　1,000,000株（１株当たりの資本金等の額50円）

(3) 直前期における配当金額　0円

(4) 直前々期における配当金額　0円

(5) 直前期における１株当たりの利益金額　△ 523円

(6) 直前々期における１株当たりの利益金額　△ 482円

(7) 直前期末における１株当たりの純資産価額（帳簿価額）　△ 210円

(8) Ｌの割合　0.75

(9) 課税時期における１株当たりの純資産価額（相続税評価額）　1,150円

(10) 類似業種に関する資料

① 類似業種の株価　1,350円

② １株当たりの配当金額　50円

③ １株当たりの利益金額　220円

④ １株当たりの純資産価額　1,050円

## 解　答

＜設例１＞

(1) 評価方式の判定

配偶者乙、長男Ａ、長女Ｂ　30％＋20％＋10％＝60％＞50％

∴　配偶者乙、長男Ａ及び長女Ｂは、同族株主に該当し、かつ、取得後の議決権割合が５％以上であるため、原則的評価方式を適用する。

他人丙　　他人丙及びその同族関係者の議決権割合の合計が50％超になることはあり得ないため、特例的評価方式を適用する。

(2) 特定の評価会社の判定

$$\frac{1,600,000千円}{2,000,000千円}=80\%\geqq70\%$$

∴　土地保有特定会社

(3) 評価額

①　１株当たりの純資産価額

イ　2,000,000千円－400,000千円＝1,600,000千円

ロ　1,500,000千円－400,000千円＝1,100,000千円

ハ　$\frac{イ－(イ－ロ)\times37\%}{200,000株}=7,075円$

②　配偶者乙　　7,075円×60,000株＝424,500千円

　　長男Ａ　　　7,075円×40,000株＝283,000千円

　　長女Ｂ　　　7,075円×20,000株＝141,500千円

③　他人丙　　　250円*×20,000株＝　5,000千円

　　＊　イ　250円

　　　　ロ　$7,075円\times\frac{80}{100}=5,660円$

　　　　ハ　イ＜ロ　　∴　250円

＜設例２＞

(1) 評価方式の判定

長男Ａは、同族株主に該当し、かつ、中心的な同族株主に該当するため、原則的評価方式を適用する。

(2) 特定の評価会社の判定

Ｖ社は、開業後３年未満の会社に該当する。

(3) 評価額

①　１株当たりの純資産価額

イ　100,000千円－10,000千円＝90,000千円

ロ　 75,000千円－10,000千円＝65,000千円

ハ　$\frac{イ－(イ－ロ)\times37\%}{2,000株}=40,375円$

　　$40,375円\times\frac{80}{100}=32,300円$

②　32,300円×200株＝6,460千円

＜設例３＞

(1) 評価方式の判定

配偶者乙は、同族株主に該当し、取得後の議決権割合が５％以上であるため、原則的評価方式を適用する。

(2) 特定の評価会社の判定

類似業種比準価額の計算上、「１株当たりの配当金額」、「１株当たりの利益金額」及び「１株当たりの純資産価額」のいずれもが０であるため開業後３年未満の会社等（比準要素数０の会社）の株式として、純資産価額で評価する。

(3) 評価額

$$1,150\text{円} \times \frac{80}{100} \times 200,000\text{株} = 184,000\text{千円}$$

## 解答への道

課税時期において次に掲げる会社に該当する場合には、通常の評価方法とは無関係に下記公式により評価する。なお、大会社の場合においても、取得者及びその同族関係者の議決権割合が50％以下であるときは、１株当たりの純資産価額に $\frac{80}{100}$ を乗ずる取扱いがあるので注意すること。

(1) 土地保有特定会社

(2) 開業後３年未満の会社

(3) 類似業種比準価額の計算上、「１株当たりの配当金額」、「１株当たりの利益金額」及び「１株当たりの純資産価額」のそれぞれの金額がいずれも０である会社（比準要素数０の会社）

**《公式》　土地保有特定会社及び開業後３年未満の会社等の株式**（評通189－４）

<table>
<tr><th>評価区分</th><th colspan="2">評価方法</th></tr>
<tr><td rowspan="2">同族株主等</td><td>原則</td><td>１株当たりの純資産価額※</td></tr>
<tr><td>選択できる評価</td><td></td></tr>
<tr><td>同族株主等以外の株主</td><td colspan="2">配当還元価額（この金額が上記同族株主等として評価した金額を超える場合には、上記の定めにより評価した金額）</td></tr>
</table>

※　取得者及びその同族関係者の議決権割合の合計が50％以下の場合には、１株当たりの純資産価額に $\frac{80}{100}$ を乗ずる（円未満切捨）。

## 問題 17 開業前又は休業中の会社の株式の評価

重要度 C

**次の設例に基づいて、株式の相続税評価額を求めなさい。なお、評価差額に対する法人税額等相当額を計算する必要がある場合の率は37%とする。**

**＜設　例＞**

被相続人甲の死亡により、U社株式52,000株（議決権総数の52%）を配偶者乙が取得した。同社は現在休業中であり、課税時期における同社の帳簿価額に基づく純資産価額は80,000千円であり、相続税評価額に基づく純資産価額は120,000千円である。なお、U社の発行済株式総数は100,000株である。

### 解　答

評価額

$$\frac{120,000千円－(120,000千円－80,000千円)×37\%}{100,000株}＝1,052円$$

1,052円×52,000株＝54,704千円

### 解答への道

**《公式》　開業前又は休業中の会社の株式**（評通189－５）

| １株当たりの純資産価額 |
|---|

※　取得者及びその同族関係者の議決権割合が50%以下の場合であっても、１株当たりの純資産価額に $\frac{80}{100}$ を乗じない。

## 問題 18 清算中の会社の株式の評価

重要度 C

次の設例に基づいて、各人の取得した株式の相続税評価額を求めなさい。

＜設　例＞

令和７年７月21日の被相続人甲の死亡により、相続人及びその他の者はＴ株式会社の株式を次のとおり取得した。

被相続人甲の配偶者乙　　60,000株（議決権総数の30%）

被相続人甲の長男Ａ　　60,000株（議決権総数の30%）

被相続人甲の友人丙　　20,000株（議決権総数の10%）

なお、Ｔ株式会社は、課税時期において清算中であり、清算人は令和９年９月６日に１株につき2,000円の残余財産の分配をし、令和10年10月20日に１株につき、1,000円の残余財産の分配を行って清算を結了する予定である。

〔参考資料〕

基準年利率による複利現価率

２年　0.998

３年　0.993

４年　0.990

### 解　答

(1)　１株当たりの相続税評価額

2,000円×0.993＋1,000円×0.990＝2,976円

(2)　各人の取得した株式の相続税評価額

配偶者乙　2,976円×60,000株＝178,560千円

長男Ａ　2,976円×60,000株＝178,560千円

友人丙　2,976円×20,000株＝ 59,520千円

## 解答への道

**《公式》　清算中の会社の株式**（評通189－６）

| 評価区分 | 評価方法 |
|---|---|
| 清算の結果分配を受ける見込みがない場合 | 0 |
| 清算の結果１回分配を受ける見込みである場合 | 分配を受ける見込みの金額 × 課税時期から分配を受けると見込まれる日までの期間(※)に応ずる基準年利率による複利現価率 |
| 清算の結果２回以上分配を受ける見込みである場合 | 各回に分配を受けると見込まれる金額に課税時期から各回の分配を受けると見込まれる日までの期間(※)に応ずる基準年利率による複利現価率を乗じて得た金額の合計額 |

※　その期間が１年未満であるとき又はその期間に１年未満の端数があるときは、これを１年とする。

# 第16章

# 出　資

重要度

## 問　題　1　農業協同組合等、企業組合等の出資

重　要　度　B

**次の各設例の場合において、出資の相続税評価額を求めなさい。**

**＜設例１＞**

Ａ農業協同組合に対する出資　　　出資額　50,000円

Ａ農業協同組合の純資産価額（相続税評価額によって計算した金額）を基として計算した被相続人甲の出資の持分に応ずる価額は150,000円である。

**＜設例２＞**

Ｂ企業組合に対する出資　　　出資額 100,000円

Ｂ企業組合の純資産価額（相続税評価額によって計算した金額）を基として計算した被相続人甲の出資の持分に応ずる価額は250,000円である。

## 解　答

**＜設例１＞**

Ａ農業協同組合に対する出資　　50,000円

**＜設例２＞**

Ｂ企業組合に対する出資　　250,000円

## 解答への道

**＜設例１＞**

**《公式》　農業協同組合等の出資の評価**（評通195）

| 原則として払込済出資金額 |
|---|

**＜設例２＞**

**《公式》　企業組合等の出資の評価**（評通196）

| 純資産価額（相続税評価額）を基とした出資の持分に応ずる価額 |
|---|

※　純資産価額の特例 $\left(\times\frac{80}{100}\right)$ の適用はない。

**＜参　考＞**

**《公式》　持分会社の出資**（評通194）

| 取引相場のない株式の評価方法を準用して評価した価額 |
|---|

## 問題 2　医療法人の出資

重要度　C

次の設例の場合において、出資の相続税評価額を求めなさい。

＜設　例＞

医療法人Ｃ会に対する出資　　5,000口

(1) 医療法人Ｃ会は、評価区分上中会社に該当する。（Ｌの割合　0.75）

(2) 医療法人Ｃ会の比準要素

① 直前期末以前１年間における１口（50円換算）当たりの利益金額　54円

② 直前期末における１口（50円換算）当たりの純資産価額（帳簿価額）　672円

③ 課税時期における１口（１口当たりの出資金額 1,000円）当たりの純資産価額（相続税評価額）　19,500円

(3) 類似業種の比準要素

① 類似業種の株価　450円

② 令和７年の１株当たりの配当金額　4円

③ 令和７年の１株当たりの利益金額　27円

④ 令和７年の１株当たりの純資産価額（帳簿価額）　240円

### 解　答

(1)

$$450円\times\left(\frac{\frac{54円}{27円}(2.00)+\frac{672円}{240円}(2.80)}{2}\right)(2.40)\times0.6=648円$$

$$648円\times\frac{1,000円}{50円}=12,960円$$

(2) 12,960円*×0.75＋19,500円×（１－0.75）＝14,595円

＊　12,960円＜19,500円　　∴　12,960円

14,595円×5,000口＝72,975,000円

第16章　出資

## 解答への道

**《公式》　医療法人の出資の評価**（評通194－２）

取引相場のない株式の評価方法に準じて計算した価額によって評価する。

なお、この場合において、類似業種比準価額を求める場合は、次の算式による。

$$A \times \left( \frac{\dfrac{Ⓒ}{C} + \dfrac{Ⓓ}{D}}{2} \right) \times \begin{Bmatrix} 大会社 & 0.7 \\ 中会社 & 0.6 \\ 小会社 & 0.5 \end{Bmatrix}$$

（注１）医療法人は、剰余金の配当が禁止されているため、「１株当たりの配当金額」を除外して計算する。

（注２）出資の保有割合と議決権との間には、何らの関係も認められないため、純資産価額の特例 $\left( \times \frac{80}{100} \right)$ の適用はない。

（注３）剰余金の配当が禁止されているため、配当還元価額はない。

# 第17章

# 特定計画山林の特例

重要度

| | | |
|---|---|---|
| 問題１ | 特定計画山林の判定 | B |
| 問題２ | 特定計画山林の特例と小規模宅地等の特例との選択　－その１－ | C |
| 問題３ | 特定計画山林の特例と小規模宅地等の特例との選択　－その２－ | C |

## 問　題　1　特定計画山林の判定

重要度　B

次の各設例の場合における各人の相続税の課税価格に算入する財産の価額を求めなさい。

なお、課税価格に算入すべき価額の計算に当たって２以上の計算方法がある場合には、課税価格の合計額が最も少なくなる方法を選択するものとし、措法69条の４（小規模宅地等の特例）の適用を受けていないものとする。

＜設例１＞

被相続人甲の死亡により、次に掲げる者が次に掲げる山林及び立木を遺贈により取得した。

長女Ａ（Ａは相続の放棄をしている。）

(1) 山　林　　時価　64,800,000円

この山林は、森林経営計画区域内に所在する純山林である。なお、長女Ａは相続税の申告期限においてもこの山林を所有している。

(2) 立　木　　時価　35,000,000円

この立木は、(1)の山林に生立するもので、相続税の申告期限において森林経営計画に基づく認定の効力を有するものである。なお、長女Ａは相続税の申告期限においてもこの立木を所有しており、相続開始時から申告期限まで引き続き市町村長の認定を受けた森林経営計画に基づき施業を行っている。

＜設例２＞

被相続人甲の死亡により、次に掲げる者が次に掲げる山林及び立木を遺贈により取得した。

友人丙

(1) 山　林　　時価　86,200,000円

この山林は、森林経営計画区域内に所在する純山林である。なお、友人丙は相続税の申告期限においてもこの山林を所有している。

(2) 立　木　　時価　44,000,000円

この立木は、(1)の山林に生立するもので、相続税の申告期限において森林経営計画に基づく認定の効力を有するものである。なお、友人丙は相続税の申告期限においてもこの立木を所有しており、相続開始時から申告期限まで引き続き市町村長の認定を受けた森林経営計画に基づき施業を行っている。

## 解　答

＜設例１＞

長女Ａ

(1) 特定計画山林の判定

特定計画山林に該当する。

(2) 課税価格算入額

① 山　林

$$64,800,000円-64,800,000円\times\frac{5}{100}=61,560,000円$$

② 立　木

$$35,000,000円-35,000,000円\times\frac{5}{100}=33,250,000円$$

＜設例２＞

友人丙

(1) 特定計画山林の判定

丙は親族でないため、特定計画山林に該当しない。

(2) 課税価格算入額

① 山　林

86,200,000円

② 立　木

44,000,000円

## 解答への道

山林又は立木につき、特定計画山林の特例の適用の有無を判定する場合においては、次の要件を確認する必要がある。（措法69の５）

(1) 特定森林経営計画対象山林（被相続人が相続開始の直前に有していた立木又は土地等のうちその相続開始前に市町村長等の認定を受けた森林経営計画が定められた区域内に存するもの）であること。

(2) 特定森林経営計画対象山林の取得者が被相続人の親族であること。　⇨ 設例２

(3) その親族が相続開始時から申告期限まで引き続き市町村長等の認定を受けた森林経営計画に基づき施業を行っていること。

(4) その親族が特定森林経営計画対象山林を申告期限においても所有していること。

(5) 相続開始前に受けていた市町村長等の認定（申告期限においてその効力を有するものに限る。）に係る森林経営計画区域内に存するものであること。

なお、相続時精算課税の規定の適用を受けた特定受贈森林経営計画対象山林についても、特定計画山林の特例の適用がある。

## 問題２　特定計画山林の特例と小規模宅地等の特例との選択　－その１－

重要度　C

次の各設例の場合における被相続人甲の相続に係る各相続人及び受遺者が取得した財産について課税価格に算入すべき価額を求めなさい。

なお、相続税額の計算に当たって２以上の計算方法がある場合には、納付すべき相続税額の合計額が最も少なくなる方法を選択するものとする。

<設　例>

被相続人甲の死亡により、次に掲げる者がそれぞれに掲げる財産を相続又は遺贈により取得した。

(1) 配偶者乙

① 宅　地　　400㎡　自用地としての価額　42,000千円

② 家　屋　　140㎡　固定資産税評価額　　23,000千円

この家屋は、①の宅地の上に存するもので、被相続人甲が配偶者乙及び長女Ａとともに居住の用に供していたものである。

(2) 長女Ａ（相続の放棄をしている。）

① 山　林　　40ha　　固定資産税評価額　600千円　　倍率　6.5倍

この山林は、森林経営計画区域内に所在する純山林である。なお、長女Ａは相続税の申告期限においてもこの山林を所有している。

② 立　木　　標準価額　325千円　　総合等級割合　1.10

この立木は、①の山林に生立するもので、申告期限において森林経営計画に基づく認定の効力を有するものである。なお、長女Ａは相続税の申告期限においてこの立木を所有しており、相続開始時から申告期限まで引き続き市町村長の認定を受けた森林経営計画に基づき施業を行っている。

## 解　答

<設　例>

(1) 配偶者乙

① 宅　地　　42,000千円－27,720千円※＝14,280千円

② 家　屋　　23,000千円×1.0＝23,000千円

(2) 長女Ａ

① 山　林　　600千円×6.5＝3,900千円

② 立　木　　325千円×1.10×40ha＝14,300千円

※ 課税価格算入額の特例

配偶者乙 （特定居住用宅地等） 42,000千円÷400㎡×$\frac{80}{100}$×330＝27,720千円

長女A （特定森林経営計画対象山林） (3,900千円＋14,300千円)×$\frac{5}{100}$＝910千円

∴ 配偶者乙（特定居住用宅地等）から330㎡を選択する。

配偶者乙 （特定居住用宅地等） 42,000千円×$\frac{330㎡}{400㎡}$×$\frac{80}{100}$＝27,720千円

## 解答への道

小規模宅地等の特例と特定計画山林の特例は、原則としていずれかの選択適用であるが、適用限度の範囲内であれば、併用適用をすることができる。そこで、それぞれの特例の適用限度面積又は適用限度額を100％とした場合の適用割合を考慮することにより、有利選択を行うこととなる。

なお、有利選択を行う場合の算式は、次のとおりである。

1．調整計算による減額金額

| | | |
|---|---|---|
| 小規模宅地等の特例 | 特定事業用等宅地等 | 宅地等の相続税評価額÷地積×$\frac{80}{100}$×400 |
| | 特定居住用宅地等 | 宅地等の相続税評価額÷地積×$\frac{80}{100}$×330 |
| | 貸付事業用宅地等 | 宅地等の相続税評価額÷地積×$\frac{50}{100}$×200 |
| 特定計画山林の特例 | 特定森林経営計画対象山林 | 立木*及び山林の相続税評価額×$\frac{5}{100}$<br>＊ 立木の評価減の適用がある場合には、その適用後の金額 |

2．特定事業用等宅地等と特定居住用宅地等を併用する場合の減額金額

(1) 特定事業用等宅地等について400㎡に達する部分までの減額金額

(2) 特定居住用宅地等について330㎡に達する部分までの減額金額

(3) (1)＋(2)

3．1について、適用限度面積又は適用限度額100％に達するまで、各特例を適用した減額金額と2(3)のいずれか大きい金額の方を選択する。

## 問題 3　特定計画山林の特例と小規模宅地等の特例との選択 －その２－

重要度　C

次の各設例の場合における被相続人甲の相続に係る相続人乙が取得した財産について課税価格に算入すべき価額を求めなさい。

なお、相続税額の計算に当たって２以上の計算方法がある場合には、納付すべき相続税額の合計額が最も少なくなる方法を選択するものとする。

＜設　例＞

被相続人甲の死亡により、相続人乙が取得した財産は、次のとおりである。なお、甲は、この他に土地等及び立木は有していないものとする。

(1) 宅　地　　280㎡　　自用地としての価額 112,000千円

この宅地は、特定事業用宅地等に該当する。

(2) 山　林　　時価　13,500千円

(3) 立　木　　時価　18,000千円

(2)の山林及び(3)の立木は、特定森林経営計画対象山林の要件を満たしている。

### 解　答

＜設　例＞

相続人乙

(1) 宅　地

112,000千円－89,600千円※＝22,400千円

(2) 山　林

13,500千円－202.5千円※＝13,297.5千円

(3) 立　木

18,000千円×$\frac{85}{100}$＝15,300千円

15,300千円－229.5千円※＝15,070.5千円

※　課税価格算入額の特例

宅　地（特定事業用宅地等）　112,000千円÷280㎡×$\frac{80}{100}$×400＝128,000千円

山林・立木（特定森林経営計画対象山林）　(13,500千円＋15,300千円)×$\frac{5}{100}$＝1,440千円

∴　宅地（特定事業用宅地等）から280㎡（$\frac{280㎡}{400㎡}$＝70%）

山林・立木（特定森林経営計画対象山林）から8,640千円（13,500千円×(１－70%)＋15,300千円×(１－70%)）を選択する。

宅　地　$112{,}000千円 \times \frac{280㎡}{280㎡} \times \frac{80}{100} = 89{,}600千円$

山　林　$13{,}500千円 \times (1-70\%) \times \frac{5}{100} = 202.5千円$

立　木　$15{,}300千円 \times (1-70\%) \times \frac{5}{100} = 229.5千円$

## 解答への道

適用関係は、次のとおりである。

＜設　例＞

【図　解】

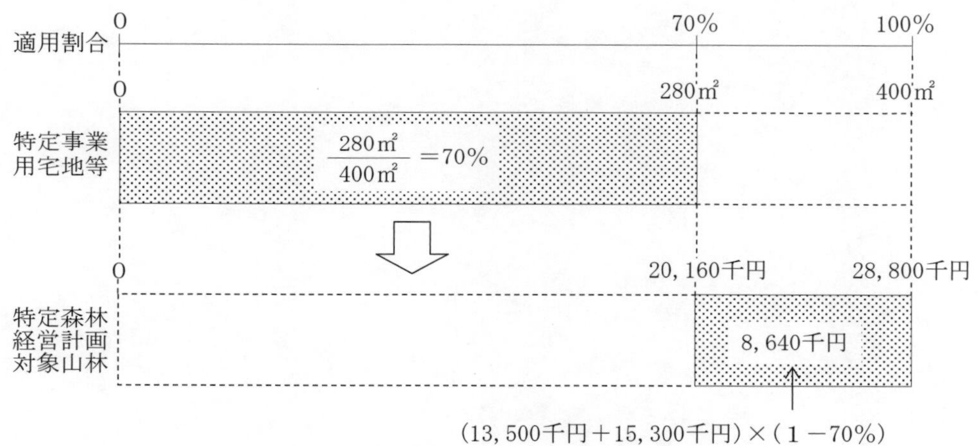

MEMO

# 第18章

# 公　　社　　債

| | 重要度 |
|---|---|
| 問題１　利付公社債　－その１－ | A |
| 問題２　利付公社債　－その２－ | A |
| 問題３　割引発行の公社債　－その１－ | B |
| 問題４　割引発行の公社債　－その２－ | B |
| 問題５　転換社債型新株予約権付社債　－その１－ | A |
| 問題６　転換社債型新株予約権付社債　－その２－ | B |

## 問題 1　利付公社債　－その１－

| 重要度 | A |
|---|---|

次の各設例の場合において、相続税の課税価格に算入すべき公社債の価額を求めなさい。

なお、被相続人甲の相続開始日は、令和７年５月28日である。

（注）利子所得に係る源泉徴収されるべき税額を計算する必要がある場合には、20.315％の率とする。

＜設例１＞

Ａ社利付社債　　券面額　　5,000千円

この社債は、東京証券取引所に上場されているもので、その内容は、次のとおりである。

| | |
|---|---|
| 発行価額（券面額100円当たり） | 98円 |
| 利　率 | 年 5.0％ |
| 課税時期の最終価格 | 101.25円 |
| 課税時期までの既経過日数 | 146日 |

＜設例２＞

Ｂ中期利付国債　　券面額　　8,000千円

この国債の内容は、次のとおりである。

| | |
|---|---|
| 発行価額（券面額100円当たり） | 98.5円 |
| 利　率 | 年 5.0％ |
| 課税時期における平均値 | 98.2円 |
| 利払期日 | ３月16日及び９月16日 |

＜設例３＞

Ｃ社利付社債　　券面額　　6,000千円

この社債の内容は、次のとおりである。

| | |
|---|---|
| 発行価額（券面額100円当たり） | 99円 |
| 利　率 | 年 4.5％ |
| 課税時期までの既経過日数 | 73日 |

## 解　答

＜設例１＞

$$101.25円＋2円^{*}×(1－20.315\%)＝102.8437円$$

＊　既経過利息の額

$$100円×5.0\%×\frac{146日}{365日}＝2円$$

$$∴\quad 102.8437円×\frac{5,000千円}{100円}＝5,142.185千円$$

＜設例２＞

$$98.2円＋1円^{*}×(1－20.315\%)＝98.99685円$$

＊　既経過利息の額

R7.3.17～R7.5.28　　∴ 73日

$$100円×5.0\%×\frac{73日}{365日}＝1円$$

$$∴\quad 98.99685円×\frac{8,000千円}{100円}＝7,919.748千円$$

＜設例３＞

$$99円＋0.9円^{*}×(1－20.315\%)＝99.717165円$$

＊　既経過利息の額

$$100円×4.5\%×\frac{73日}{365日}＝0.9円$$

$$∴\quad 99.717165円×\frac{6,000千円}{100円}＝5,983.029千円$$（円未満切捨）

## 解答への道

**《公社債の評価単位》**（評通197）

公社債の価額は、銘柄の異なるごとに次に掲げる区分に従い、次の算式で計算した金額によって評価する。

| | |
|---|---|
| (1) 利付公社債 | (3) 元利均等償還が行われる公社債 |
| (2) 割引発行の公社債 | (4) 転換社債型新株予約権付社債 |

**＜算式＞**　$券面額100円当たりの評価額×\frac{評価する公社債の券面額}{100円}$

第18章　公社債

<設例１>

**《公式》　上場されている利付公社債**（評通197－２(1)）

$$\text{課税時期の最終価格}^{*1}+\left(\text{既経過利息の額}^{*2}-\begin{array}{c}\text{既経過利息の額につき源泉徴収}\\\text{されるべき所得税等の額}\end{array}\right)$$

＊１　日本証券業協会において売買参考統計値が公表される銘柄として選定された公社債である場合には、日本証券業協会の公表する課税時期の平均値と最終価格のうちいずれか低い金額とする。

＊２　既経過利息の額

$$100\text{円}\times\text{年利率}\times\frac{\text{直前の利払期日の翌日から課税時期までの日数（片落し）}}{365\text{日}}$$

<設例２>

**《公式》　売買参考統計値が公表される銘柄として選定された利付公社債**（評通197－２(2)）

$$\text{課税時期の平均値}+\left(\text{既経過利息の額}-\begin{array}{c}\text{既経過利息の額につき源泉徴収}\\\text{されるべき所得税等の額}\end{array}\right)$$

<設例３>

**《公式》　上場されている利付公社債又は売買参考統計値が公表される銘柄として選定された利付公社債以外の利付公社債**（評通197－２(3)）

$$\text{発行価額}+\left(\text{既経過利息の額}-\begin{array}{c}\text{既経過利息の額につき源泉徴収}\\\text{されるべき所得税等の額}\end{array}\right)$$

## 問題２　利付公社債　－その２－

重要度　A

次の各設例の場合において、相続税の課税価格に算入すべき公社債の価額を求めなさい。

なお、名古屋市に住所を有する被相続人甲は、令和７年７月２日に病死している。

（注１）２以上の計算方法がある場合には、納税義務者に最も有利になる方法により計算するものとする。

（注２）利子所得に係る源泉徴収されるべき税額を計算する必要がある場合には、20.315%の率とする。

＜設例１＞

Ｄ社利付社債　　券面額　　5,000千円

この社債は、東京証券取引所に上場されているもので、その内容は、次のとおりである。

発行価額（券面額100円当たり）　99円

利　率　年 5.5%

課税時期までの既経過日数　146日

課税時期前後の最終価格

| | | | | | |
|---|---|---|---|---|---|
| ６月30日 | 98.7円 | ７月１日 | 取引なし | ７月２日 | 取引なし |
| ７月３日 | 98.6円 | ７月４日 | 98.7円 | ７月５日 | 98.3円 |

＜設例２＞

Ｅ利付国債　　券面額　　7,000千円

この国債は、東京証券取引所に上場されている利付国債（日本証券業協会において売買参考統計値が公表される銘柄として選定されている。）で、その内容は、次のとおりである。

発行価額（券面額100円当たり）　98円

利　率　年 4.0%

課税時期までの既経過日数　73日

課税時期前後の最終価格及び平均値

| | 最終価格 | 平均値 |
|---|---|---|
| ７月１日 | 97.05円 | 97.70円 |
| ７月２日 | 取引なし | 取引なし |
| ７月３日 | 97.00円 | 97.40円 |

<設例３>

Ｆ長期利付国債　　券面額　　6,500千円

この国債は、東京証券取引所及び名古屋証券取引所に上場されているもので、その内容は、次のとおりである。

発行価額（券面額100円当たり）　　98円

利　率　　年 8.0%

課税時期までの既経過日数　　146日

課税時期の最終価格

東京証券取引所　　99.5円　　　名古屋証券取引所　　99.0円

## 解　答

<設例１>

98.7円＋2.2円* ×（１－20.315%）＝100.45307円

＊　既経過利息の額

$$100円 \times 5.5\% \times \frac{146日}{365日} = 2.2円$$

$$\therefore\ 100.45307円 \times \frac{5,000千円}{100円} = 5,022.653千円$$（円未満切捨）

<設例２>

97.05円*1 ＋0.8円*2 ×（１－20.315%）＝97.68748円

＊１　97.05円＜97.70円　∴　97.05円

＊２　既経過利息の額

$$100円 \times 4.0\% \times \frac{73日}{365日} = 0.8円$$

$$\therefore\ 97.68748円 \times \frac{7,000千円}{100円} = 6,838.123千円$$（円未満切捨）

＜設例３＞

$\overset{*1}{99.0\text{円}}+\overset{*2}{3.2\text{円}}\times(1-20.315\%)=101.54992\text{円}$

＊１　99.5円＞99.0円　　　∴　99.0円

＊２　既経過利息の額

$$100\text{円}\times8.0\%\times\frac{146\text{日}}{365\text{日}}=3.2\text{円}$$

$$\therefore\quad101.54992\text{円}\times\frac{6,500\text{千円}}{100\text{円}}=6,600.744\text{千円（円未満切捨）}$$

## 解答への道

＜設例１＞

**《公式》　課税時期に最終価格がない場合の最終価格**（評通197－２(1)）

| 課税時期前の最終価格のうち、課税時期に最も近い日の最終価格 |
|---|

上記公式は、課税時期に平均値がない場合の平均値の取扱いについても同様である。

＜設例２＞

**《公式》　課税時期に最終価格及び平均値のいずれもない場合**（評通197－２(1)）

| 課税時期前の最終価格又は平均値のうち、課税時期に最も近い日の最終価格又は平均値とし、その日に最終価格又は平均値のいずれもある場合には、いずれか低い金額とする。 |
|---|

＜設例３＞

**《公式》　国内の２以上の金融商品取引所に上場されている場合の最終価格**（評通197－２(1)）

(1) 原　則

| 東京証券取引所の公表する課税時期の最終価格 |
|---|

(2) 特　則

| 納税義務者の納税地の最寄りの金融商品取引所の公表する課税時期の最終価格 |
|---|

したがって、東京証券取引所と納税義務者の納税地の最寄りの金融商品取引所の公表する最終価格のうち、いずれか少ない金額を選択した場合に課税価格が最も少なくなる。

## 問題 3 割引発行の公社債 －その１－

重要度 B

次の各設例の場合において、相続税の課税価格に算入すべき公社債の価額を求めなさい。

なお、被相続人甲は令和７年４月９日に死亡している。

（注）譲渡所得に係る源泉徴収されるべき税額を計算する必要がある場合には、20.315%の率とする。

＜設例１＞

Ａ割引国債　　券面額　5,000千円

この割引国債の内容は、次のとおりである。

| | |
|---|---|
| 発行価額（券面額100円当たり） | 82.5円 |
| 課税時期の最終価格 | 94.5円 |
| 発行日から償還期限までの年数 | ５年 |
| 発行日から課税時期までの年数 | ３年 |

＜設例２＞

Ｂ割引国債　　券面額　3,000千円

この割引国債の内容は、次のとおりである。

| | |
|---|---|
| 発行価額（券面額100円当たり） | 82円 |
| 課税時期の平均値 | 89.3円 |
| 発行日から償還期限までの年数 | ５年 |
| 発行日から課税時期までの日数 | ２年と219日 |

### 解 答

＜設例１＞

$$94.5円 \times \frac{5,000千円}{100円} = 4,725千円$$

＜設例２＞

$$89.3円 \times \frac{3,000千円}{100円} = 2,679千円$$

第18章
公社債

## 解答への道

＜設例１＞

《公式》　**上場されている割引発行の公社債**（評通197－３(1)）

| 課税時期の最終価格※ |
|---|

※　日本証券業協会において売買参考統計値が公表される銘柄として選定された公社債である場合には、日本証券業協会の公表する課税時期における平均値と最終価格のうちいずれか低い金額とする。

＜設例２＞

《公式》　**売買参考統計値が公表される銘柄として選定された割引発行の公社債**（評通197－３(2)）

| 課税時期における平均値 |
|---|

## 問題 4 割引発行の公社債 －その２－

重要度 B

次の各設例の場合において、相続税の課税価格に算入すべき公社債の価額を求めなさい。

なお、名古屋市に住所を有する被相続人甲は令和７年６月15日自宅において死亡している。

（注）２以上の計算方法がある場合には、納税義務者に最も有利になるように計算するものとする。

＜設例１＞

Ｄ割引債　券面額　6,000千円

この割引債の内容は、次のとおりである。

発行価額（券面額100円当たり）　84円

課税時期前後の最終価格

| ６月13日 | 93円 | ６月14日 | 取引なし | ６月15日 | 取引なし |
|---|---|---|---|---|---|
| ６月16日 | 91円 | ６月17日 | 91.5円 | ６月18日 | 91.3円 |

＜設例２＞

Ｅ割引債　券面額　7,000千円

この割引債の内容は、次のとおりである。

発行価額（券面額100円当たり）　90円

課税時期前後の最終価格及び平均値

| | 最終価格 | 平均値 |
|---|---|---|
| ６月13日 | 90.7円 | 90.8円 |
| ６月14日 | 取引なし | 91.2円 |
| ６月15日 | 取引なし | 取引なし |

＜設例３＞

Ｆ割引債　券面額　4,000千円

この割引債の内容は、次のとおりである。

発行価額（券面額100円当たり）　83円

課税時期の最終価格

東京証券取引所　91.0円　名古屋証券取引所　90.9円

## 解　答

＜設例１＞

$$93円 \times \frac{6,000千円}{100円} = 5,580千円$$

＜設例２＞

$$91.2円 \times \frac{7,000千円}{100円} = 6,384千円$$

＜設例３＞

(1) 91.0円＞90.9円　　∴　90.9円

(2) $$90.9円 \times \frac{4,000千円}{100円} = 3,636千円$$

## 解答への道

＜設例１＞

《公式》　**課税時期に最終価格がない場合の最終価格**（評通197－２(1)）

| 課税時期前の最終価格のうち、課税時期に最も近い日の最終価格 |
|---|

上記公式は、課税時期に平均値がない場合の平均値の取扱いについても同様である。

＜設例２＞

《公式》　**課税時期に最終価格及び平均値のいずれもない場合**（評通197－２(1)）

| 課税時期前の最終価格又は平均値のうち、課税時期に最も近い日の最終価格又は平均値とし、その日に最終価格又は平均値のいずれもある場合には、いずれか低い金額とする。 |
|---|

＜設例３＞

《公式》　**国内の２以上の金融商品取引所に上場されている場合の最終価格**（評通197－２(1)）

(1) 原　則

| 東京証券取引所の公表する課税時期の最終価格 |
|---|

(2) 特　則

| 納税義務者の納税地の最寄りの金融商品取引所の公表する課税時期の最終価格 |
|---|

したがって、東京証券取引所と納税義務者の納税地の最寄りの金融商品取引所の公表する最終価格のうち、いずれか少ない金額を選択した場合に課税価格が最も少なくなる。

## 問題5　転換社債型新株予約権付社債　－その１－

重要度　A

次の各設例の場合において、相続税の課税価格に算入すべき公社債の価額を求めなさい。

なお、東京都に住所を有する被相続人甲は令和７年８月18日自宅において死亡している。

（注１）利子所得に係る源泉徴収されるべき税額を計算する必要がある場合には、20.315%の率とする。

（注２）２以上の計算方法がある場合には、納税義務者に最も有利になるように計算するものとする。

<設例１>

Ａ社転換社債型新株予約権付社債　　券面額　5,000千円

この転換社債は、東京証券取引所に上場されているものであり、その内容は、次のとおりである。

| | |
|---|---|
| 発行価額（券面額100円当たり） | 100.00円 |
| 利　率 | 年 2.0% |
| 利払期日 | ３月25日及び９月25日 |
| 課税時期の最終価格 | 108.5円 |
| 転換価格 | 1,560円 |
| Ａ社の課税時期における株式の価額 | 1,770円 |

<設例２>

Ｂ社転換社債型新株予約権付社債　　券面額　10,000千円

この転換社債は、日本証券業協会において店頭転換社債として登録されたものであり、その内容は、次のとおりである。

| | |
|---|---|
| 発行価額（券面額100円当たり） | 100.00円 |
| 利　率 | 年 1.5% |
| 前回の利払日からの既経過日数 | 73日 |
| 課税時期の最終価格 | 103.9円 |
| 転換価格 | 1,210円 |
| Ｂ社の課税時期における株式の価額 | 1,320円 |

＜設例３＞

Ｃ社転換社債型新株予約権付社債　　券面額　15,000千円

この転換社債は、東京証券取引所及び名古屋証券取引所に上場されているもので、その内容は、次のとおりである。なお、Ｃ社の本店は愛知県に所在している。

発行価額（券面額100円当たり）　100.00円

利　率　年 2.0％

利払期日　３月25日及び９月25日

課税時期の最終価格

東京証券取引所　95.6円　　名古屋証券取引所　94.8円

転換価格　1,360円

Ｃ社の課税時期における株式の価額　1,280円

＜設例４＞

Ｄ社転換社債型新株予約権付社債　　券面額　5,000千円

この転換社債は、東京証券取引所に上場されているものであり、その内容は、次のとおりである。

発行価額（券面額100円当たり）　100.00円

利　率　年1.46％

前回の利払日からの既経過日数　100日

転換社債の課税時期前後における最終価格

８月11日　113.38円　８月12日　112.20円　８月13日から８月18日まで　取引なし

８月19日　110.45円　８月20日　109.25円

転換価格　900円

Ｄ社の課税時期における株式の価額　898円

## 解　答

＜設例１＞

108.5円＋0.8円＊×（１－20.315％）＝109.13748円

＊　既経過利息の額

R7.3.26～R7.8.18 → 146日

$100円\times 2.0\%\times \frac{146日}{365日}=0.8円$

∴　$109.13748円\times \frac{5,000千円}{100円}=5,456.874千円$

＜設例２＞

103.9円＋0.3円*×（１－20.315％）＝104.139055円

＊　既経過利息の額

$100円 \times 1.5\% \times \frac{73日}{365日} = 0.3円$

∴　$104.139055円 \times \frac{10,000千円}{100円} = 10,413.905千円$（円未満切捨）

＜設例３＞

95.6円＋0.8円*×（１－20.315％）＝96.23748円

＊　既経過利息の額

R7.3.26～R7.8.18 → 146日

$100円 \times 2.0\% \times \frac{146日}{365日} = 0.8円$

∴　$96.23748円 \times \frac{15,000千円}{100円} = 14,435.622千円$

＜設例４＞

112.20円＋0.4円*×（１－20.315％）＝112.51874円

＊　既経過利息の額

$100円 \times 1.46\% \times \frac{100日}{365日} = 0.4円$

∴　$112.51874円 \times \frac{5,000千円}{100円} = 5,625.937千円$

## 解答への道

＜設例１＞

《公式》　**上場されている転換社債型新株予約権付社債**（平成14年３月31日以前に発行された転換社債を含め、以下「転換社債」という。）（評通197－５(1)）

| 課税時期の最終価格＋（既経過利息の額－既経過利息の額につき源泉徴収されるべき所得税等の額） |
|---|

＜設例２＞

**《公式》　店頭転換社債として登録された転換社債**（評通197－５(2)）

| 課税時期の最終価格＋（既経過利息の額－既経過利息の額につき源泉徴収されるべき所得税等の額） |
|---|

＜設例３＞

**《公式》　国内の２以上の金融商品取引所に上場されている場合の最終価格**（評通197－２(1)）

(1) 原　則

| 東京証券取引所の公表する課税時期の最終価格 |
|---|

(2) 特　則

| 納税義務者の納税地の最寄りの金融商品取引所の公表した課税時期の最終価格 |
|---|

国内の２以上の金融商品取引所に上場されている場合の最終価格は、原則として東京証券取引所の公表する課税時期の最終価格であるが、納税義務者が納税地の最寄りの金融商品取引所を選択した場合にはその金融商品取引所の公表する課税時期の最終価格によることもできる。

しかし、本問における納税地は東京都であるため、選択の余地はない。

＜設例４＞

**《公式》　課税時期に最終価格がない場合の最終価格**（評通197－５(1)）

| 課税時期前の最終価格のうち、課税時期に最も近い日の最終価格 |
|---|

## 問題 6　転換社債型新株予約権付社債　－その２－

| 重要度 | B |
|---|---|

次の各設例の場合において、相続税の課税価格に算入すべき公社債の価額を求めなさい。

なお、東京都に住所を有する被相続人甲は令和７年４月20日自宅において死亡している。

（注１）利子所得に係る源泉徴収されるべき税額を計算する必要がある場合には、20.315%の率とする。

（注２）２以上の計算方法がある場合には、納税義務者に最も有利になるように計算するものとする。

＜設例１＞

Ｅ社転換社債型新株予約権付社債　　券面額　　10,000千円

この転換社債は、金融商品取引所に上場及び日本証券業協会において店頭転換社債として登録されていないものであり、その内容は、次のとおりである。なお、転換社債発行会社の株式は、東京証券取引所に上場されている。

| | |
|---|---|
| 発行価額（券面額100円当たり） | 100.00円 |
| 利　率 | 年 1.0% |
| 前回の利払日からの既経過日数 | 73日 |
| 転換価格 | 1,000円 |

【ケース１】

財産評価基本通達の定めにより評価した課税時期における株式の１株当たりの価額が850円の場合

【ケース２】

財産評価基本通達の定めにより評価した課税時期における株式の１株当たりの価額が1,200円の場合

＜設例２＞

Ｆ社転換社債型新株予約権付社債　　券面額　　5,000千円

この転換社債は、金融商品取引所に上場及び日本証券業協会において店頭転換社債として登録されていないものであり、その内容は、次のとおりである。なお、転換社債発行会社の株式は、取引相場のない株式である。

| | |
|---|---|
| 課税時期における発行済株式数 | 600,000株 |
| 転換社債の発行総額 | 100,000千円 |
| 転換価格 | 1,250円 |
| 課税時期までに株式に転換した転換社債の券面総額 | 25,000千円 |
| 財産評価基本通達の定めにより評価した課税時期における株式の１株当たりの価額 | 1,470円 |

## 解答

<設例1>

【ケース1】

850円≦1,000円

∴ $100.00円+0.2円^{*}×(1-20.315\%)=100.15937円$

＊ 既経過利息の額

$$100円×1.0\%×\frac{73日}{365日}=0.2円$$

$$100.15937円×\frac{10,000千円}{100円}=10,015.937千円$$

【ケース2】

1,200円＞1,000円

∴ $$1,200円×\frac{100円}{1,000円}=120円$$

$$120円×\frac{10,000千円}{100円}=12,000千円$$

<設例2>

(1) $$\frac{\dfrac{100,000千円-25,000千円}{1,250円}}{600,000株}=0.1$$

(2) $$\frac{1,470円+1,250円×0.1}{1+0.1}=1,450円$$

(3) 1,450円＞1,250円

∴ $$1,450円×\frac{100円}{1,250円}=116円$$

(4) $$116円×\frac{5,000千円}{100円}=5,800千円$$

## 解答への道

金融商品取引所に上場されている転換社債及び日本証券業協会において店頭転換社債として登録された転換社債以外の転換社債の券面額100円当たりの評価は、次に掲げるところによる。

(1) 転換社債の発行会社の株式の価額(注)≦転換価格

**《公式》**（評通197－5(3)イ）

| 転換社債の発行価額＋（既経過利息の額－既経過利息の額につき源泉徴収される所得税等の額） |
|---|

(2) 転換社債の発行会社の株式の価額(注)＞転換価格

**《公式》**（評通197－5(3)ロ）

$$\text{転換社債の発行会社の株式の価額(注)} \times \frac{100\text{円}}{\text{その転換社債の転換価格}}$$

(注) 転換社債の発行会社の株式の価額は、次に掲げる区分に応じそれぞれに掲げる金額とする。

① その転換社債の発行会社の株式が上場株式又は気配相場のある株式である場合

その株式について、財産評価基本通達の定めにより評価した課税時期における１株当たりの価額

② その株式が取引相場のない株式である場合

その株式について財産評価基本通達の定めにより評価した課税時期における株式１株当たりの価額を基として、次の公式により修正した金額とする。

**《公式》**

$$\frac{N + P \times Q}{1 + Q}$$

上記公式中の「N」、「P」及び「Q」は、それぞれ次による。

「N」＝財産評価基本通達の定めによって評価したその転換社債の発行会社の課税時期における株式１株当たりの価額

「P」＝その転換社債の転換価格

「Q」＝次の公式によって計算した割合（増資割合）

**《公式》**

$$\frac{\dfrac{\text{転換社債のうち課税時期において株式に転換されていないものの券面総額}}{\text{その転換社債の転換価格}}}{\text{課税時期における発行済株式数}}$$

# 第19章

# 受　益　証　券

重要度

| | |
|---|---|
| 問題１　証券投資信託の受益証券　－その１－ | A |
| 問題２　証券投資信託の受益証券　－その２－ | B |

## 問題 1　証券投資信託の受益証券　－その１－

重要度　A

次の各設例の場合において、相続税の課税価格に算入すべき受益証券の価額を求めなさい。

＜設例１＞

中期国債ファンド　　申込口数　1,050万口

この受益証券の内容は、次のとおりである。

| | |
|---|---|
| 課税時期において再投資されていない未収分配金の額 | 2,000円 |
| １口当たりの基準価額 | 1円 |
| 信託財産留保額 | 1,500円 |
| 源泉徴収税率 | 20.315% |

＜設例２＞

追加型株式投資信託　　申込口数　1,400万口

この受益証券の決算日は、年１回（９月22日）であり、その内容は、次のとおりである。

| | |
|---|---|
| 課税時期における１万口当たりの基準価額　１万口につき | 11,600円 |
| 信託財産留保額 | 23,800円 |
| 解約手数料（消費税額を含む） | 137,060円 |
| 課税時期において解約した場合に源泉徴収されるべき所得税額 | 168,000円 |

### 解　答

＜設例１＞

１円×1,050万口＋2,000円×（１－20.315%*）－1,500円＝10,500,094円

＊　源泉徴収税額円未満切捨

＜設例２＞

$$11{,}600円\times\frac{1{,}400万口}{1万口}-168{,}000円-(23{,}800円+137{,}060円)=15{,}911{,}140円$$

### 解答への道

証券投資信託の受益証券は、課税時期において解約請求又は買取請求をするとした場合に証券会社等から支払いを受けることができる価額により評価することとし、証券投資信託の形態に応じて主に２とおりの評価方法が定められている。

＜設例１＞

《公式》　**日々決算型の証券投資信託の受益証券**（評通199(1)）

| １口当たりの基準価額 | × 口数 ＋ | 再投資されていない未収分配金 | ×（１－20.315%*）－ | 信託財産留保額及び解約手数料（消費税額に相当する額を含む。） |
|---|---|---|---|---|

＊　源泉徴収税額円未満切捨

日々決算型の証券投資信託の受益証券には、中期国債ファンド、ＭＭＦ（マネー・マネージメント・ファンド）等がある。これらの証券投資信託に係る分配金は運用実績により毎日変動し、毎月末に一括再投資される。

＜設例２＞

**《公式》　日々決算型以外の証券投資信託の受益証券**（評通199(2)）

| 課税時期の１口当たりの基準価額 | × | 口数 | － | 課税時期において解約請求等した場合に源泉徴収されるべき所得税の額に相当する金額 | － | 信託財産留保額及び解約手数料（消費税額に相当する額を含む。） |
|---|---|---|---|---|---|---|

※　１万口当たりの基準価額が公表されている場合

「課税時期の１口当たりの基準価額」を「課税時期の１万口当たりの基準価額」と、「口数」を「口数を１万で除して求めた数」と読み替えて計算した金額とする。

## 問　題　２　証券投資信託の受益証券　－その２－

| 重要度 | Ｂ |
|---|---|

**次の各設例の場合において、相続税の課税価格に算入すべき受益証券の価額を求めなさい。なお、被相続人甲は令和７年６月７日に死亡している。**

＜設例１＞

Ａ株式投資信託　　申込口数　　2,000口

この受益証券の決算日は、年２回（３月５日及び９月５日）であり、その内容は、次のとおりである。

課税時期前後の基準価額（１口当たり）

６月６日　12,400円　　６月７日　な　し　　６月８日　12,300円

解約手数料（消費税額を含む）　390,500円

課税時期において解約した場合に源泉徴収されるべき所得税額　360,000円

＜設例２＞

Ｂ上場投資信託（ＥＴＦ）　　申込口数　　10,000口

この受益証券は、金融商品取引所に上場されているもので、株価指数に連動するものであり、その内容は、次のとおりである。

令和７年６月７日の最終価格　1,680円

令和７年６月の１口当たりの毎日の最終価格の月平均額　1,670円

令和７年５月の１口当たりの毎日の最終価格の月平均額　1,590円

令和７年４月の１口当たりの毎日の最終価格の月平均額　1,710円

## 解　答

＜設例１＞

12,400円×2,000口－360,000円－390,500円＝24,049,500円

＜設例２＞

(1) 1,680円　(2) 1,670円　(3) 1,590円　(4) 1,710円

∴　1,590円×10,000口＝15,900,000円

## 解答への道

＜設例１＞

課税時期の基準価額がない場合には、課税時期の前日以前の基準価額のうち、課税時期に最も近い日の基準価額を課税時期の基準価額とする。(評通199(2))

＜設例２＞

金融商品取引所に上場されている受益証券（ＥＴＦ）の評価は、評通169及び171（上場株式の評価）に準ずる。(評通199(注))

# 第20章

# その他の証券

| | 重要度 |
|---|---|
| 問題１　抵当証券 | C |
| 問題２　不動産投資信託証券 | C |

## 問題 1 抵当証券

重要度 C

次の各設例の場合において、相続税の課税価格に算入される抵当証券の価額を求めなさい。

＜設例１＞

Ａ抵当証券　元本の額　3,000千円（６口）

この抵当証券は、金融商品取引業者が販売しているものであり、その内容は次のとおりである。

(1) 期　間　１年（課税時期において４月経過）
(2) 収益計算日数　146日
(3) 利　率　年0.5％
(4) 手数料　元本の1.2％相当額
(5) 源泉徴収税率　20.315％

＜設例２＞

Ｂ抵当証券　元本の額　5,000千円

この抵当証券は、金融商品取引業者が販売しているものであるが、この業者は課税時期現在経営が破綻しているため、買戻しすることができず、また、元利金の支払いも履行されない。この抵当証券の内容は次のとおりである。

(1) 課税時期において返済されるべき金額　3,500千円
(2) 上記に係る既経過利息の額　75千円

### 解　答

＜設例１＞

$$3,000\text{千円}+3,000\text{千円}\times0.5\%\times\frac{146\text{日}}{365\text{日}}\times(1-\overset{*}{20.315\%})-3,000\text{千円}\times1.2\%$$

＝2,968.782千円

＊　源泉徴収税額円未満切捨

＜設例２＞

3,500千円＋75千円＝3,575千円

### 解答への道

＜設例１＞

《公式》　**金融商品取引業者の販売する抵当証券**（評通212(1)）

（金融商品取引業者による買戻しが履行されないと見込まれるものを除く。）

$$\text{元本の額}+\text{既経過利息の額}\times(1-\overset{※}{20.315\%})-\text{解約手数料}$$

※　源泉徴収税額円未満切捨

＜設例２＞

**《公式》　上記以外の抵当証券**（評通212(2)）

| 「貸付金債権」の定めに準じて評価した金額 |
|---|

## 問　題　２　不動産投資信託証券

重要度　C

**次の設例の場合における不動産投資信託証券の相続税評価額を求めなさい。なお、課税時期は令和７年６月８日である。**

**＜設　例＞**

Ｃ不動産投資信託証券　　500口

この投資信託証券は、金融商品取引所に上場されているものであり、その内容は次のとおりである。

| | |
|---|---|
| 令和７年６月８日の１口当たりの最終価格 | 8,060円 |
| 令和７年６月の１口当たりの毎日の最終価格の月平均額 | 8,189円 |
| 令和７年５月の１口当たりの毎日の最終価格の月平均額 | 7,890円 |
| 令和７年４月の１口当たりの毎日の最終価格の月平均額 | 7,705円 |

### 解　答

(1)　8,060円　　(2)　8,189円　　(3)　7,890円　　(4)　7,705円

∴　7,705円×500口＝3,852,500円

### 解答への道

不動産投資信託証券のうち上場されているものの価額は、１口ごとに評価するものとし、上場株式の評価に準じて評価することとしている。(評通213)

第20章　その他の証券

MEMO

# 第21章

# 預　貯　金

## 問題 1 預貯金

| 重要度 | A |
| --- | --- |

**次の各設例の場合において、相続税の課税価格に算入すべき預貯金の価額を求めなさい。**

**（注）利子所得に係る源泉徴収されるべき税額を計算する必要がある場合には、20.315%の率とする。**

**＜設例１＞**

通常貯金　　預入高　　3,500千円

この通常貯金の内容は、次のとおりである。

課税時期における既経過利子の額　　2,600円

なお、この既経過利子の額は少額なものに該当する。

**＜設例２＞**

普通預金　　預入高　　20,000千円

この普通預金の内容は、次のとおりである。

課税時期における既経過利子の額　　10,000円

**＜設例３＞**

外貨普通預金　　預入高　　150,000ドル

この普通預金はＡ銀行に預け入れられているものであり、その内容は次のとおりである。

課税時期における既経過利子の額　　50ドル

なお、この既経過利子の額は少額なものに該当する。

Ａ銀行が公表する課税時期（令和７年６月10日）前後の最終の為替相場

６月９日の最終の為替相場

| | |
| --- | --- |
| 対顧客直物電信買相場（１ドル） | 103.90円 |
| 対顧客直物電信売相場（１ドル） | 105.90円 |
| ６月10日の最終の為替相場 | 休日 |
| ６月11日の最終の為替相場 | 休日 |

**＜設例４＞**

定期預金　　預入高　　5,000千円

この定期預金の内容は、次のとおりである。

| | |
| --- | --- |
| 課税時期までの既経過日数 | 219日 |
| 約定期間 | １年 |
| 満期日の約定利率 | 年3.95% |
| 中途解約利率 | 年2.54% |

## 解　答

＜設例１＞

3,500千円

＜設例２＞

20,000千円＋10,000円×（１－20.315％*）＝20,007.969千円

＜設例３＞

150,000ドル×103.90円＝15,585千円

＜設例４＞

5,000千円＋5,000千円×2.54％×$\frac{219日}{365日}$×（１－20.315％*）＝5,060.72千円

＊　源泉徴収税額円未満切捨

## 解答への道

＜設例１＞

**《公式》　定期預金、定期郵便貯金及び定額郵便貯金以外の預貯金で課税時期現在の既経過利子の額が少額なもの**（評通203）

| 預入高 |
|---|

＜設例２＞

**《公式》　原則**（評通203）

| 預入高＋（課税時期において解約した場合の既経過利子の額 － 既経過利子の額につき源泉徴収*されるべき所得税等の額） |
|---|

＊　源泉徴収税額円未満切捨

＜設例３＞

外貨建てによる財産及び法施行地外にある財産の邦貨換算は、原則として、納税義務者の取引金融機関（外貨預金等、取引金融機関が特定されている場合には、その取引金融機関）が公表する課税時期における最終の為替相場による。

なお、最終の為替相場とは、外国為替の売買相場のうち、いわゆる対顧客直物電信買相場又はこれに準ずる相場をいう。また、課税時期にその相場がない場合には、課税時期前の相場のうち、課税時期に最も近い日のその相場とする。（評通４－３）

＜設例４＞

**《公式》　既経過利子の額の計算**

| 預貯金の預入高×解約利率×$\frac{預入日から課税時期の前日までの日数}{365日}$ |
|---|

既経過利子の額を算定する場合の利率は、約定利率ではなく中途解約利率である。

## 問題２　定期預金等

重要度　A

次の各設例の場合において、相続税の課税価格に算入すべき預貯金の価額を求めなさい。

なお、被相続人甲は令和７年10月６日に死亡している。

（注）利子所得に係る源泉徴収されるべき税額を計算する必要がある場合には、20.315%の率とする。

＜設例１＞

Ａ定期預金　　預入高　　2,000千円

この定期預金の内容は、次のとおりである。

| | | |
|---|---|---|
| 預入日 | 令和７年３月１日 | |
| 約定期間 | １年 | |
| 約定利率 | 年3.95% | |
| 中途解約利率 | ６月未満 | 年0.38% |
| | ６月以上１年未満 | 年2.54% |

＜設例２＞

Ｂ定期郵便貯金　　預入高　　3,000千円

この定期郵便貯金の内容は、次のとおりである。

| | |
|---|---|
| 預入日 | 令和７年５月13日 |
| 約定期間 | ６月 |
| 約定利率 | 年2.64% |
| 中途解約利率 | 年1.38% |

なお、被相続人甲は、障害者等の郵便貯金の利子の非課税の適用を受けている。

＜設例３＞

Ｃ定期預金　　預入高　　5,000千円

この定期預金の内容は、次のとおりである。

| | | |
|---|---|---|
| 既経過日数 | 575日 | |
| 約定期間 | ２年 | |
| 約定利率 | 年4.20% | |
| 中間利払利率 | 年3.20% | |
| 中途解約利率 | １年以上１年６月未満 | 年2.39% |
| | １年６月以上 | 年3.65% |

＜設例４＞

Ｄ定期預金　預入高　4,000千円

この定期預金の内容は、次のとおりである。

| | | |
|---|---|---|
| 預入日 | 令和７年７月25日 | |
| 約定期間 | ２年 | |
| 約定利率 | 年4.20% | |
| 中間利払利率 | 年3.20% | |
| 中途解約利率 | ６月未満 | 年2.54% |
| | ６月以上１年未満 | 年2.95% |

＜設例５＞

Ｅ市場金利連動型定期預金　預入高　6,000千円

この市場金利連動型定期預金の内容は、次のとおりである。

| | | | |
|---|---|---|---|
| 預入日 | 令和７年３月１日 | | |
| 約定期間 | １年 | | |
| 約定利率 | 年4.65% | | |
| 中途解約利率 | 預入後６月未満 | 解約時の普通預金の利率 | 年0.38% |
| | 預入後６月超１年未満 | 約定利率の50% | |

＜設例６＞

Ｆ定額郵便貯金　預入高　5,000千円

この定額郵便貯金の内容は、次のとおりである。

| | |
|---|---|
| 既経過年月 | ３年７月 |
| 解約利率 | 年2.0% |
| 利子の計算 | 半年ごとの複利、月割利率による。 |

(注) 利子の計算については、その計算過程における各計算期ごとの利子の１円未満の端数は、切り捨てるものとする。

第21章　預貯金

## 解　答

＜設例１＞

2,000千円＋2,000千円×2.54%×$\dfrac{\overset{*}{219\text{日}}}{365\text{日}}$×（1－20.315$\overset{※}{\%}$）＝2,024,288円

＊　R7.3.1～R7.10.5　→　219日

＜設例２＞

3,000千円＋3,000千円×1.38%×$\dfrac{\overset{*}{146\text{日}}}{365\text{日}}$×（1－0%）＝3,016,560円

＊　R7.5.13～R7.10.5　→　146日

＜設例３＞

5,000千円＋$\left(5{,}000\text{千円}\times 3.65\%\times\dfrac{575\text{日}}{365\text{日}}-5{,}000\text{千円}\times 3.20\%\right)$×（1－20.315$\overset{※}{\%}$）
＝5,101,599円

＜設例４＞

4,000千円＋4,000千円×2.54%×$\dfrac{\overset{*}{73\text{日}}}{365\text{日}}$×（1－20.315$\overset{※}{\%}$）＝4,016,192円

＊　R7.7.25～R7.10.5　→　73日

＜設例５＞

6,000千円＋6,000千円×4.65%×50%×$\dfrac{\overset{*}{219\text{日}}}{365\text{日}}$×（1－20.315$\overset{※}{\%}$）＝6,066,697円

＊　R7.3.1～R7.10.5　→　219日

＜設例６＞

5,000千円＋369.61千$\overset{*}{\text{円}}$×（1－20.315$\overset{※}{\%}$）＝5,294,524円

＊(1)　5,000千円×0.02×$\dfrac{6\text{月}}{12\text{月}}$（＝0.01）＝50千円

(2)　(5,000千円＋(1))×0.01＝50.5千円

(3)　(5,000千円＋(1)＋(2))×0.01＝51.005千円

(4)　(5,000千円＋(1)～(3))×0.01＝51.515千円（円未満切捨）

(5)　(5,000千円＋(1)～(4))×0.01＝52.03千円（円未満切捨）

(6)　(5,000千円＋(1)～(5))×0.01＝52.55千円（円未満切捨）

(7)　(5,000千円＋(1)～(6))×0.01＝53.076千円

(8)　(5,000千円＋(1)～(7))×0.02×$\dfrac{1\text{月}}{12\text{月}}$＝8.934千円（円未満切捨）

(9)　(1)～(8)　計　369.61千円

※　源泉徴収税額円未満切捨

## 解答への道

＜設例１＞

**《公式》　預貯金の評価**（評通203）

$$\text{預入高} + \left(\begin{array}{l}\text{課税時期において解約すると}\\\text{した場合の既経過利子の額}\end{array} - \begin{array}{l}\text{既経過利子の額につき源泉徴収}^{*}\\\text{されるべき所得税等の額}\end{array}\right)$$

＊　源泉徴収税額円未満切捨

**《公式》　定額郵便貯金以外の既経過利子の額の計算**

$$\text{預貯金の預入高} \times \text{解約利率} \times \frac{\text{預入日から課税時期の前日までの日数}}{365\text{日}}$$

＜設例２＞

障害者等の郵便貯金の利子の非課税の適用を受けている場合には、源泉徴収される所得税等の額は考慮しない。

＜設例３＞

**《公式》　中間利払のある場合の既経過利子の額の計算**

$$\text{預入高} \times \text{解約利率} \times \frac{\text{預入日から課税時期の前日までの日数}}{365\text{日}} - \text{預入高} \times \text{中間利払利率}$$

＜設例４＞

２年ものの定期預金においても預入日から課税時期の前日までの日数が１年以下のものについては、１年ものの定期預金に準じて評価する。

＜設例５＞

評価は、通常の定期預金に準じて行う。ただし、中途解約利率は、約定利率に一定の割合を乗じたものによることに注意すること。

＜設例６＞

利子の計算が半年ごとの複利計算であるため、半年ごとに利子を計算しなければならない。

なお、利子の計算については月割利率によることとなっているため、注意が必要である。

MEMO

# 第22章

# 貸付金債権及び受取手形等

| | | 重要度 |
|---|---|---|
| 問題１ | 貸付金債権 | A |
| 問題２ | 受取手形等 | B |
| 問題３ | 返還を受けられないと認められる場合 | B |

## 問　題　1　貸付金債権

| 重 要 度 | A |
|---|---|

次の各設例の場合において、相続税の課税価格に算入すべき貸付金債権の価額を求めなさい。

なお、被相続人甲は令和７年６月30日に死亡している。

＜設例１＞

Ａ氏に対する貸付金債権　　元本の額　　5,000千円

この貸付金債権の内容は、次のとおりである。

| | |
|---|---|
| 貸付期間 | 146日 |
| 約定期間 | １年 |
| 利　率 | 年10%　後払い |
| 利息の計算 | 日割 |

＜設例２＞

Ｂ氏に対する貸付金債権　　元本の額　　10,000千円

この貸付金債権の内容は、次のとおりである。

| | |
|---|---|
| 貸付日 | 令和７年４月18日 |
| 約定期間 | ２年 |
| 利率及び利払日 | 年12%　年２回（４月18日及び10月18日） |
| 利息の計算 | 日割（貸付日は、利息の計算期間に算入しない。） |

＜設例３＞

Ｃ法人に対する貸付金債権　　元本の額　　7,500千円

この貸付金債権の内容は、次のとおりである。

| | |
|---|---|
| 貸付日 | 令和５年９月１日 |
| 約定期間 | ３年 |
| 利　率 | 年９%　後払い |
| 利息の計算 | 月割（１月未満の端数は１月とする。） |

## 解　答

＜設例１＞

$$5,000千円＋5,000千円×10\%×\frac{146日}{365日}＝5,200千円$$

＜設例２＞

$$10,000千円＋10,000千円×12\%×\frac{\overset{*}{73日}}{365日}＝10,240千円$$

＊　R7.4.19～R7.6.30 → 73日

＜設例３＞

$$7,500千円＋7,500千円×９\%×\frac{\overset{*}{22月}}{12月}＝8,737.5千円$$

＊　R5.9.2～R7.6.30 → 22月

## 解答への道

＜設例１＞

**《公式》　貸付金債権等の評価**（評通204）

| 返済されるべき元本の価額＋課税時期現在の既経過利息として支払を受けるべき金額 |
|---|

※　貸付金債権等の意義

貸付金、売掛金、未収入金、預貯金以外の預け金、仮払金等をいう。

一般的な既経過利息の額の計算方法

$$元本の価額×年利率×\frac{貸付日の翌日又は直前利払日の翌日から課税時期までの日数}{365日}$$

貸付金債権等の利息については、法律上の取り決めがなく、債権者と債務者の合意に基づく方法により計算されるため、貸付日を含む場合や月割り計算を行う場合もあるので問題文の読み取りに注意すること。

＜設例３＞

**《公式》　月割による既経過利息の額の計算方法**

$$元本の価額×年利率×\frac{貸付日の翌日又は直前利払日の翌日から課税時期までの月数}{12月}$$

## 問題 2　受取手形等

重要度　B

次の各設例の場合において、相続税の課税価格に算入すべき受取手形等の価額を求めなさい。

なお、被相続人甲は令和７年11月１日に死亡している。

＜設例１＞

Ａ氏を振出人とする先日付小切手　　元本の額　　1,000千円

この先日付小切手の内容は、次のとおりである。

振出日　　令和７年６月25日

支払期日　　令和７年10月25日（課税時期において、まだ支払を受けていない。）

＜設例２＞

Ｂ氏が振出した受取手形　　元本の額　　1,500千円

この受取手形の内容は、次のとおりである。

振出日　　令和７年９月30日

支払期日　　令和８年１月31日

課税時期において銀行等の金融機関において割引を行った場合に回収しうると認められる金額　　1,420千円

＜設例３＞

Ｃ法人が振出した受取手形　　元本の額　　2,000千円

この受取手形の内容は、次のとおりである。

振出日　　令和７年10月20日

支払期日　　令和８年５月20日

課税時期において銀行等の金融機関において割引いた場合の割引料　　120千円

### 解　答

＜設例１＞

1,000千円

＜設例２＞

1,500千円

＜設例３＞

2,000千円－120千円＝1,880千円

## 解答への道

＜設例１＞

《公式》　**支払期限の到来している受取手形等**（評通206(1)）

| 券面額 |
|---|

＜設例２＞

《公式》　**課税時期から６カ月を経過する日までに支払期限の到来する受取手形等**（評通206(1)）

| 券面額 |
|---|

課税時期から６カ月を経過する日は令和８年４月30日である。

支払期日は令和８年１月31日であるため、券面額で評価する。

＜設例３＞

《公式》　**支払期限の到来している受取手形等又は課税時期から６カ月を経過する日までに支払期限の到来する受取手形等以外の受取手形等**（評通206(2)）

| 課税時期において銀行等の金融機関において割引を行った場合に回収しうると認める金額 |
|---|

支払期日が令和８年５月20日であるため、課税時期から６カ月（令和８年４月30日）経過後に到来するものであるので、課税時期の割引回収可能額で評価する。

## 問　題　３　返還を受けられないと認められる場合　　重要度　B

**次の各設例の場合において、相続税の課税価格に算入すべき貸付金債権及び受取手形の価額を求めなさい。**

**なお、被相続人甲は令和７年５月15日に死亡している。**

＜設例１＞

Ａ氏に対する貸付金債権　　　元本の額　　2,000千円

この貸付金債権の内容は、次のとおりである。

貸付日　　　令和６年10月15日

約定期間　　１年

利　率　　　年11％

利息の計算　　日割（貸付日は、利息の計算期間に算入しない。）

なお、Ａ氏は、令和７年３月25日に破産の宣告を裁判所より受けている。

＜設例２＞

Ｂ氏に対する貸付金債権　　　元本の額　　3,000千円

この貸付金債権の内容は、次のとおりである。

貸付期間　　　　146日

約定期間　　　　１年

利　率　　　　　年10％

利息の計算　　　日割（貸付日は、利子の計算期間に算入する。）

なお、Ｂ氏は、令和７年６月１日に破産の宣告を裁判所より受けている。

＜設例３＞

Ｃ法人が振出した受取手形　　　　元本の額　　　1,500千円

この受取手形の内容は、次のとおりである。

振出日　　　　　令和７年３月31日

支払期日　　　　令和７年６月30日

なお、Ｃ法人は、令和７年４月30日に手形交換所において取引の停止処分を受けている。

＜設例４＞

Ｄ氏に対する貸付金債権　　　　元本の額　　　5,000千円

この貸付金債権の内容は、次のとおりである。

貸付期間　　　　219日

約定期間　　　　１年

利　率　　　　　年６％　後払い

利息の計算　　　日割（貸付日は、利息の計算期間に算入しない。）

なお、Ｄ氏は令和７年５月10日に破産の宣告を受けていたが、被相続人甲は、課税時期における時価が6,000千円である株式の担保提供を受けていたため、実質的な被害は受けなかった。

## 解　答

＜設例１＞

0

＜設例２＞

$$3,000\text{千円}+3,000\text{千円}\times10\%\times\frac{146\text{日}}{365\text{日}}=3,120\text{千円}$$

＜設例３＞

0

＜設例４＞

$$5,000\text{千円}+5,000\text{千円}\times6\%\times\frac{219\text{日}}{365\text{日}}=5,180\text{千円}$$

## 解答への道

＜設例１＞

《公式》　**元本の価額に算入しない貸付金債権等**（評通205）

(1) 債務者について次に掲げる事実が発生している場合におけるその債務者に対して有する貸付金債権等の金額（その金額のうち質権及び抵当権によって担保されている部分の金額を除く。）

イ　手形交換所（これに準ずる機関を含む。）において取引停止処分を受けたとき

ロ　会社更生法の規定による更生手続開始の決定があったとき

ハ　民事再生法の規定による再生手続開始の決定があったとき

ニ　会社法の規定による特別清算開始の命令があったとき

ホ　破産法の規定による破産手続開始の決定があったとき

ヘ　業況不振のため又はその営む事業について重大な損失を受けたため、その事業を廃止し又は６カ月以上休業しているとき

(2) 更生計画認可の決定、再生計画認可の決定、特別清算に係る協定の認可の決定又は法律の定める整理手続によらないいわゆる債権者集会の協議により、債権の切捨て、棚上げ、年賦償還等の決定があった場合において、これらの決定のあった日現在におけるその債務者に対して有する債権のうち、その決定により切り捨てられる部分の債権の金額及び次に掲げる金額

イ　弁済までの据置期間が決定後５年を超える場合におけるその債権の金額

ロ　年賦償還等の決定により割賦弁済されることとなった債権の金額のうち、課税時期後５年を経過した日後に弁済されることとなる部分の金額

(3) 当事者間の契約により債権の切捨て、棚上げ、年賦償還等が行われた場合において、それが金融機関のあっせんに基づくものであるなど真正に成立したものと認めるものであるときにおけるその債権の金額のうち(2)に掲げる金額に準ずる金額

課税時期以前に破産の宣告を受けているため、評価額は０となる。

＜設例２＞

課税時期（令和７年５月15日）において破産の宣告を受けていないため、公式どおりの評価となる。

＜設例３＞

受取手形についても、元本の価額に算入しない貸付金債権等と同様に取扱うことに注意する。

＜設例４＞

担保の提供を受けているため、元本の価額のうち担保の額に相当する部分までの価額については、破産の宣告があった場合においても、元本の価額に算入する。したがって、利息の計算も同時に行わなければならない。

MEMO

# 第23章

# ゴルフ会員権

| | 重要度 |
|---|---|
| 問題１　ゴルフ会員権 | A |
| 問題２　預託金等の評価 | B |

## 問 題 1 ゴルフ会員権

重要度 A

**次の各設例の場合におけるゴルフ会員権の相続税評価額を求めなさい。**

**＜設例１＞**

Ａゴルフ会員権　　　　　　１口

このゴルフ会員権は、株主でなければ会員となれないもので、会員権について取引相場があり、課税時期における通常の取引価格は30,000千円である。

**＜設例２＞**

Ｂゴルフ会員権　　　　　　１口

このゴルフ会員権は、株主であり、かつ預託金等を預託しなければ会員となれないもので、会員権について取引相場があり、課税時期における通常の取引価格は50,000千円である。

なお、そのゴルフクラブの規約によれば、課税時期において預託金2,000千円の返還を受けることができることとなっており、取引価格には預託金の額が含まれていない。

**＜設例３＞**

Ｃゴルフ会員権　　　　　　１口

このゴルフ会員権は、預託金等5,000千円を預託しなければ会員となれないもので、評価に必要な資料は、次のとおりである。

(1) 課税時期における通常の取引価格　　45,000千円

(2) この会員権に係る取得価額　　　　　10,000千円

**＜設例４＞**

Ｄゴルフ会員権　　　　　　１口

このゴルフ会員権は、株主でなければ会員となれないもので、会員権について取引相場がなく、そのゴルフ会員権に係る株式の時価は10,000千円である。

**＜設例５＞**

Ｅゴルフ会員権　　　　　　１口

このゴルフ会員権は、株主であり、かつ預託金等を預託しなければ会員となれないもので、会員権について取引相場がなく、課税時期におけるそのゴルフ会員権に係る株式の時価は40,000千円である。

なお、そのゴルフクラブの規約によれば、課税時期において預託金1,500千円の返還を受けることができることとなっている。

＜設例６＞

Ｆゴルフ会員権　　　　　　　　１口

このゴルフ会員権は、預託金等を預託しなければ会員となれないもので、会員権について取引相場がないものである。

なお、そのゴルフクラブの規約によれば、課税時期において預託金1,500千円の返還を受けることができることとなっている。

＜設例７＞

Ｇゴルフ会員権　　　　　　　　１口

このゴルフ会員権は、預託金を預託しなければ会員となれないものである。

なお、このゴルフ会員権は株式の所有を必要とせず、かつ譲渡できないもので、預託金2,000千円の返還を受けられない、単にプレーができるだけのものである。

## 解　答

＜設例１＞

$$30,000千円\times\frac{70}{100}=21,000千円$$

＜設例２＞

$$50,000千円\times\frac{70}{100}+2,000千円=37,000千円$$

＜設例３＞

$$45,000千円\times\frac{70}{100}=31,500千円$$

＜設例４＞

10,000千円

＜設例５＞

40,000千円＋1,500千円＝41,500千円

＜設例６＞

1,500千円

＜設例７＞

評価しない。

## 解答への道

＜設例１、２、３＞

**《公式》 取引相場のある会員権**（評通211(1)）

(1) 評 価

課税時期における通常の取引価格×$\frac{70}{100}$

※ 取引価格に含まれない預託金等がある場合には、その預託金等の課税時期における評価額と上記の金額との合計額によって評価する。

(2) 預託金等の評価

| | 預託金等の種類 | 評 価 額 |
|---|---|---|
| ① | 課税時期において直ちに返還を受けることができる預託金等 | ゴルフクラブの規約等に基づいて課税時期において返還を受けることができる金額 |
| ② | 課税時期から一定の期間を経過した後に返還を受けることができる預託金等 | ゴルフクラブの規約等に基づいて返還を受けることができる金額の課税時期から返還を受けることができる日までの期間※に応ずる基準年利率による複利現価の額 |

※ その期間が１年未満であるとき、またはその期間に１年未満の端数があるときは、それを１年とする。

＜設例４＞

**《公式》 株主でなければ会員となれない会員権で相場がないもの**（評通211(2)イ）

財産評価基本通達の定めにより評価した課税時期における株式の価額に相当する金額

＜設例５＞

**《公式》 株主であり、かつ預託金等を預託しなければ会員となれない会員権で相場がないもの**（評通211(2)ロ）

株式と預託金等とを別に評価しその合計額をもってゴルフ会員権の評価額とする。

(1) 株式の評価

財産評価基本通達の定めにより評価した課税時期における株式の価額に相当する金額

(2) 預託金等の評価

上記に掲げた方法を適用して計算した金額

<設例６>

《公式》　**預託金を預託しなければ会員となれない会員権で相場のないもの**（評通211(2)ハ）

| 上記に掲げた方法を適用して計算した金額 |
|---|

<設例７>

株式の所有を必要とせず、かつ、譲渡できない会員権で、預託金等の返還が受けられない、単にプレーができるだけのものについては評価しないものとする。（評通211）

## 問　題　２　預託金等の評価

| 重 要 度 | B |
|---|---|

**次の設例の場合におけるゴルフ会員権の相続税評価額を求めなさい。**

<設　例>

Ｈゴルフ会員権　　　　　　　　１口

このゴルフ会員権は、株主であり、かつ預託金等を預託しなければ会員となれないものであるが、会員権について取引相場があり、課税時期における通常の取引価格は60,000千円である。

なお、預託金3,000千円はゴルフクラブの規約によれば課税時期から５年８カ月経過後に返還を受けることができることとなっており、取引価格には預託金の額が含まれていない。

基準年利率による複利現価率

５年　……　0.988　　　　６年　……　0.985

基準年利率による複利年金現価率

５年　……　4.963　　　　６年　……　5.948

### 解　答

(1)　$60,000千円\times\frac{70}{100}=42,000千円$

(2)　3,000千円×0.985＝2,955千円

(3)　(1)＋(2)＝44,955千円

### 解答への道

課税時期から返還を受けることができる日までの期間を計算する上で１年未満の端数は切上げるため５年８カ月は６年となる。

また、返還を受けることのできる預託金部分の評価は、基準年利率による複利年金現価率ではなく、基準年利率による複利現価率によることにも注意する。（評通211(1)ロ）

# 参　考　資　料

取引相場のない株式(出資)の評価明細書

## 第１表の１　評価上の株主の判定及び会社規模の判定の明細書

| 整理番号 | |
|---|---|

(取引相場のない株式(出資)の評価明細書)

| 会社名 | (電話　　　) | 本店の所在地 | | | |
|---|---|---|---|---|---|
| 代表者氏名 | | 事業内容 | 取扱品目及び製造、卸売、小売等の区分 | 業種目番号 | 取引金額の構成比 |
| 課税時期 | 年　月　日 | | | | % |
| 直前期 | 自　年　月　日<br>至　年　月　日 | | | | |

### 1．株主及び評価方式の判定

判定要素(課税時期現在の株式等の所有状況)

| 氏名又は名称 | 続柄 | 会社における役職名 | ㋑株式数(株式の種類) | ㋺議決権数 | ㋩議決権割合(㋺/④) |
|---|---|---|---|---|---|
| | 納税義務者 | | 株 | 個 | % |
| | | | | | |
| | | | | | |
| | | | | | |
| | | | | | |
| | | | | | |
| | | | | | |
| | | | | | |
| | | | | | |
| | | | | | |
| 自己株式 | | | | | |
| 納税義務者の属する同族関係者グループの議決権の合計数 | | | | ② | ⑤(②/④) |
| 筆頭株主グループの議決権の合計数 | | | | ③ | ⑥(③/④) |
| 評価会社の発行済株式又は議決権の総数 | | | ① | ④ | 100 |

判定基準

納税義務者の属する同族関係者グループの議決権割合(⑤の割合)を基として、区分します。

| 区分 | 筆頭株主グループの議決権割合(⑥の割合) | | | 株主の区分 |
|---|---|---|---|---|
| | 50%超の場合 | 30%以上50%以下の場合 | 30%未満の場合 | |
| ⑤の割合 | 50%超 | 30%以上 | 15%以上 | 同族株主等 |
| | 50%未満 | 30%未満 | 15%未満 | 同族株主等以外の株主 |

| 判定 | 同族株主等(原則的評価方式等) | 同族株主等以外の株主(配当還元方式) |
|---|---|---|

「同族株主等」に該当する納税義務者のうち、議決権割合(㋩の割合)が5%未満の者の評価方式は、「2．少数株式所有者の評価方式の判定」欄により判定します。

### 2．少数株式所有者の評価方式の判定

| 判定要素 項目 | 判定内容 |
|---|---|
| 氏名 | |
| ㊁役員 | である〔原則的評価方式等〕・でない(次の㋭へ) |
| ㋭納税義務者が中心的な同族株主 | である〔原則的評価方式等〕・でない(次の㋬へ) |
| ㋬納税義務者以外に中心的な同族株主(又は株主) | がいる(配当還元方式)・がいない〔原則的評価方式等〕<br>(氏名　　　) |
| 判定 | 原則的評価方式等・配当還元方式 |

# 第１表の２　評価上の株主の判定及び会社規模の判定の明細書（続）

会社名

（取引相場のない株式（出資）の評価明細書）

（令和六年一月一日以降用）

## ３．会社の規模（Ｌの割合）の判定

| 判定要素 | 項目 | 金額 | 項目 | 人数 |
|---|---|---|---|---|
| | 直前期末の総資産価額（帳簿価額） | 千円 | 直前期末以前１年間における従業員数 | 人<br>〔従業員数の内訳〕<br>（継続勤務従業員数）（継続勤務従業員以外の従業員の労働時間の合計時間数）<br>（　　人）＋（　　時間）／1,800時間 |
| | 直前期末以前１年間の取引金額 | 千円 | | |

| 判定基準 | | |
|---|---|---|
| ㋣　直前期末以前１年間における従業員数に応ずる区分 | 70人以上の会社は、大会社（㋠及び㋷は不要） | |
| | 70人未満の会社は、㋠及び㋷により判定 | |

| ㋠ 直前期末の総資産価額（帳簿価額）及び直前期末以前１年間における従業員数に応ずる区分 | | | | ㋷ 直前期末以前１年間の取引金額に応ずる区分 | | | 会社規模とＬの割合（中会社）の区分 | |
|---|---|---|---|---|---|---|---|---|
| 総資産価額（帳簿価額） | | | 従業員数 | 取引金額 | | | | |
| 卸売業 | 小売・サービス業 | 卸売業、小売・サービス業以外 | | 卸売業 | 小売・サービス業 | 卸売業、小売・サービス業以外 | | |
| 20億円以上 | 15億円以上 | 15億円以上 | 35　人　超 | 30億円以上 | 20億円以上 | 15億円以上 | 大会社 | |
| ４億円以上<br>20億円未満 | ５億円以上<br>15億円未満 | ５億円以上<br>15億円未満 | 35　人　超 | ７億円以上<br>30億円未満 | ５億円以上<br>20億円未満 | ４億円以上<br>15億円未満 | ０．９０ | 中会社 |
| ２億円以上<br>４億円未満 | 2億5,000万円以上<br>５億円未満 | 2億5,000万円以上<br>５億円未満 | 20　人　超<br>35　人　以　下 | 3億5,000万円以上<br>７億円未満 | 2億5,000万円以上<br>５億円未満 | ２億円以上<br>４億円未満 | ０．７５ | 中会社 |
| 7,000万円以上<br>２億円未満 | 4,000万円以上<br>2億5,000万円未満 | 5,000万円以上<br>2億5,000万円未満 | ５　人　超<br>20　人　以　下 | ２億円以上<br>3億5,000万円未満 | 6,000万円以上<br>2億5,000万円未満 | 8,000万円以上<br>２億円未満 | ０．６０ | 中会社 |
| 7,000万円未満 | 4,000万円未満 | 5,000万円未満 | ５　人　以　下 | ２億円未満 | 6,000万円未満 | 8,000万円未満 | 小会社 | |

・「会社規模とＬの割合（中会社）の区分」欄は、㋠欄の区分（「総資産価額（帳簿価額）」と「従業員数」とのいずれか下位の区分）と㋷欄（取引金額）の区分とのいずれか上位の区分により判定します。

| 判定 | 大会社 | 中会社 | | | 小会社 | |
|---|---|---|---|---|---|---|
| | | Ｌの割合 | | | | |
| | | ０．９０ | ０．７５ | ０．６０ | | |

## ４．増（減）資の状況その他評価上の参考事項

# 第２表　特定の評価会社の判定の明細書

会社名

（取引相場のない株式（出資）の評価明細書）

| 1．比準要素数１の会社 | 判定要素 | | | | | | 判定基準 | ⑴欄のいずれか２の判定要素が０であり、かつ、⑵欄のいずれか２以上の判定要素が０<br>である（該当）・でない（非該当） |
|---|---|---|---|---|---|---|---|---|
| | （1）直前期末を基とした判定要素 | | | （2）直前々期末を基とした判定要素 | | | | |
| | 第４表のⒷ₁の金額 | 第４表のⒸ₁の金額 | 第４表のⒹ₁の金額 | 第４表のⒷ₂の金額 | 第４表のⒸ₂の金額 | 第４表のⒹ₂の金額 | | |
| | 円　銭<br>0 | 円 | 円 | 円　銭<br>0 | 円 | 円 | 判定 | 該当　／　非該当 |

| 2．株式等保有特定会社 | 判定要素 | | | 判定基準 | ③の割合が50%以上である | ③の割合が50%未満である |
|---|---|---|---|---|---|---|
| | 総資産価額（第５表の①の金額） | 株式等の価額の合計額（第５表の㋑の金額） | 株式等保有割合（②／①） | | | |
| | ①　千円 | ②　千円 | ③　% | 判定 | 該当 | 非該当 |

| 3．土地保有特定会社 | 判定要素 | | | |
|---|---|---|---|---|
| | 総資産価額（第５表の①の金額） | 土地等の価額の合計額（第５表の㋩の金額） | 土地保有割合（⑤／④） | 会社の規模の判定（該当する文字を○で囲んで表示します。） |
| | ④　千円 | ⑤　千円 | ⑥　% | 大会社・中会社・小会社 |

| 判定基準 | 会社の規模 | 大会社 | | 中会社 | | 小会社（総資産価額（帳簿価額）が次の基準に該当する会社）<br>・卸売業　20億円以上<br>・小売・サービス業　15億円以上<br>・上記以外の業種　15億円以上 | | 小会社<br>・卸売業　7,000万円以上20億円未満<br>・小売・サービス業　4,000万円以上15億円未満<br>・上記以外の業種　5,000万円以上15億円未満 | |
|---|---|---|---|---|---|---|---|---|---|
| | ⑥の割合 | 70%以上 | 70%未満 | 90%以上 | 90%未満 | 70%以上 | 70%未満 | 90%以上 | 90%未満 |
| 判定 | | 該当 | 非該当 | 該当 | 非該当 | 該当 | 非該当 | 該当 | 非該当 |

| 4．開業後３年未満の会社等 | | | | | |
|---|---|---|---|---|---|
| ⑴開業後３年未満の会社 | 判定要素 | | 判定基準 | 課税時期において開業後３年未満である | 課税時期において開業後３年未満でない |
| | 開業年月日 | 年　月　日 | 判定 | 該当 | 非該当 |

| ⑵比準要素数０の会社 | 判定要素 | 直前期末を基とした判定要素 | | | 判定基準 | 直前期末を基とした判定要素がいずれも０<br>である（該当）・でない（非該当） |
|---|---|---|---|---|---|---|
| | | 第４表のⒷ₁の金額 | 第４表のⒸ₁の金額 | 第４表のⒹ₁の金額 | | |
| | | 円　銭<br>0 | 円 | 円 | 判定 | 該当　／　非該当 |

| 5．開業前又は休業中の会社 | 開業前の会社の判定 | | 休業中の会社の判定 | | 6．清算中の会社 | 判定 | |
|---|---|---|---|---|---|---|---|
| | 該当 | 非該当 | 該当 | 非該当 | | 該当 | 非該当 |

**7．特定の評価会社の判定結果**

１．比準要素数１の会社　　２．株式等保有特定会社

３．土地保有特定会社　　４．開業後３年未満の会社等

５．開業前又は休業中の会社　　６．清算中の会社

（該当する番号を○で囲んでください。なお、上記の「１．比準要素数１の会社」欄から「６．清算中の会社」欄の判定において２以上に該当する場合には、後の番号の判定によります。）

# 第３表　一般の評価会社の株式及び株式に関する権利の価額の計算明細書　会社名

（取引相場のない株式（出資）の評価明細書）

（令和六年一月一日以降用）

## １．原則的評価方式による価額

| 1株当たりの価額の計算の基となる金額 | 類似業種比準価額（第4表の㉖、㉗又は㉘の金額） | 1株当たりの純資産価額（第5表の⑪の金額） | 1株当たりの純資産価額の80％相当額（第5表の⑫の記載がある場合のその金額） |
|---|---|---|---|
| | ①　円 | ②　円 | ③　円 |

| 区分 | 1株当たりの価額の算定方法 | 1株当たりの価額 |
|---|---|---|
| 1株当たりの価額の計算　大会社の株式の価額 | 次のうちいずれか低い方の金額（②の記載がないときは①の金額）<br>イ　①の金額<br>ロ　②の金額 | ④　円 |
| 中会社の株式の価額 | （①と②とのいずれか低い方の金額 × Lの割合 0.）＋（②の金額（③の金額があるときは③の金額）×（1－ Lの割合 0.）） | ⑤　円 |
| 小会社の株式の価額 | 次のうちいずれか低い方の金額<br>イ　②の金額（③の金額があるときは③の金額）<br>ロ　（①の金額 × 0.50）＋（イの金額 × 0.50） | ⑥　円 |

| 株式の価額の修正 | | 修正後の株式の価額 |
|---|---|---|
| 課税時期において配当期待権の発生している場合 | 株式の価額〔④、⑤又は⑥の金額〕 － 1株当たりの配当金額　円　銭 | ⑦　円 |
| 課税時期において株式の割当てを受ける権利、株主となる権利又は株式無償交付期待権の発生している場合 | 株式の価額〔④、⑤又は⑥（⑦があるときは⑦）の金額〕＋ 割当株式1株当たりの払込金額　円 × 1株当たりの割当株式数　株 ）÷（1株＋ 1株当たりの割当株式数又は交付株式数　株） | ⑧　円 |

## ２．配当還元方式による価額

| 1株当たりの資本金等の額、発行済株式数等 | 直前期末の資本金等の額 | 直前期末の発行済株式数 | 直前期末の自己株式数 | 1株当たりの資本金等の額を50円とした場合の発行済株式数（⑨÷50円） | 1株当たりの資本金等の額（⑨÷（⑩－⑪）） |
|---|---|---|---|---|---|
| | ⑨　千円 | ⑩　株 | ⑪　株 | ⑫　株 | ⑬　円 |

| 直前期末以前2年間の配当金額 事業年度 | ⑭ 年配当金額 | ⑮ 左のうち非経常的な配当金額 | ⑯ 差引経常的な年配当金額（⑭－⑮） | 年平均配当金額 |
|---|---|---|---|---|
| 直前期 | 千円 | 千円 | ㋑　千円 | ⑰（㋑＋㋺）÷2　千円 |
| 直前々期 | 千円 | 千円 | ㋺　千円 | |

| 1株(50円)当たりの年配当金額 | 年平均配当金額（⑰の金額）÷ ⑫の株式数 ＝ ⑱　円　銭 | 〔この金額が2円50銭未満の場合は2円50銭とします。〕 |
|---|---|---|
| 配当還元価額 | ⑱の金額／10% × ⑬の金額／50円 ＝ ⑲　円 | ⑳　円　〔⑲の金額が、原則的評価方式により計算した価額を超える場合には、原則的評価方式により計算した価額とします。〕 |

## ３．株式に関する権利の価額（1．及び2．に共通）

| 区分 | 算定方法 | 金額 |
|---|---|---|
| 配当期待権 | 1株当たりの予想配当金額（　円　銭）－ 源泉徴収されるべき所得税相当額（　円　銭） | ㉑　円　銭 |
| 株式の割当てを受ける権利（割当株式1株当たりの価額） | ⑧（配当還元方式の場合は⑳）の金額 － 割当株式1株当たりの払込金額　円 | ㉒　円 |
| 株主となる権利（割当株式1株当たりの価額） | ⑧（配当還元方式の場合は⑳）の金額（課税時期後にその株主となる権利につき払い込むべき金額があるときは、その金額を控除した金額） | ㉓　円 |
| 株式無償交付期待権（交付される株式1株当たりの価額） | ⑧（配当還元方式の場合は⑳）の金額 | ㉔　円 |

## ４．株式及び株式に関する権利の価額（1．及び2．に共通）

| 区分 | 金額 |
|---|---|
| 株式の評価額 | 円 |
| 株式に関する権利の評価額 | 円（円　銭） |

# 第４表　類似業種比準価額等の計算明細書

会社名

（取引相場のない株式（出資）の評価明細書）

（令和六年一月一日以降用）

## 1．1株当たりの資本金等の額等の計算

| 1．1株当たりの資本金等の額等の計算 | 直前期末の資本金等の額 | 直前期末の発行済株式数 | 直前期末の自己株式数 | 1株当たりの資本金等の額（①÷（②−③）） | 1株当たりの資本金等の額を50円とした場合の発行済株式数（①÷50円） |
|---|---|---|---|---|---|
| | ① 千円 | ② 株 | ③ 株 | ④ 円 | ⑤ 株 |

## 2．比準要素等の金額の計算

### 1株（50円）当たりの年配当金額

| 直前期末以前２（３）年間の年平均配当金額 | | | | |
|---|---|---|---|---|
| 事業年度 | ⑥ 年配当金額 | ⑦ 左のうち非経常的な配当金額 | ⑧ 差引経常的な年配当金額（⑥−⑦） | 年平均配当金額 |
| 直前期 | 千円 | 千円 | ㋑ 千円 | ⑨（㋑＋㋺）÷２ 千円 |
| 直前々期 | 千円 | 千円 | ㋺ 千円 | |
| 直前々期の前期 | 千円 | 千円 | ㋩ 千円 | ⑩（㋺＋㋩）÷２ 千円 |

| 比準要素数1の会社・比準要素数0の会社の判定要素の金額 | | |
|---|---|---|
| ⑨／⑤ | Ⓑ₁ 円 | 銭 0 |
| ⑩／⑤ | Ⓑ₂ 円 | 銭 0 |
| 1株（50円）当たりの年配当金額（Ⓑ₁の金額） | | |
| Ⓑ | 円 | 銭 |

### 1株（50円）当たりの年利益金額

| 直前期末以前２（３）年間の利益金額 | | | | | | |
|---|---|---|---|---|---|---|
| 事業年度 | ⑪法人税の課税所得金額 | ⑫非経常的な利益金額 | ⑬受取配当等の益金不算入額 | ⑭左の所得税額 | ⑮損金算入した繰越欠損金の控除額 | ⑯差引利益金額（⑪−⑫＋⑬−⑭＋⑮） |
| 直前期 | 千円 | 千円 | 千円 | 千円 | 千円 | ㊁ 千円 |
| 直前々期 | 千円 | 千円 | 千円 | 千円 | 千円 | ㋭ 千円 |
| 直前々期の前期 | 千円 | 千円 | 千円 | 千円 | 千円 | ㋬ 千円 |

| 比準要素数1の会社・比準要素数0の会社の判定要素の金額 | |
|---|---|
| ㊁／⑤ 又は （㊁＋㋭）÷２／⑤ | Ⓒ₁ 円 |
| ㋭／⑤ 又は （㋭＋㋬）÷２／⑤ | Ⓒ₂ 円 |
| 1株（50円）当たりの年利益金額〔㊁／⑤ 又は （㊁＋㋭）÷２／⑤ の金額〕 | |
| Ⓒ | 円 |

### 1株（50円）当たりの純資産価額

| 直前期末（直前々期末）の純資産価額 | | | |
|---|---|---|---|
| 事業年度 | ⑰ 資本金等の額 | ⑱ 利益積立金額 | ⑲ 純資産価額（⑰＋⑱） |
| 直前期 | 千円 | 千円 | ㋣ 千円 |
| 直前々期 | 千円 | 千円 | ㋠ 千円 |

| 比準要素数1の会社・比準要素数0の会社の判定要素の金額 | |
|---|---|
| ㋣／⑤ | Ⓓ₁ 円 |
| ㋠／⑤ | Ⓓ₂ 円 |
| 1株（50円）当たりの純資産価額（Ⓓ₁の金額） | |
| Ⓓ | 円 |

## 3．類似業種比準価額の計算

### 1株（50円）当たりの比準価額の計算（その1）

| 類似業種と業種目番号 | | （No.　　） |
|---|---|---|
| 類似業種の株価 | 課税時期の属する月 | 月 ㋷ 円 |
| | 課税時期の属する月の前月 | 月 ㋦ 円 |
| | 課税時期の属する月の前々月 | 月 ㋸ 円 |
| | 前年平均株価 | ㋾ 円 |
| | 課税時期の属する月以前２年間の平均株価 | ㋻ 円 |
| | A〔㋷、㋦、㋸、㋾及び㋻のうち最も低いもの〕 | ⑳ 円 |

| 比準割合の計算 | 区分 | 1株（50円）当たりの年配当金額 | | 1株（50円）当たりの年利益金額 | 1株（50円）当たりの純資産価額 | 1株（50円）当たりの比準価額 |
|---|---|---|---|---|---|---|
| | 評価会社 | Ⓑ 円 | 銭 0 | Ⓒ 円 | Ⓓ 円 | ⑳ × ㉑ × 0.7※ |
| | 類似業種 | B 円 | 銭 0 | C 円 | D 円 | ※（中会社は0.6　小会社は0.5　とします。） |
| | 要素別比準割合 | Ⓑ／B　. | | Ⓒ／C　. | Ⓓ／D　. | |
| | 比準割合 | （Ⓑ／B ＋ Ⓒ／C ＋ Ⓓ／D）／３ ＝ ㉑　. | | | | ㉒ 円　銭 0 |

### 1株（50円）当たりの比準価額の計算（その2）

| 類似業種と業種目番号 | | （No.　　） |
|---|---|---|
| 類似業種の株価 | 課税時期の属する月 | 月 ㋕ 円 |
| | 課税時期の属する月の前月 | 月 ㋵ 円 |
| | 課税時期の属する月の前々月 | 月 ㋟ 円 |
| | 前年平均株価 | ㋹ 円 |
| | 課税時期の属する月以前２年間の平均株価 | ㋞ 円 |
| | A〔㋕、㋵、㋟、㋹及び㋞のうち最も低いもの〕 | ㉓ 円 |

| 比準割合の計算 | 区分 | 1株（50円）当たりの年配当金額 | | 1株（50円）当たりの年利益金額 | 1株（50円）当たりの純資産価額 | 1株（50円）当たりの比準価額 |
|---|---|---|---|---|---|---|
| | 評価会社 | Ⓑ 円 | 銭 0 | Ⓒ 円 | Ⓓ 円 | ㉓ × ㉔ × 0.7※ |
| | 類似業種 | B 円 | 銭 0 | C 円 | D 円 | ※（中会社は0.6　小会社は0.5　とします。） |
| | 要素別比準割合 | Ⓑ／B　. | | Ⓒ／C　. | Ⓓ／D　. | |
| | 比準割合 | （Ⓑ／B ＋ Ⓒ／C ＋ Ⓓ／D）／３ ＝ ㉔　. | | | | ㉕ 円　銭 0 |

### 1株当たりの比準価額・比準価額の修正

| 1株当たりの比準価額 | 比準価額（㉒と㉕とのいずれか低い方の金額）× ④の金額／50円 | ㉖ 円 |
|---|---|---|
| 比準価額の修正：直前期末の翌日から課税時期までの間に配当金交付の効力が発生した場合 | 比準価額（㉖の金額）－ 1株当たりの配当金額　円　銭 | 修正比準価額　㉗ 円 |
| 比準価額の修正：直前期末の翌日から課税時期までの間に株式の割当て等の効力が発生した場合 | 比準価額（㉖（㉗があるときは㉗）の金額）＋ 割当株式1株当たりの払込金額　円　銭 × 1株当たりの割当株式数　株）÷（1株＋ 1株当たりの割当株式数又は交付株式数　株） | 修正比準価額　㉘ 円 |

# 第5表　1株当たりの純資産価額（相続税評価額）の計算明細書　会社名

（取引相場のない株式（出資）の評価明細書）

（令和六年一月一日以降用）

1. 資産及び負債の金額（課税時期現在）

| 資産の部 | | | | 負債の部 | | | |
|---|---|---|---|---|---|---|---|
| 科目 | 相続税評価額 | 帳簿価額 | 備考 | 科目 | 相続税評価額 | 帳簿価額 | 備考 |
| | 千円 | 千円 | | | 千円 | 千円 | |
| | | | | | | | |
| | | | | | | | |
| | | | | | | | |
| | | | | | | | |
| | | | | | | | |
| | | | | | | | |
| | | | | | | | |
| | | | | | | | |
| | | | | | | | |
| | | | | | | | |
| | | | | | | | |
| | | | | | | | |
| | | | | | | | |
| | | | | | | | |
| | | | | | | | |
| | | | | | | | |
| | | | | | | | |
| | | | | | | | |
| 合計 | ① | ② | | 合計 | ③ | ④ | |
| 株式等の価額の合計額 | ㋑ | ㋺ | | | | | |
| 土地等の価額の合計額 | ㋩ | | | | | | |
| 現物出資等受入れ資産の価額の合計額 | ㋥ | ㋭ | | | | | |

2. 評価差額に対する法人税額等相当額の計算

| | | |
|---|---|---|
| 相続税評価額による純資産価額（①－③） | ⑤ | 千円 |
| 帳簿価額による純資産価額（(②＋㋥－㋭)－④）、マイナスの場合は0） | ⑥ | 千円 |
| 評価差額に相当する金額（⑤－⑥、マイナスの場合は0） | ⑦ | 千円 |
| 評価差額に対する法人税額等相当額（⑦×37%） | ⑧ | 千円 |

3. 1株当たりの純資産価額の計算

| | | |
|---|---|---|
| 課税時期現在の純資産価額（相続税評価額）（⑤－⑧） | ⑨ | 千円 |
| 課税時期現在の発行済株式数（(第1表の1の①)－自己株式数） | ⑩ | 株 |
| 課税時期現在の1株当たりの純資産価額（相続税評価額）（⑨÷⑩） | ⑪ | 円 |
| 同族株主等の議決権割合（第1表の1の⑤の割合）が50%以下の場合（⑪×80%） | ⑫ | 円 |

# 第６表　特定の評価会社の株式及び株式に関する権利の価額の計算明細書　　会社名

（取引相場のない株式（出資）の評価明細書）

（令和六年一月一日以降用）

## １．純資産価額方式等による価額

| 1株当たりの価額の計算の基となる金額 | 類似業種比準価額（第４表の㉖、㉗又は㉘の金額） | 1株当たりの純資産価額（第５表の⑪の金額） | 1株当たりの純資産価額の80％相当額（第５表の⑫の記載がある場合のその金額） |
|---|---|---|---|
| | ①　　円 | ②　　円 | ③　　円 |

| | 株式の区分 | 1株当たりの価額の算定方法等 | 1株当たりの価額 |
|---|---|---|---|
| 1株当たりの価額の計算 | 比準要素数１の会社の株式 | 次のうちいずれか低い方の金額<br>イ　②の金額（③の金額があるときは③の金額）<br>ロ　（①の金額 × 0.25）＋（イの金額 × 0.75） | ④　　円 |
| | 株式等保有特定会社の株式 | （第８表の㉗の金額） | ⑤　　円 |
| | 土地保有特定会社の株式 | （②の金額（③の金額があるときはその金額）） | ⑥　　円 |
| | 開業後３年未満の会社等の株式 | （②の金額（③の金額があるときはその金額）） | ⑦　　円 |
| | 開業前又は休業中の会社の株式 | （②の金額） | ⑧　　円 |
| 株式の価額の修正 | 課税時期において配当期待権の発生している場合 | 株式の価額〔④、⑤、⑥、⑦又は⑧の金額〕 － 1株当たりの配当金額　　円　　銭 | 修正後の株式の価額<br>⑨　　円 |
| | 課税時期において株式の割当てを受ける権利、株主となる権利又は株式無償交付期待権の発生している場合 | （株式の価額〔④、⑤、⑥、⑦又は⑧（⑨があるときは⑨）の金額〕 ＋ 割当株式１株当たりの払込金額　　円 × 1株当たりの割当株式数　　株）÷（1株＋ 1株当たりの割当株式数又は交付株式数　　株） | 修正後の株式の価額<br>⑩　　円 |

## ２．配当還元方式による価額

| 1株当たりの資本金等の額、発行済株式数等 | 直前期末の資本金等の額 | 直前期末の発行済株式数 | 直前期末の自己株式数 | 1株当たりの資本金等の額を50円とした場合の発行済株式数（⑪÷50円） | 1株当たりの資本金等の額（⑪÷（⑫－⑬）） |
|---|---|---|---|---|---|
| | ⑪　　千円 | ⑫　　株 | ⑬　　株 | ⑭　　株 | ⑮　　円 |

| 直前期末以前２年間の配当金額 | 事業年度 | ⑯ 年配当金額 | ⑰ 左のうち非経常的な配当金額 | ⑱ 差引経常的な年配当金額（⑯－⑰） | 年平均配当金額 |
|---|---|---|---|---|---|
| | 直前期 | 千円 | 千円 | ㋑　　千円 | ⑲（㋑＋㋺）÷２　　千円 |
| | 直前々期 | 千円 | 千円 | ㋺　　千円 | |

| 1株（50円）当たりの年配当金額 | 年平均配当金額（⑲の金額） ÷ ⑭の株式数 ＝ ⑳　　円　　銭 | 〔この金額が2円50銭未満の場合は2円50銭とします。〕 |
|---|---|---|
| 配当還元価額 | $\frac{⑳の金額}{10\%}$ × $\frac{⑮の金額}{50円}$ ＝ ㉑　　円 | ㉒　　円　〔㉑の金額が、純資産価額方式等により計算した価額を超える場合には、純資産価額方式等により計算した価額とします。〕 |

## ３．株式に関する権利の価額（１．及び２．に共通）

| | 算定方法 | 価額 |
|---|---|---|
| 配当期待権 | 1株当たりの予想配当金額（　円　銭）－ 源泉徴収されるべき所得税相当額（　円　銭） | ㉓　　円　　銭 |
| 株式の割当てを受ける権利（割当株式1株当たりの価額） | ⑩（配当還元方式の場合は㉒）の金額 － 割当株式1株当たりの払込金額　　円 | ㉔　　円 |
| 株主となる権利（割当株式1株当たりの価額） | ⑩（配当還元方式の場合は㉒）の金額（課税時期後にその株主となる権利につき払い込むべき金額があるときは、その金額を控除した金額） | ㉕　　円 |
| 株式無償交付期待権（交付される株式1株当たりの価額） | ⑩（配当還元方式の場合は㉒）の金額 | ㉖　　円 |

## ４．株式及び株式に関する権利の価額（１．及び２．に共通）

| | |
|---|---|
| 株式の評価額 | 円 |
| 株式に関する権利の評価額 | 円（円　　銭） |

# 第７表　株式等保有特定会社の株式の価額の計算明細書

会社名

（取引相場のない株式（出資）の評価明細書）

（令和六年一月一日以降用）

## 1．$S_1$の金額（類似業種比準価額の修正計算）

### 受取配当金等収受割合の計算

| 事業年度 | ①　直前期 | ②　直前々期 | 合計（①＋②） | 受取配当金等収受割合 （㋑÷（㋑＋㋺））※小数点以下3位未満切り捨て |
|---|---|---|---|---|
| 受取配当金等の額 | 千円 | 千円 | ㋑　千円 | ㋩ |
| 営業利益の金額 | 千円 | 千円 | ㋺　千円 | |

### Ⓑ－ⓑの金額

| 1株（50円）当たりの年配当金額（第4表のⒷ） | | ⓑの金額（③×㋩） | | Ⓑ－ⓑの金額（③－④） | |
|---|---|---|---|---|---|
| ③　円 | 銭 0 | ④　円 | 銭 0 | ⑤　円 | 銭 0 |

### Ⓒ－ⓒの金額

| 1株（50円）当たりの年利益金額（第4表のⒸ） | ⓒの金額（⑥×㋩） | Ⓒ－ⓒの金額（⑥－⑦） |
|---|---|---|
| ⑥　円 | ⑦　円 | ⑧　円 |

### Ⓓ－ⓓの金額

（イ）の金額

| 1株（50円）当たりの純資産価額（第4表のⒹ） | 直前期末の株式等の帳簿価額の合計額 | 直前期末の総資産価額（帳簿価額） | （イ）の金額（⑨×（⑩÷⑪）） |
|---|---|---|---|
| ⑨　円 | ⑩　千円 | ⑪　千円 | ⑫　円 |

（ロ）の金額

| 利益積立金額（第4表の⑱の「直前期」欄の金額） | 1株当たりの資本金等の額を50円とした場合の発行済株式数（第4表の⑤の株式数） | （ロ）の金額（（⑬÷⑭）×㋩） |
|---|---|---|
| ⑬　千円 | ⑭　株 | ⑮　円 |

| ⓓの金額（⑫＋⑮） | Ⓓ－ⓓの金額（⑨－⑯） |
|---|---|
| ⑯　円 | ⑰　円 |

（注）1　㋩の割合は、1を上限とします。
2　⑯の金額は、Ⓓの金額（⑨の金額）を上限とします。

### 1株（50円）当たりの比準価額の計算

| 類似業種と業種目番号 | （No.　　） |
|---|---|
| 類似業種の株価　課税時期の属する月 | 月　㊁　円 |
| 課税時期の属する月の前月 | 月　㊋　円 |
| 課税時期の属する月の前々月 | 月　㊂　円 |
| 前年平均株価 | ㊦　円 |
| 課税時期の属する月以前2年間の平均株価 | ㋠　円 |
| A〔㊁、㊋、㊂、㊦及び㋠のうち最も低いもの〕 | ⑱　円 |

比準割合の計算

| 区分 | 1株（50円）当たりの年配当金額 | 1株（50円）当たりの年利益金額 | 1株（50円）当たりの純資産価額 | 1株（50円）当たりの比準価額 |
|---|---|---|---|---|
| 評価会社 | （⑤）　円　銭 0 | （⑧）　円 | （⑰）　円 | ⑱ × ⑲ × 0.7 ※ |
| 類似業種 | B　円　銭 0 | C　円 | D　円 | ※（中会社は0.6 小会社は0.5 とします。） |
| 要素別比準割合 | $\frac{(⑤)}{B}$　． | $\frac{(⑧)}{C}$　． | $\frac{(⑰)}{D}$　． | |
| 比準割合 | $\frac{\frac{(⑤)}{B}+\frac{(⑧)}{C}+\frac{(⑰)}{D}}{3}$ ＝ ⑲　． | | | ⑳　円　銭 0 |

| 類似業種と業種目番号 | （No.　　） |
|---|---|
| 類似業種の株価　課税時期の属する月 | 月　㋷　円 |
| 課税時期の属する月の前月 | 月　㋦　円 |
| 課税時期の属する月の前々月 | 月　㋸　円 |
| 前年平均株価 | ㋾　円 |
| 課税時期の属する月以前2年間の平均株価 | ㋻　円 |
| A〔㋷、㋦、㋸、㋾及び㋻のうち最も低いもの〕 | ㉑　円 |

比準割合の計算

| 区分 | 1株（50円）当たりの年配当金額 | 1株（50円）当たりの年利益金額 | 1株（50円）当たりの純資産価額 | 1株（50円）当たりの比準価額 |
|---|---|---|---|---|
| 評価会社 | （⑤）　円　銭 0 | （⑧）　円 | （⑰）　円 | ㉑ × ㉒ × 0.7 ※ |
| 類似業種 | B　円　銭 0 | C　円 | D　円 | ※（中会社は0.6 小会社は0.5 とします。） |
| 要素別比準割合 | $\frac{(⑤)}{B}$　． | $\frac{(⑧)}{C}$　． | $\frac{(⑰)}{D}$　． | |
| 比準割合 | $\frac{\frac{(⑤)}{B}+\frac{(⑧)}{C}+\frac{(⑰)}{D}}{3}$ ＝ ㉒　． | | | ㉓　円　銭 0 |

| 1株当たりの比準価額 | 比準価額（⑳と㉓とのいずれか低い方の金額） × 第4表の④の金額／50円 | ㉔　円 |
|---|---|---|

### 比準価額の修正

| 直前期末の翌日から課税時期までの間に配当金交付の効力が発生した場合 | 比準価額（㉔の金額） － 1株当たりの配当金額　円　銭 | 修正比準価額 ㉕　円 |
|---|---|---|
| 直前期末の翌日から課税時期までの間に株式の割当て等の効力が発生した場合 | 比準価額（㉔（㉕があるときは㉕）の金額）＋ 割当株式1株当たりの払込金額　円　銭 × 1株当たりの割当株式数　株）÷（1株＋ 1株当たりの割当株式数又は交付株式数　株） | 修正比準価額 ㉖　円 |

# 第８表　株式等保有特定会社の株式の価額の計算明細書（続）

会社名

（取引相場のない株式（出資）の評価明細書）

（令和六年一月一日以降用）

## 1．S₁の金額（続）

### 純資産価額（相続税評価額）の修正計算

| 相続税評価額による純資産価額（第５表の⑤の金額） | 課税時期現在の株式等の価額の合計額（第５表の㋑の金額） | 差引（①－②） |
|---|---|---|
| ①　千円 | ②　千円 | ③　千円 |
| 帳簿価額による純資産価額（第５表の⑥の金額） | 株式等の帳簿価額の合計額（第５表の㋺＋（㋥－㋭）の金額）（注） | 差引（④－⑤） |
| ④　千円 | ⑤　千円 | ⑥　千円 |
| 評価差額に相当する金額（③－⑥） | 評価差額に対する法人税額等相当額（⑦×37％） | 課税時期現在の修正純資産価額（相続税評価額）（③－⑧） |
| ⑦　千円 | ⑧　千円 | ⑨　千円 |
| 課税時期現在の発行済株式数（第５表の⑩の株式数） | 課税時期現在の修正後の１株当たりの純資産価額（相続税評価額）（⑨÷⑩） | （注）第５表の㋥及び㋭の金額に株式等以外の資産に係る金額が含まれている場合には、その金額を除いて計算します。 |
| ⑩　株 | ⑪　円 | |

### １株当たりのS₁の金額の計算の基となる金額

| 修正後の類似業種比準価額（第７表の㉔、㉕又は㉖の金額） | 修正後の１株当たりの純資産価額（相続税評価額）（⑪の金額） |
|---|---|
| ⑫　円 | ⑬　円 |

### １株当たりのS₁の金額の計算

| 区分 | | １株当たりのS₁の金額の算定方法 | １株当たりのS₁の金額 |
|---|---|---|---|
| 比準要素数１である会社のS₁の金額 | | 次のうちいずれか低い方の金額<br>イ　⑬の金額<br>ロ　（⑫の金額 × 0.25）＋（⑬の金額 × 0.75） | ⑭　円 |
| 上記以外の会社 | 大会社のS₁の金額 | 次のうちいずれか低い方の金額（⑬の記載がないときは⑫の金額）<br>イ　⑫の金額<br>ロ　⑬の金額 | ⑮　円 |
| | 中会社のS₁の金額 | （⑫と⑬とのいずれか低い方の金額 × Lの割合 0.　）＋（⑬の金額 ×（1－ Lの割合 0.　）） | ⑯　円 |
| | 小会社のS₁の金額 | 次のうちいずれか低い方の金額<br>イ　⑬の金額<br>ロ　（⑫の金額 × 0.50）＋（⑬の金額 × 0.50） | ⑰　円 |

## 2．S₂の金額

| 課税時期現在の株式等の価額の合計額（第５表の㋑の金額） | 株式等の帳簿価額の合計額（第５表の㋺＋（㋥－㋭）の金額）（注） | 株式等に係る評価差額に相当する金額（⑱－⑲） | ⑳の評価差額に対する法人税額等相当額（⑳×37％） |
|---|---|---|---|
| ⑱　千円 | ⑲　千円 | ⑳　千円 | ㉑　千円 |
| S₂の純資産価額相当額（⑱－㉑） | 課税時期現在の発行済株式数（第５表の⑩の株式数） | S₂の金額（㉒÷㉓） | （注）第５表の㋥及び㋭の金額に株式等以外の資産に係る金額が含まれている場合には、その金額を除いて計算します。 |
| ㉒　千円 | ㉓　株 | ㉔　円 | |

## 3．株式等保有特定会社の株式の価額

| １株当たりの純資産価額（第５表の⑪の金額（第５表の⑫の金額があるときはその金額）） | S₁の金額とS₂の金額との合計額（（⑭、⑮、⑯又は⑰）＋㉔） | 株式等保有特定会社の株式の価額（㉕と㉖とのいずれか低い方の金額） |
|---|---|---|
| ㉕　円 | ㉖　円 | ㉗　円 |

土地及び土地の上に存する権利の評価明細書

## 土地及び土地の上に存する権利の評価明細書（第１表）

局(所)　　署　　年分　　ページ

（令和六年分以降用）

| （住居表示）（　　） | | 所有者 | 住　所（所在地） | | 使用者 | 住　所（所在地） | |
|---|---|---|---|---|---|---|---|
| 所在地番 | | | 氏　名（法人名） | | | 氏　名（法人名） | |

| 地目 | 地積 | 路線価 正面 | 側方 | 側方 | 裏面 | 地形図及び参考事項 |
|---|---|---|---|---|---|---|
| 宅地 山林 田 雑種地 畑（　） | ㎡ | 円 | 円 | 円 | 円 | |

| 間口距離 | m | 利用区分 | 自用地　私道　貸宅地　貸家建付借地権　貸家建付地　転貸借地権　借地権（　） | 地区区分 | ビル街地区　普通住宅地区　高度商業地区　中小工場地区　繁華街地区　大工場地区　普通商業・併用住宅地区 |
|---|---|---|---|---|---|
| 奥行距離 | m | | | | |

自用地１平方メートル当たりの価額

| | （１㎡当たりの価額）円 | 記号 |
|---|---|---|
| 1　一路線に面する宅地<br>（正面路線価）　（奥行価格補正率）<br>円　×　　. | | A |
| 2　二路線に面する宅地<br>（A）　［側方・裏面 路線価］　（奥行価格補正率）　［側方・二方 路線影響加算率］<br>円　＋　（　円　×　.　×　0.　） | | B |
| 3　三路線に面する宅地<br>（B）　［側方・裏面 路線価］　（奥行価格補正率）　［側方・二方 路線影響加算率］<br>円　＋　（　円　×　.　×　0.　） | | C |
| 4　四路線に面する宅地<br>（C）　［側方・裏面 路線価］　（奥行価格補正率）　［側方・二方 路線影響加算率］<br>円　＋　（　円　×　.　×　0.　） | | D |
| 5-1　間口が狭小な宅地等<br>（AからDまでのうち該当するもの）　（間口狭小補正率）　（奥行長大補正率）<br>円　×　（　.　×　.　） | | E |
| 5-2　不整形地<br>（AからDまでのうち該当するもの）　不整形地補正率※<br>円　×　0.<br>※不整形地補正率の計算<br>（想定整形地の間口距離）　（想定整形地の奥行距離）　（想定整形地の地積）<br>m　×　m　＝　㎡<br>（想定整形地の地積）　（不整形地の地積）　（想定整形地の地積）　（かげ地割合）<br>（　㎡　－　㎡）　÷　㎡　＝　％<br>（不整形地補正率表の補正率）（間口狭小補正率）　（小数点以下2位未満切捨て）<br>0.　×　.　＝　0.　①<br>（奥行長大補正率）　（間口狭小補正率）<br>.　×　.　＝　0.　②<br>［不整形地補正率（①、②のいずれか低い率、0.6を下限とする。）］　0. | | F |
| 6　地積規模の大きな宅地<br>（AからFまでのうち該当するもの）　規模格差補正率※<br>円　×　0.<br>※規模格差補正率の計算<br>（地積（Ⓐ））　（Ⓑ）　（Ⓒ）　（地積（Ⓐ））　（小数点以下２位未満切捨て）<br>｛（　㎡×　＋　）÷　㎡｝×　0.8　＝　0. | | G |
| 7　無道路地<br>（F又はGのうち該当するもの）　（※）<br>円　×　（　1　－　0.　）<br>※割合の計算（0.4を上限とする。）<br>（正面路線価）　（通路部分の地積）　（F又はGのうち該当するもの）　（評価対象地の地積）<br>（　円　×　㎡）　÷　（　円　×　㎡）　＝　0. | | H |
| 8-1　がけ地等を有する宅地　〔南、東、西、北〕<br>（AからHまでのうち該当するもの）　（がけ地補正率）<br>円　×　0. | | I |
| 8-2　土砂災害特別警戒区域内にある宅地<br>（AからHまでのうち該当するもの）　特別警戒区域補正率※<br>円　×　0.<br>※がけ地補正率の適用がある場合の特別警戒区域補正率の計算（0.5を下限とする。）<br>〔南、東、西、北〕<br>（特別警戒区域補正率表の補正率）　（がけ地補正率）　（小数点以下２位未満切捨て）<br>0.　×　0.　＝　0. | | J |
| 9　容積率の異なる２以上の地域にわたる宅地<br>（AからJまでのうち該当するもの）　（控除割合（小数点以下３位未満四捨五入））<br>円　×　（　1　－　0.　） | | K |
| 10　私道<br>（AからKまでのうち該当するもの）<br>円　×　0.3 | | L |

| 自用地の評価額 | 自用地１平方メートル当たりの価額（AからLまでのうちの該当記号） | 地積 | 総額（自用地１㎡当たりの価額）×（地積） | |
|---|---|---|---|---|
| | （　）　円 | ㎡ | 円 | M |

（注）1　5-1の「間口が狭小な宅地等」と5-2の「不整形地」は重複して適用できません。
2　5-2の「不整形地」の「AからDまでのうち該当するもの」欄の価額について、AからDまでの欄で計算できない場合には、（第２表）の「備考」欄等で計算してください。
3　「がけ地等を有する宅地」であり、かつ、「土砂災害特別警戒区域内にある宅地」である場合については、8-1の「がけ地等を有する宅地」欄ではなく、8-2の「土砂災害特別警戒区域内にある宅地」欄で計算してください。

（資4－25－1－A4統一）

# 土地及び土地の上に存する権利の評価明細書（第２表）

（令和六年分以降用）

| 区分 | 算式 | 総額 | 記号 |
|---|---|---|---|
| セットバックを必要とする宅地の評価額 | (自用地の評価額) 円 −（(自用地の評価額) 円 × (該当地積) ㎡ / (総地積) ㎡ × 0.7） | (自用地の評価額) 円 | N |
| 都市計画道路予定地の区域内にある宅地の評価額 | (自用地の評価額) 円 × (補正率) 0. | (自用地の評価額) 円 | O |

| 区分 | 算式 | 総額 | 記号 |
|---|---|---|---|
| 大規模工場用地等の評価額 | ○ 大規模工場用地等<br>(正面路線価) 円 × (地積) ㎡ × (地積が20万㎡以上の場合は0.95) | 円 | P |
| | ○ ゴルフ場用地等<br>(宅地とした場合の価額) (地積)（ 円 × ㎡×0.6）−（(1㎡当たりの造成費) 円× (地積) ㎡） | 円 | Q |

| 区分 | | 算式 | 総額 | 記号 |
|---|---|---|---|---|
| 区分所有財産に係る敷地利用権の評価額 | | (自用地の評価額) 円 × (敷地利用権（敷地権）の割合) ―― | (自用地の評価額) 円 | R |
| | 居住用の区分所有財産の場合 | (自用地の評価額) 円 × (区分所有補正率) . | (自用地の評価額) 円 | S |

| | 利用区分 | 算式 | 総額 | 記号 |
|---|---|---|---|---|
| 総額計算による価額 | 貸宅地 | (自用地の評価額) 円 ×（1− (借地権割合) 0.　） | 円 | T |
| | 貸家建付地 | (自用地の評価額又はV) 円 ×（1− (借地権割合) 0. ×(借家権割合) 0. ×(賃貸割合) ㎡/㎡） | 円 | U |
| | （　）の目的となっている土地 | (自用地の評価額) 円 ×（1− (　割合) 0.　） | 円 | V |
| | 借地権 | (自用地の評価額) 円 × (借地権割合) 0. | 円 | W |
| | 貸家建付借地権 | (W, ADのうちの該当記号)（　） 円 ×（1− (借家権割合) 0. × (賃貸割合) ㎡/㎡） | 円 | X |
| | 転貸借地権 | (W, ADのうちの該当記号)（　） 円 ×（1− (借地権割合) 0.　） | 円 | Y |
| | 転借権 | (W, X, ADのうちの該当記号)（　） 円 × (借地権割合) 0. | 円 | Z |
| | 借家人の有する権利 | (W, Z, ADのうちの該当記号)（　） 円 × (借家権割合) 0. × (賃借割合) ㎡/㎡ | 円 | AA |
| | （　）権 | (自用地の評価額) 円 × (　割合) 0. | 円 | AB |
| | 権利が競合する場合の土地 | (T, Vのうちの該当記号)（　） 円 ×（1− (　割合) 0.　） | 円 | AC |
| | 他の権利と競合する場合の権利 | (W, ABのうちの該当記号)（　） 円 ×（1− (　割合) 0.　） | 円 | AD |
| 備考 | | | | |

（注）　区分地上権と区分地上権に準ずる地役権とが競合する場合については、備考欄等で計算してください。

（資4−25−2−Ａ4統一）

税理士受験シリーズ

2025年度版　20　相続税法　財産評価問題集

（昭和60年度版　1985年1月10日　初版 第1刷発行）

2024年9月18日　初　版　第1刷発行

編 著 者　ＴＡＣ株式会社
（税理士講座）
発 行 者　多　田　敏　男
発 行 所　ＴＡＣ株式会社　出版事業部
（ＴＡＣ出版）
〒101-8383
東京都千代田区神田三崎町3-2-18
電話 03 (5276) 9492 (営業)
FAX 03 (5276) 9674
https://shuppan.tac-school.co.jp
印　　刷　株式会社 ワ　コ　ー
製　　本　株式会社 常　川　製　本



ISBN 978-4-300-11320-2
N.D.C. 336

# 税理士講座のご案内

## 「税理士」の扉を開くカギ

### それは、合格できる教育機関を決めること!

あなたが教育機関を決める最大の決め手は何ですか？
通いやすさ、受講料、評判、規模、いろいろと検討事項はありますが、一番の決め手となること、それは「合格できるか」です。
TACは、税理士講座開講以来今日までの40年以上、「受講生を合格に導く」ことを常に考え続けてきました。そして、「最小の努力で最大の効果を発揮する、良質なコンテンツの提供」をもって多数の合格者を輩出し、今も厚い信頼と支持をいただいております。

東京会場　ホテルニューオータニ

**合格者から「喜びの声」を多数お寄せいただいています。**

https://www.tac-school.co.jp/kouza_zeiri/zeiri_jisseki.html

# 税理士講座のご案内

## チャレンジコース

**受験経験者・独学生待望のコース!**

**4月上旬開講!**

| 開講科目 | 簿記・財表・法人<br>所得・相続・消費 |
|---|---|

**基礎知識の底上げ**  **徹底した本試験対策**

チャレンジ講義 ＋ チャレンジ演習 ＋ 直前対策講座 ＋ 全国公開模試

**受験経験者・独学生向けカリキュラムが一つのコースに!**

※チャレンジコースには直前対策講座（全国公開模試含む）が含まれています。

## 直前対策講座

**5月上旬開講!**

**本試験突破の最終仕上げ!**

直前期に必要な対策が
すべて揃っています!

- 徹底分析!「試験委員対策」
- 即時対応!「税制改正」
- 毎年的中!「予想答練」

※直前対策講座には全国公開模試が含まれています。

| 学習メディア | 教室講座・ビデオブース講座<br>Web通信講座・DVD通信講座・資料通信講座 |
|---|---|

＼ 全11科目対応 ／

| 開講科目 | 簿記・財表・法人・所得・相続・消費<br>酒税・固定・事業・住民・国徴 |
|---|---|

チャレンジコース・直前対策講座ともに詳しくは2月下旬発刊予定の
**「チャレンジコース・直前対策講座パンフレット」**をご覧ください。

(2024年2月現在)

# 書籍のご購入は

## 1 全国の書店、大学生協、ネット書店で

## 2 TAC各校の書籍コーナーで

資格の学校TACの校舎は全国に展開！
校舎のご確認はホームページにて

資格の学校TAC ホームページ
https://www.tac-school.co.jp

## 3 TAC出版書籍販売サイトで

CYBER BOOK STORE TAC出版書籍販売サイト

24時間
ご注文
受付中

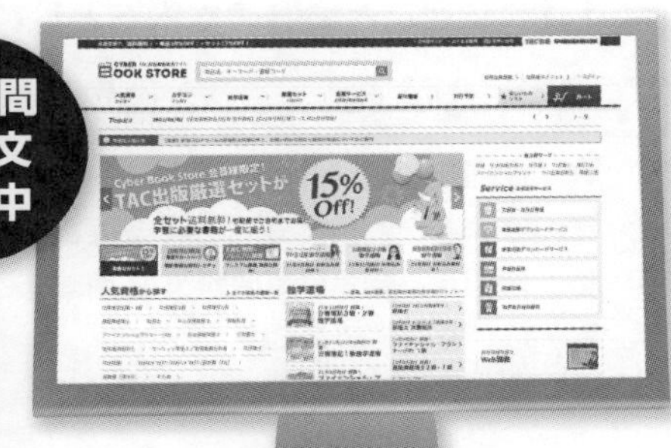

https://bookstore.tac-school.co.jp/

新刊情報をいち早くチェック！

たっぷり読める立ち読み機能

学習お役立ちの特設ページも充実！

TAC出版書籍販売サイト「サイバーブックストア」では、TAC出版および早稲田経営出版から刊行されている、すべての最新書籍をお取り扱いしています。
また、会員登録（無料）をしていただくことで、会員様限定キャンペーンのほか、送料無料サービス、メールマガジン配信サービス、マイページのご利用など、うれしい特典がたくさん受けられます。

### サイバーブックストア会員は、特典がいっぱい！（一部抜粋）

通常、1万円（税込）未満のご注文につきましては、送料・手数料として500円（全国一律・税込）頂戴しておりますが、1冊から無料となります。

専用の「マイページ」は、「購入履歴・配送状況の確認」のほか、「ほしいものリスト」や「マイフォルダ」など、便利な機能が満載です。

メールマガジンでは、キャンペーンやおすすめ書籍、新刊情報のほか、「電子ブック版TACNEWS（ダイジェスト版）」をお届けします。

書籍の発売を、販売開始当日にメールにてお知らせします。これなら買い忘れの心配もありません。

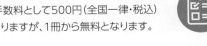

# 2025年度版 税理士試験対策書籍のご案内

TAC出版では、独学用、およびスクール学習の副教材として、各種対策書籍を取り揃えています。学習の各段階に対応していますので、あなたのステップに応じて、合格に向けてご活用ください!

（刊行内容、発行月、装丁等は変更することがあります）

## ●2025年度版 税理士受験シリーズ

税理士試験において長い実績を誇るTAC。このTACが長年培ってきた合格ノウハウを“TAC方式”としてまとめたのがこの「税理士受験シリーズ」です。近年の豊富なデータをもとに傾向を分析、科目ごとに最適な内容としているので、トレーニング演習に欠かせないアイテムです。

### 簿記論

| No. | 科目 | 書名 | 発行月 |
|---|---|---|---|
| 01 | 簿記論 | 個別計算問題集 | （8月） |
| 02 | 簿記論 | 総合計算問題集 基礎編 | （9月） |
| 03 | 簿記論 | 総合計算問題集 応用編 | （11月） |
| 04 | 簿記論 | 過去問題集 | （12月） |
|  | 簿記論 | 完全無欠の総まとめ | （11月） |

### 財務諸表論

| No. | 科目 | 書名 | 発行月 |
|---|---|---|---|
| 05 | 財務諸表論 | 個別計算問題集 | （8月） |
| 06 | 財務諸表論 | 総合計算問題集 基礎編 | （9月） |
| 07 | 財務諸表論 | 総合計算問題集 応用編 | （12月） |
| 08 | 財務諸表論 | 理論問題集 基礎編 | （9月） |
| 09 | 財務諸表論 | 理論問題集 応用編 | （12月） |
| 10 | 財務諸表論 | 過去問題集 | （12月） |
| 33 | 財務諸表論 | 重要会計基準 | （8月） |
|  | ※財務諸表論 | 重要会計基準 暗記音声 | （8月） |
|  | 財務諸表論 | 完全無欠の総まとめ | （11月） |

### 法人税法

| No. | 科目 | 書名 | 発行月 |
|---|---|---|---|
| 11 | 法人税法 | 個別計算問題集 | （11月） |
| 12 | 法人税法 | 総合計算問題集 基礎編 | （10月） |
| 13 | 法人税法 | 総合計算問題集 応用編 | （12月） |
| 14 | 法人税法 | 過去問題集 | （12月） |
| 34 | 法人税法 | 理論マスター | （8月） |
|  | ※法人税法 | 理論マスター 暗記音声 | （9月） |
| 35 | 法人税法 | 理論ドクター | （12月） |
|  | 法人税法 | 完全無欠の総まとめ | （12月） |

### 所得税法

| No. | 科目 | 書名 | 発行月 |
|---|---|---|---|
| 15 | 所得税法 | 個別計算問題集 | （9月） |
| 16 | 所得税法 | 総合計算問題集 基礎編 | （10月） |
| 17 | 所得税法 | 総合計算問題集 応用編 | （12月） |
| 18 | 所得税法 | 過去問題集 | （12月） |
| 36 | 所得税法 | 理論マスター | （8月） |
|  | ※所得税法 | 理論マスター 暗記音声 | （9月） |
| 37 | 所得税法 | 理論ドクター | （12月） |

### 相続税法

| No. | 科目 | 書名 | 発行月 |
|---|---|---|---|
| 19 | 相続税法 | 個別計算問題集 | （9月） |
| 20 | 相続税法 | 財産評価問題集 | （9月） |
| 21 | 相続税法 | 総合計算問題集 基礎編 | （9月） |
| 22 | 相続税法 | 総合計算問題集 応用編 | （12月） |
| 23 | 相続税法 | 過去問題集 | （12月） |
| 38 | 相続税法 | 理論マスター | （8月） |
|  | ※相続税法 | 理論マスター 暗記音声 | （9月） |
| 39 | 相続税法 | 理論ドクター | （12月） |

### 酒税法

| No. | 科目 | 書名 | 発行月 |
|---|---|---|---|
| 24 | 酒税法 | 計算問題+過去問題集 | （2月） |
| 40 | 酒税法 | 理論マスター | （8月） |

# 書籍の正誤に関するご確認とお問合せについて

書籍の記載内容に誤りではないかと思われる箇所がございましたら、以下の手順にてご確認とお問合せをしてくださいますよう、お願い申し上げます。
なお、正誤のお問合せ以外の**書籍内容に関する解説および受験指導などは、一切行っておりません。**
そのようなお問合せにつきましては、お答えいたしかねますので、あらかじめご了承ください。

## 1 「Cyber Book Store」にて正誤表を確認する

TAC出版書籍販売サイト「Cyber Book Store」のトップページ内「正誤表」コーナーにて、正誤表をご確認ください。

CYBER TAC出版書籍販売サイト BOOK STORE

**URL:https://bookstore.tac-school.co.jp/**

## 2 1の正誤表がない、あるいは正誤表に該当箇所の記載がない ⇒ 下記①、②のどちらかの方法で文書にて問合せをする

★ご注意ください★

**お電話でのお問合せは、お受けいたしません。**
①、②のどちらの方法でも、お問合せの際には、「お名前」とともに、
「対象の書籍名(○級・第○回対策も含む)およびその版数(第○版・○○年度版など)」
「お問合せ該当箇所の頁数と行数」
「誤りと思われる記載」
「正しいとお考えになる記載とその根拠」
を明記してください。
なお、回答までに1週間前後を要する場合もございます。あらかじめご了承ください。

**① ウェブページ「Cyber Book Store」内の「お問合せフォーム」より問合せをする**

【お問合せフォームアドレス】

**https://bookstore.tac-school.co.jp/inquiry/**

**② メールにより問合せをする**

【メール宛先 TAC出版】

**syuppan-h@tac-school.co.jp**

**※土日祝日はお問合せ対応をおこなっておりません。**
**※正誤のお問合せ対応は、該当書籍の改訂版刊行月末日までといたします。**

乱丁・落丁による交換は、該当書籍の改訂版刊行月末日までといたします。なお、書籍の在庫状況等により、お受けできない場合もございます。
また、各種本試験の実施の延期、中止を理由とした本書の返品はお受けいたしません。返金もいたしかねますので、あらかじめご了承くださいますようお願い申し上げます。

TACにおける個人情報の取り扱いについて
■お預かりした個人情報は、TAC(株)で管理させていただき、お問合せへの対応、当社の記録保管にのみ利用いたします。お客様の同意なしに業務委託先以外の第三者に開示、提供することはございません(法令等により開示を求められた場合を除く)。その他、個人情報保護管理者、お預かりした個人情報の開示等及びTAC(株)への個人情報の提供の任意性については、当社ホームページ(https://www.tac-school.co.jp)をご覧いただくか、個人情報に関するお問い合わせ窓口(E-mail:privacy@tac-school.co.jp)までお問合せください。

(2022年7月現在)